Um Perfeito Cavalheiro

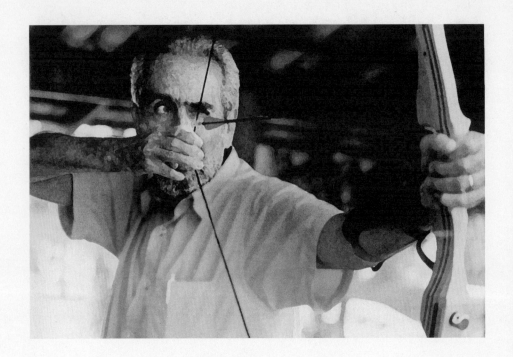

O Arqueiro

GERALDO JORDÃO PEREIRA (1938-2008) começou sua carreira aos 17 anos, quando foi trabalhar com seu pai, o célebre editor José Olympio, publicando obras marcantes como *O menino do dedo verde*, de Maurice Druon, e *Minha vida*, de Charles Chaplin.

Em 1976, fundou a Editora Salamandra com o propósito de formar uma nova geração de leitores e acabou criando um dos catálogos infantis mais premiados do Brasil. Em 1992, fugindo de sua linha editorial, lançou *Muitas vidas, muitos mestres*, de Brian Weiss, livro que deu origem à Editora Sextante.

Fã de histórias de suspense, Geraldo descobriu *O Código Da Vinci* antes mesmo de ele ser lançado nos Estados Unidos. A aposta em ficção, que não era o foco da Sextante, foi certeira: o título se transformou em um dos maiores fenômenos editoriais de todos os tempos.

Mas não foi só aos livros que se dedicou. Com seu desejo de ajudar o próximo, Geraldo desenvolveu diversos projetos sociais que se tornaram sua grande paixão.

Com a missão de publicar histórias empolgantes, tornar os livros cada vez mais acessíveis e despertar o amor pela leitura, a Editora Arqueiro é uma homenagem a esta figura extraordinária, capaz de enxergar mais além, mirar nas coisas verdadeiramente importantes e não perder o idealismo e a esperança diante dos desafios e contratempos da vida.

Os Bridgertons — 3

Julia Quinn

Um Perfeito Cavalheiro

Título original: *An Offer from a Gentleman*
Copyright © 2001 por Julie Cotler Pottinger
Copyright da tradução © 2014 por Editora Arqueiro Ltda.
Publicado mediante acordo com a Harper Collins Publishers.

Todos os direitos reservados. Nenhuma parte deste livro pode ser utilizada ou
reproduzida sob quaisquer meios existentes sem autorização por escrito dos editores.

tradução: Cássia Zanon
preparo de originais: Taís Monteiro
revisão: Clarissa Peixoto, Gypsi Canetti e Isabella Leal
diagramação: Ilustrarte Design e Produção Editorial
capa: Raul Fernandes
imagens de capa: casa: Latinstock/Atlantide Phototravel/Corbis;
mulher: Richard Jenkins
impressão e acabamento: Lis Gráfica e Editora Ltda.

CIP-BRASIL. CATALOGAÇÃO NA PUBLICAÇÃO
SINDICATO NACIONAL DOS EDITORES DE LIVROS, RJ

Q62u   Quinn, Julia
        Um perfeito cavalheiro / Julia Quinn; tradução de Cássia Zanon;
São Paulo: Arqueiro, 2014.
        304 p.; 16 x 23 cm.

        Tradução de: An offer from a gentleman
        ISBN 978-85-8041-238-3

        1. Romance histórico americano. I. Zanon, Cássia, 1974-. II. Título.

13-07150   CDD: 813
CDU: 821.111(73)-3

Todos os direitos reservados, no Brasil, por
Editora Arqueiro Ltda.
Rua Artur de Azevedo, 1.767 – Conj. 177 – Pinheiros
05404-014 – São Paulo – SP
Tel.: (11) 2894-4987
E-mail: atendimento@editoraarqueiro.com.br
www.editoraarqueiro.com.br

A temporada de 1815 está em pleno curso, e, embora fosse de esperar que todas as conversas seriam a respeito de Wellington e Waterloo, na verdade houve poucas mudanças em relação aos assuntos de 1814, que giraram em torno do eterno tema da sociedade – casamento.

Como sempre, as esperanças matrimoniais das debutantes estão centradas na família Bridgerton, mais especificamente no mais velho dos irmãos solteiros, Benedict. Ele pode não possuir um título, mas o rosto bonito, as formas agradáveis e o bolso cheio parecem compensar essa falha. De fato, em mais de uma ocasião esta autora ouviu uma mãe ambiciosa dizendo sobre a filha: "Ela vai se casar com um duque... ou com um Bridgerton."

O Sr. Bridgerton, por sua vez, parece não ter qualquer interesse pelas jovens frequentadoras dos eventos sociais. Ele comparece a quase todas as festas, mas tudo o que faz é olhar para as portas, provavelmente esperando alguém especial.

Quem sabe...

Uma noiva em potencial?

CRÔNICAS DA SOCIEDADE DE LADY WHISTLEDOWN,
12 DE JULHO DE 1815

Para Cheyenne,
e a lembrança de um verão de frappuccinos.

E também para Paul,
embora ele não veja nada de errado
em assistir a cirurgias cardíacas de peito aberto na TV
enquanto comemos espaguete.

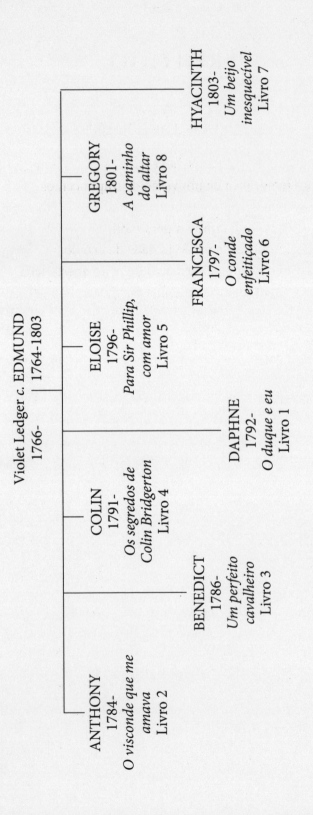

PRÓLOGO

Todo mundo sabia que Sophie Beckett era bastarda.

Todos os criados tinham consciência disso. Mas eles amavam a pequena menina. Tinham começado a amá-la desde que ela chegara a Penwood Park, aos 3 anos, uma trouxinha enrolada num casaco enorme, deixada nos degraus da entrada da casa numa noite chuvosa de julho. E, como a amavam, fingiam que ela era exatamente o que o sexto conde de Penwood dizia que ela era – a filha órfã de um velho amigo. Não importava que os olhos verde-musgo e os cabelos louro-escuros de Sophie fossem muito parecidos com os do conde, nem que o formato de seu rosto lembrasse de forma impressionante o da recém-falecida mãe do conde, ou que seu sorriso fosse uma réplica precisa do da irmã dele. Ninguém queria magoar a jovem – ou arriscar o emprego – fazendo esse tipo de observação.

O conde, um certo Richard Gunningworth, nunca falava sobre Sophie ou suas origens, mas devia saber que ela era sua filha bastarda. Ninguém tinha conhecimento do que estava escrito na carta que a governanta descobrira no bolso da menina quando ela fora encontrada naquela noite chuvosa. O conde queimara a correspondência alguns segundos depois de ler. Ficou observando o papel desaparecer nas chamas e então ordenou que preparassem um quarto para a criança na ala infantil. Foi onde ela permaneceu desde então. Ele a chamava de Sophia, e ela o chamava de "milorde", e os dois se viam algumas vezes por ano, sempre que o conde vinha de Londres, o que não acontecia com muita frequência.

Mas – talvez o mais importante – Sophie tinha consciência de que era bastarda. Não tinha muita certeza de como sabia, só que sabia, e provavelmente soubera durante toda a sua vida. Tinha poucas lembranças anteriores à sua chegada a Penwood Park, mas se recordava de uma longa viagem de carruagem pela Inglaterra e também da avó, tossindo e arfando, parecendo muito magra, dizendo que ela ia morar com o pai. Mais do que tudo, ela se lembrava de ter ficado parada nos degraus da entrada sob a chuva, sabendo que a avó estava escondida nos arbustos esperando para ver se a menina seria levada para dentro da casa.

O conde tocara no queixo da menininha, virara seu rosto para a luz e naquele momento os dois souberam a verdade.

Todo mundo sabia que Sophie era bastarda, ninguém falava sobre isso, e todos estavam bastante satisfeitos com essa situação.

Até que o conde decidiu se casar.

Sophie ficara muito satisfeita com a novidade. A governanta dissera que o mordomo dissera que a secretária do conde dissera que o conde planejava passar mais tempo em Penwood Park, agora que decidira ser um homem de família. Embora Sophie não sentisse exatamente falta do dono da casa quando ele não estava – era difícil sentir falta de alguém que não lhe dava muita atenção mesmo quando se encontrava no mesmo ambiente que ela –, a menina achava que *poderia* vir a sentir saudade dele se tivesse a oportunidade de conhecê-lo melhor, e que, se o conhecesse melhor, talvez ele não viajasse tanto. Além disso, a arrumadeira do andar de cima comentara que a governanta comentara que o mordomo dos vizinhos comentara que a pretendente do conde já tinha duas filhas mais ou menos da idade de Sophie.

Depois de sete anos sozinha na ala infantil, Sophie estava encantada. Ao contrário das outras crianças do distrito, ela nunca era convidada para festas e eventos locais. Ninguém nunca chegara a chamá-la de bastarda – o que seria o equivalente a chamar o conde de mentiroso, já que ele declarara que Sophie era sua pupila e depois nunca mais tornara a tocar no assunto. Mas, ao mesmo tempo, ele jamais fizera qualquer tentativa a sério de forçar que a aceitassem. Assim, aos 10 anos, os melhores amigos dela eram criadas e lacaios, e seus pais poderiam muito bem ser a governanta e o mordomo.

Mas agora ela ganharia irmãs de verdade.

Ah, ela sabia que não poderia chamá-las assim. Tinha consciência de que seria apresentada como Sophia Maria Beckett, a pupila do conde, mas elas *seriam como* irmãs. E era isso que importava de verdade.

Assim, numa tarde de fevereiro, Sophie esperava no grande saguão junto a toda a criadagem, espiando pela janela até que a carruagem do conde parasse na entrada da casa, trazendo a nova condessa e suas duas filhas. E, é claro, o conde.

– Será que ela vai gostar de mim? – sussurrou Sophie para a Sra. Gibbons, a governanta. – A esposa do conde, quero dizer.

– É claro que ela vai gostar de você, querida – respondeu baixinho a Sra. Gibbons.

Mas seu olhar não estava tão assertivo quanto seu tom de voz. A nova condessa poderia não gostar da presença da filha ilegítima do marido.

– E eu vou ter aulas com as filhas dela?

– Não há por que vocês terem aulas em separado.

Sophie assentiu com ar pensativo e começou a se contorcer quando viu a carruagem se aproximar.

– Eles chegaram – murmurou.

A Sra. Gibbons esticou o braço para acariciar sua cabeça, mas Sophie já havia corrido até a janela e praticamente colado o rosto ao vidro.

O conde desceu primeiro, então estendeu a mão e ajudou as duas menininhas a saltarem. Ambas vestiam casacos pretos iguais. Uma tinha um laço cor-de-rosa na cabeça e a outra, um amarelo. Então, depois que elas deram um passo para o lado, o conde ofereceu a mão à última pessoa a descer da carruagem.

Sophie prendeu a respiração enquanto esperava que a nova condessa aparecesse. Cruzou os dedinhos e sussurrou um único "Por favor" bem baixinho. *Por favor, faça com que ela me ame.*

Talvez, se a condessa a amasse, o conde também sentisse o mesmo. E talvez, ainda que não a chamasse de filha, ele a tratasse como tal e então todos formariam uma família de verdade.

Enquanto Sophie observava pela janela, a nova condessa desceu da carruagem. Seus movimentos eram tão graciosos e puros que Sophie pensou na delicada cotovia que às vezes aparecia para tomar banho na fonte de pássaros do jardim. O chapéu dela inclusive era enfeitado por uma longa pluma azul--turquesa que reluzia sob o sol de inverno.

– Ela é linda – murmurou a menina.

Lançou um olhar rápido à Sra. Gibbons para avaliar a reação dela, mas a governanta estava muito concentrada, com os olhos fixos à frente, esperando que o conde entrasse na casa com a nova família para fazer as apresentações.

Sophie engoliu em seco, sem ter certeza de onde deveria ficar. Todos os demais pareciam ter um lugar designado. Os criados estavam alinhados de acordo com a posição, do mordomo até a mais rasa faxineira. Até mesmo os cães se encontravam obedientemente sentados no canto, com as guias bem seguras pelo cuidador.

Mas Sophie não tinha raízes. Se fosse a filha real da casa, estaria parada com sua tutora, esperando pela nova condessa. Se fosse mesmo a pupila do conde, ficaria no mesmo lugar. Mas a Srta. Timmons havia pegado um resfriado e se recusara a deixar a ala infantil e descer. Nenhum dos criados acreditou nem por um instante que a tutora houvesse adoecido de verdade. Ela estava muito bem na noite anterior, mas ninguém a culpou pelo fingimento. Afinal, Sophie era a filha bastarda do conde, e ninguém queria ser a pessoa a fazer um insulto potencial à nova condessa apresentando-a à filha ilegítima do marido.

E a condessa teria de ser cega, burra ou as duas coisas para não se dar conta num instante de que Sophie não era apenas a pupila do conde.

De repente, dominada pela timidez, Sophie se encolheu num canto quando dois lacaios abriram as portas da frente com um floreio. As duas meninas entraram primeiro, e então foram para o lado enquanto o conde dava passagem para a condessa. Ele a apresentou, assim como as suas filhas, ao mordomo, que por sua vez as apresentou aos criados.

E Sophie esperou.

O mordomo apresentou os lacaios, o chef, a governanta, os cavalariços.

E Sophie esperou.

Apresentou as criadas da cozinha, as criadas do andar de cima, as arrumadeiras.

E Sophie esperou.

Por fim o mordomo – que se chamava Rumsey – apresentou a criada de menor posição, uma arrumadeira chamada Dulcie, que havia sido contratada apenas uma semana antes. O conde fez um aceno de cabeça, murmurou um agradecimento, e Sophie ainda esperava, sem ter a menor ideia do que fazer.

Então ela pigarreou e deu um passo à frente, com um sorriso de nervosismo. Ela não passava muito tempo com o conde, mas era levada à sua presença toda vez que ele visitava Penwood Park e ele sempre lhe dava alguns minutos de seu tempo, perguntando-lhe sobre as lições antes de despachá-la de volta à ala infantil.

Ele com certeza ainda iria querer saber como iam seus estudos, mesmo agora que estava casado. Com certeza iria querer saber que ela havia aprendido a multiplicar frações e que a Srta. Timmons dissera, havia pouco tempo, que sua pronúncia em francês era "perfeita".

Mas ele estava ocupado dizendo alguma coisa às filhas da condessa e não a escutou. Sophie pigarreou mais uma vez, agora mais alto, e disse, numa voz que saiu um pouco mais esganiçada do que ela pretendia:

– Milorde?

O conde se virou.

– Ah, Sophia – murmurou. – Eu não vi que você estava aqui.

A menina ficou radiante. Ele não a ignorara, afinal.

– E quem vem a ser esta? – perguntou a condessa, dando um passo para a frente a fim de observá-la melhor.

– É minha pupila – respondeu o conde. – Srta. Sophia Beckett.

A condessa encarou Sophie e a avaliou. Então, estreitou os olhos.

E estreitou mais um pouco.

E um pouco mais.

– Entendo – disse ela.

Nesse momento, todos os que estavam na sala souberam que ela entendia *mesmo*.

– Rosamund, Posy – chamou a condessa, virando-se para as filhas –, venham aqui.

As duas foram no mesmo instante para o lado da mãe. Sophie arriscou dar um sorriso para elas. A menorzinha retribuiu, porém a mais velha, que tinha os cabelos cor de ouro, entendeu a deixa da mãe, empinou o nariz e olhou com firmeza para o outro lado.

Sophie engoliu em seco e sorriu de novo para a menina amistosa, mas desta vez ela mordeu o lábio inferior, indecisa, e olhou para baixo.

A condessa se virou de costas para Sophie e disse ao conde:

– Imagino que tenha mandado preparar quartos para Rosamund e Posy.

Ele assentiu.

– Na ala infantil. Bem ao lado de Sophie.

Houve um longo silêncio e então a condessa deve ter decidido que algumas batalhas não deveriam ser travadas na frente dos criados, porque tudo o que retrucou foi:

– Eu gostaria de subir agora.

E saiu, levando o conde e as filhas com ela.

Sophie observou a nova família subindo a escada e, quando eles desapareceram, se virou para a Sra. Gibbons e perguntou:

– Você acha que eu devo ir junto para ajudar? Eu poderia mostrar a ala infantil para as meninas.

A Sra. Gibbons balançou a cabeça.

– Elas parecem cansadas – mentiu. – Tenho certeza de que precisam de um cochilo.

Sophie franziu a testa. Tinham lhe dito que Rosamund tinha 11 anos, e Posy, 10. Elas com certeza estavam um pouco velhas demais para cochilarem durante o dia.

A Sra. Gibbons deu alguns tapinhas em suas costas.

– Por que não vem comigo? Um pouco de companhia me faria bem, e a cozinheira me contou que acabou de preparar uma fornada de biscoitos amanteigados. Acho que ainda estão quentinhos.

Sophie assentiu e a seguiu. Teria bastante tempo para conhecer as duas meninas naquela noite. Ela lhes apresentaria a ala infantil, então as três se tornariam amigas e logo seriam como irmãs.

A menina sorriu. Seria maravilhoso ter irmãs.

Acontece que Sophie não viu mais Rosamund e Posy – nem o conde e a condessa – até o dia seguinte. Quando entrou na ala infantil para jantar, percebeu que a mesa havia sido posta para dois, não para quatro, e a Srta. Timmons (que havia, como por milagre, se recuperado do mal-estar) disse que a nova condessa lhe informara que as filhas estavam cansadas demais da viagem para comer naquela noite.

Mas as meninas precisavam ter aulas. Assim, na manhã seguinte, chegaram à ala infantil, seguindo logo atrás da condessa. Sophie já estava fazendo suas atividades havia uma hora e levantou o olhar da lição de aritmética cheia de interesse. Desta vez, não sorriu para as duas. De alguma maneira, parecia melhor não fazer isso.

– Srta. Timmons – falou a condessa.

A tutora fez um aceno de cabeça e murmurou:

– Milady.

– O conde me disse que você ensinará minhas filhas.

– Farei o melhor possível, milady.

A condessa fez um sinal para a menina mais velha, a de cabelos dourados e olhos azuis. Sophie pensou que ela era tão bonita quanto a boneca de porcelana que o conde havia mandado de Londres para seu aniversário de 7 anos.

– Esta é Rosamund – apresentou a condessa. Ela tem 11 anos. E esta – continuou, fazendo um gesto em direção à outra menina, que não havia tirado os olhos dos sapatos – é Posy. Ela tem 10.

Sophie fitou Posy com muito interesse. Ao contrário da mãe e da irmã, ela tinha os cabelos e os olhos muito escuros e o rosto um pouco rechonchudo.

– Sophie também tem 10 anos – comentou a Srta. Timmons.

A condessa apertou os lábios.

– Eu gostaria que você mostrasse a casa e o jardim às meninas.

A Srta. Timmons assentiu.

– Muito bem. Sophie, deixe sua lousa aí. Poderemos retornar à aritmética...

– Apenas às *minhas* meninas – interrompeu a condessa, com a voz de certa forma quente e fria ao mesmo tempo. – Quero falar com Sophie a sós.

Sophie engoliu em seco e tentou olhar a condessa nos olhos, mas não conseguiu passar do queixo. Enquanto a Srta. Timmons se retirava com Rosamund e Posy, ela se levantou, aguardando as próximas orientações da nova esposa do pai.

– Eu sei quem você é – começou a condessa no instante em que a porta se fechou.

– M-milady?

– Você é a filha bastarda dele, e não tente negar.

Sophie não respondeu. Era verdade, é claro, mas ninguém jamais dissera aquilo em voz alta. Pelo menos não diretamente a ela.

A condessa segurou o queixo de Sophie, apertou e puxou até que a menina foi forçada a fitá-la nos olhos.

– Escute o que vou dizer – continuou ela em tom ameaçador. – Você pode viver aqui em Penwood Park e pode ter aulas com minhas filhas, mas não passa de uma bastarda, e é tudo o que será. Nunca, *nunca*, cometa o erro de pensar que é tão boa quanto o resto de nós.

Sophie soltou um pequeno gemido. As unhas da condessa estavam machucando a parte de baixo de seu queixo.

– Meu marido – prosseguiu a mulher – sente uma espécie de dever equivocado em relação a você. É admirável da parte dele assumir os próprios erros, mas para mim é um insulto tê-la em minha casa, alimentada, vestida e educada como se fosse sua filha de verdade.

Mas ela era filha dele de verdade. E aquela casa era dela muito antes de ser da condessa.

De forma abrupta, a mulher soltou o queixo de Sophie.

– Eu não quero vê-la – sibilou ela. – Você nunca deve falar comigo e deve tratar de nunca estar perto de mim. Além disso, não deve falar com Rosamund e Posy fora das aulas. Elas são as filhas da casa agora, e não devem ser obrigadas a conviver com pessoas da sua laia. Você tem alguma pergunta?

Sophie balançou a cabeça em negativa.

– Ótimo.

Com isso, ela saiu da sala, deixando a menina de pernas bambas e lábios trêmulos.

E os olhos cheios d'água.

Com o tempo, Sophie aprendeu um pouco mais sobre sua precária posição na casa. Os criados sempre sabiam de tudo, e tudo acabava chegando aos ouvidos da menina.

A condessa, cujo nome de batismo era Araminta, insistira naquele primeiro dia que Sophie fosse retirada da casa. O conde se recusara. A mulher não precisava amar Sophie, ele dissera com frieza. Não era obrigada sequer a gostar dela. Mas teria de suportá-la. Ele havia reconhecido sua responsabilidade para com ela durante sete anos e não iria mudar agora.

Rosamund e Posy obedeceram às ordens da mãe e passaram a tratar Sophie com hostilidade e desdém, embora o coração de Posy claramente não fosse afeito à tortura e à crueldade como o de Rosamund. Esta última adorava beliscar a parte de cima da mão de Sophie quando a Srta. Timmons não estava olhando. Sophie nunca dizia nada. Duvidava que a Srta. Timmons fosse ter coragem de repreender a menina (que com certeza iria correndo até Araminta com alguma história mentirosa), e se alguém percebia que as mãos de Sophie estavam sempre cheias de hematomas, ninguém jamais dissera nada.

Posy às vezes demonstrava alguma bondade, embora com muita frequência apenas suspirasse e dissesse:

– Mamãe mandou que não fôssemos simpáticas com você.

Quanto ao conde, ele nunca intervinha.

A vida de Sophie continuou assim por quatro anos, até que o conde surpreendeu a todos ao levar a mão ao peito enquanto tomava chá no jardim de rosas, arfar com força e cair com o rosto no piso de pedras.

Ele nunca mais recuperou a consciência.

Todos ficaram bastante chocados. O conde tinha apenas 40 anos. Quem poderia saber que seu coração pararia em tão tenra idade? Ninguém ficou mais perplexo do que Araminta, que vinha tentando desesperadamente, desde a noite de núpcias, conceber o indispensável herdeiro.

– Talvez eu esteja esperando um bebê! – apressou-se a dizer aos advogados do conde. – Vocês não podem entregar o título a algum primo distante. Posso muito bem estar grávida.

Mas não estava, e quando o testamento do conde foi lido, um mês depois (os advogados quiseram dar à condessa tempo suficiente para saber ao certo se estava grávida), Araminta foi forçada a se sentar ao lado do novo conde, um jovem bastante desregrado que passava mais tempo bêbado do que sóbrio.

A maioria dos desejos do conde eram justos e tradicionais. Ele deixou legados a criados leais. Estabeleceu fundos para Rosamund, Posy e até mesmo Sophie, garantindo que todas as três tivessem dotes respeitáveis.

E então o advogado que lia o testamento chegou ao nome de Araminta:

– "À minha esposa, Araminta Gunningworth, condessa de Penwood, deixo uma renda anual de duas mil libras..."

– Só isso? – gritou a mulher.

– "... a menos que ela concorde em abrigar e cuidar de minha pupila, a Srta. Sophia Maria Beckett, até que esta chegue aos 20 anos. Neste caso, sua renda anual deverá ser triplicada para seis mil libras."

– Eu não a quero – murmurou Araminta.

– A senhora não precisa ficar com ela – lembrou-lhe o advogado. – Pode...

– Viver com míseros dois mil por ano? – explodiu ela. – Acho que não.

O advogado, que vivia com bem menos do que dois mil por ano, não disse nada.

O novo conde, que não parara de beber ao longo da reunião, apenas deu de ombros.

Araminta se levantou.

– Qual é sua decisão? – perguntou o advogado.

– Eu fico com ela – retrucou a condessa em voz baixa.

– Devo procurar a menina e contar a ela?

Araminta balançou a cabeça.

– Eu mesma faço isso.

Mas, quando ela encontrou Sophie, deixou de fora alguns fatos importantes...

PARTE 1

CAPÍTULO 1

O convite mais desejado deste ano só pode ser o do baile de máscaras dos Bridgertons, a ser realizado na próxima segunda-feira. De fato, não é possível dar dois passos sem ser obrigado a ouvir alguma mãe da sociedade especulando sobre quem estará presente e, talvez ainda mais importante, quem vestirá o quê.

Nenhum dos tópicos mencionados acima, no entanto, é nem de longe tão interessante quanto os dois irmãos Bridgertons solteiros, Benedict e Colin. (Antes que alguém diga que há um terceiro, esta autora pode assegurar que tem plena consciência da existência de Gregory Bridgerton. Ele, no entanto, tem 14 anos e, portanto, não é pertinente a esta coluna em particular, que trata, como todas as outras, do mais sagrado dos esportes: a caça a maridos.)

Embora os Srs. Bridgertons sejam apenas isto – apenas senhores –, ainda são considerados dois dos melhores partidos da temporada. É de conhecimento geral que ambos são donos de respeitáveis fortunas, e não é necessário ter a visão perfeita para saber que também possuem, assim como todos os outros irmãos, a beleza da família.

Será que alguma jovem afortunada usará o mistério de uma noite de máscaras para fisgar um dos cobiçados solteiros?

Esta autora não tentará sequer especular.

CRÔNICAS DA SOCIEDADE DE LADY WHISTLEDOWN,
31 DE MAIO DE 1815

– Sophie! Sophieeeeeeeeeeeeeeee!

No que dizia respeito a guinchos, aquele seria suficiente para espatifar vidraças. Ou pelo menos um tímpano.

– Estou indo, Rosamund! Estou indo!

Sophie levantou as barras de sua saia de lã crua e correu escada acima, escorregando no quarto degrau e mal conseguindo se segurar no corrimão antes de cair sentada. Ela deveria ter se lembrado de que a escadaria estaria escorregadia, já que havia ajudado a arrumadeira do andar de baixo a encerá-la naquela manhã.

Ao parar diante da porta do quarto de Rosamund, ainda tentando recuperar o fôlego, Sophie disse:

– Pois não?

– Meu chá está frio.

O que Sophie queria responder era "Estava quente quando eu o trouxe para você há uma hora, sua grosseirona preguiçosa", mas o que falou foi:

– Trarei outro bule.

Rosamund bufou.

– É melhor mesmo.

Sophie esticou os lábios no que só uma pessoa quase cega poderia chamar de sorriso e recolheu o serviço de chá.

– Deixo os biscoitos? – perguntou.

Rosamund balançou a bela cabeça.

– Quero biscoitos frescos.

Com os ombros um pouco arqueados pelo peso da bandeja, Sophie saiu do quarto, tomando cuidado para não começar a resmungar antes de chegar ao corredor. Rosamund estava sempre pedindo chá, sem se preocupar em tomá--lo até ter passado uma hora. Nesse momento, é claro, o chá já tinha esfriado, e então ela pedia outro bule.

Isso significava que Sophie não parava de subir e descer as escadas. Às vezes, parecia que era tudo o que ela fazia da vida.

Para cima e para baixo, para cima e para baixo.

E tinha, é claro, os remendos para fazer, as roupas para passar, os cabelos a pentear, os sapatos para polir, as peças para costurar, as camas para arrumar...

– Sophie!

Quando ela se virou, viu Posy indo em sua direção.

– Sophie, eu queria saber se você acha que esta cor fica bem em mim.

Sophie avaliou a fantasia de sereia de Posy. O corte não a favorecia muito – ela nunca perdera toda a sua gordurinha de infância –, mas a cor destacava muito bem a sua pele.

– É um tom muito bonito de verde – respondeu ela com toda sinceridade. – Deixa as suas bochechas bem rosadas.

– Ah, ótimo. Que bom que você gostou. Você leva jeito para escolher minhas roupas. – Posy sorriu e estendeu o braço para pegar um biscoito açucarado da bandeja. – Mamãe está me perturbando a semana inteira com esse baile de máscaras, e sei que não vai parar enquanto eu não estiver com a melhor aparência possível. Ou – a menina contorceu o rosto numa careta – até ela *achar* que eu estou com a melhor aparência possível. Ela está determinada a fazer com que uma de nós fisgue um dos últimos irmãos Bridgertons, sabia?

– Eu sei.

– E, para piorar as coisas, aquela tal Whistledown anda escrevendo sobre eles de novo. E isso – Posy terminou de mastigar o biscoito e fez uma pausa para engolir – só aumenta o apetite de mamãe.

– A coluna de hoje estava boa? – perguntou Sophie, apoiando a bandeja no quadril. – Ainda não consegui ler.

– Ah, o de sempre – disse Posy com um aceno de mão. – Na verdade, ela às vezes pode ser bastante maçante, sabe?

Sophie tentou sorrir, mas não conseguiu. Não havia nada que ela gostaria mais do que viver um dia da rotina maçante de Posy. Bem, talvez não fosse querer Araminta como mãe, mas não se importaria de ter um cotidiano de festas, jantares e saraus.

– Vamos ver – considerou Posy. – Havia uma resenha do recente baile de Lady Worth, um pouco sobre o visconde de Guelph, que parece estar bastante impressionado com uma moça escocesa, e um texto mais longo sobre o próximo baile de máscaras dos Bridgertons.

Sophie suspirou. Vinha lendo sobre o próximo baile de máscaras havia semanas, e embora não passasse de uma camareira (e às vezes arrumadeira também, sempre que Araminta decidia que seu trabalho não estava pesado o suficiente), não conseguia evitar o desejo de ir ao baile.

– Eu, por exemplo, vou adorar se aquele visconde de Guelph ficar noivo – observou Posy, pegando outro biscoito. – Será um solteiro a menos sobre o qual mamãe vai ficar falando sem parar como um marido potencial. Não que eu tenha qualquer esperança de atrair a atenção dele, de qualquer maneira. – Ela deu uma mordida ruidosa no biscoito. – Espero que Lady Whistledown esteja certa a seu respeito.

– É provável que sim – retrucou Sophie.

Ela lia as crônicas de Lady Whistledown desde sua primeira edição, em 1813, e a colunista estava quase sempre correta quando se tratava de questões do mercado de casamentos.

Não que Sophie algum dia fosse ter a chance de ver com os próprios olhos o mercado de casamentos, é claro. Mas quem lia a coluna de Lady Whistledown com frequência suficiente quase podia se sentir parte da sociedade de Londres sem de fato ter ido a qualquer um dos bailes.

Na realidade, acompanhar seus textos era um dos passatempos verdadeiramente divertidos de Sophie. Ela já lera todos os romances da biblioteca, e como nem Araminta, nem Rosamund ou Posy gostavam muito de ler, Sophie não podia esperar que um livro novo entrasse naquela casa.

Mas o *Whistledown* era muito divertido. Ninguém conhecia a identidade real da colunista. Quando o jornal estreara, dois anos antes, as especulações começaram a se difundir. Mesmo agora, sempre que a autora publicava alguma fofoca particularmente interessante, as pessoas começavam a falar e a fazer apostas de novo, imaginando quem, afinal, era capaz de informar com tamanha velocidade e precisão.

E, para Sophie, o *Whistledown* era um vislumbre irresistível do mundo que poderia ter sido dela se seus pais tivessem chegado a legalizar sua união. Ela teria sido a filha, não a bastarda, de um conde. Seu sobrenome seria Gunningworth em vez de Beckett.

Apenas uma vez, ela gostaria de ser a dama a entrar numa carruagem para ir a um baile.

Em vez disso, ela era quem vestia outras jovens para as noites na cidade – apertando o corpete de Posy, arrumando os cabelos de Rosamund ou limpando um par de sapatos de Araminta.

Mas Sophie não podia – ou pelo menos não devia – reclamar. Sim, ela era criada de Araminta e suas filhas, mas pelo menos tinha uma casa. Que era mais do que a maioria das meninas em sua posição tinha.

Quando seu pai morrera, não deixara nada para ela. Bem, nada além de um teto sobre sua cabeça. Seu testamento garantira que ela não poderia ser mandada embora antes de completar 20 anos. Não havia qualquer possibilidade de Araminta abrir mão de quatro mil libras por ano expulsando Sophie.

Mas aquelas quatro mil libras eram de sua madrasta, não dela, e Sophie não vira um centavo dessa quantia. Não tinha mais as roupas de qualidade que costumava vestir – elas tinham sido substituídas pela lã crua dos criados. E ela comia o mesmo que as demais empregadas – qualquer coisa que Araminta, Rosamund e Posy deixassem sobrar.

O aniversário de 20 anos de Sophie, no entanto, fora quase um ano antes, e ali estava ela, ainda morando na Casa Penwood, ainda servindo Araminta de todas as maneiras possíveis. Por algum motivo desconhecido – provavelmente por não querer treinar (ou pagar) uma nova empregada –, Araminta permitira que Sophie permanecesse em sua casa.

E a menina havia ficado. Enquanto a madrasta era um demônio que ela conhecia, o resto do mundo era um demônio desconhecido. E Sophie não fazia ideia de qual seria pior.

– Essa bandeja não está pesada?

Sophie piscou para sair do mundo dos sonhos e se concentrou em Posy, que pegava o último biscoito da bandeja. Droga. Ela queria guardá-lo para si.

– Está – murmurou. – Bastante. Eu realmente deveria levá-la para a cozinha. Posy sorriu.

– Não vou mais atrapalhá-la, mas depois que terminar você poderia passar meu vestido cor-de-rosa? Vou colocá-lo hoje à noite. Ah, imagino que os sapatos que combinam com ele também precisem ser aprontados. Ficaram um pouco sujos da última vez que os usei, e você sabe como mamãe é em relação a calçados. Não importa que não dê para vê-los embaixo do vestido. Ela conseguirá perceber a menor partícula de sujeira no instante em que eu levantar a barra para subir uma escada.

Sophie assentiu, acrescentando mentalmente os pedidos de Posy à lista diária de tarefas.

– Então nos vemos mais tarde!

Mordendo o último biscoito, Posy se virou e desapareceu para dentro do quarto.

E Sophie desceu para a cozinha.

Alguns dias depois, Sophie estava de joelhos, segurando alfinetes entre os dentes enquanto fazia modificações de última hora na fantasia de Araminta para o baile de máscaras. O vestido de rainha Elizabeth havia, é claro, sido entregue perfeito pela costureira, mas Araminta insistia que estava meio centímetro largo demais na cintura.

– Assim está bom? – perguntou Sophie, falando entre dentes para os alfinetes não caírem.

– Apertado demais.

Sophie ajustou alguns alfinetes.

– E agora?

– Folgado demais.

Sophie tirou um alfinete e o enfiou exatamente no mesmo lugar.

– Pronto. E agora?

Araminta se virou para um lado e outro e então enfim declarou:

– Assim está bom.

Sophie sorriu ao se levantar para ajudar a madrasta a tirar o vestido.

– Preciso dele pronto em uma hora para não me atrasar para o baile – decretou Araminta.

– É claro – murmurou Sophie.

Achava mais fácil apenas dizer "é claro" regularmente em conversas com a mulher.

– Esse baile é muito importante – observou Araminta. – Rosamund precisa fazer um bom casamento este ano. O novo conde... – Ela estremeceu de desgosto. Ainda considerava o atual dono do título um intruso, sem se importar com o fato de ele ser o parente homem vivo mais próximo de seu falecido marido. – Bem, ele me disse que este é o último ano que poderemos usar a Casa Penwood. Que sujeito audacioso! Eu sou a condessa viúva, afinal, e Rosamund e Posy são as filhas do conde.

Enteadas, Sophie corrigiu em pensamento.

– Nós temos todo o direito de usar a propriedade para a temporada. Não faço ideia do que ele planeja fazer com a casa.

– Talvez queira participar da temporada para procurar uma esposa – sugeriu Sophie. – Tenho certeza de que ele deve querer um herdeiro.

Araminta fez uma careta.

– Se Rosamund não se casar com alguém de posses, não sei o que vamos fazer. É muito difícil encontrar uma boa casa para alugar. E muito caro, também.

Sophie se absteve de comentar que pelo menos Araminta não precisava pagar por uma camareira. Na verdade, até a menina fazer 20 anos, ela recebia quatro mil libras por ano apenas para *ter* uma camareira.

A mulher estalou os dedos.

– Não se esqueça de empoar os cabelos de Rosamund.

A filha mais velha iria ao baile vestida de Maria Antonieta. Sophie perguntara se ela planejava pôr um colar de sangue falso no pescoço, mas a jovem não achara graça.

Araminta vestiu o penhoar e amarrou a faixa com movimentos rápidos e precisos.

– E Posy – continuou, franzindo o nariz. – Bem, tenho certeza de que ela precisará da sua ajuda de alguma maneira.

– Eu sempre gosto de ajudar Posy – retrucou Sophie.

Araminta estreitou os olhos enquanto tentava decidir se a enteada estava sendo insolente.

– Apenas ajude – disse ela, afinal, enfatizando cada sílaba.

Então saiu a caminho da sala de banho.

Sophie agradeceu em silêncio quando a porta se fechou atrás dela.

– Ah, aí está você, Sophie – disse Rosamund ao irromper no quarto. – Preciso de você *agora*.

– É uma pena, mas antes preciso...

– Eu disse agora! – gritou a outra.

Sophie endireitou os ombros e lançou um olhar duro para a garota.

– Sua mãe quer que eu apronte o vestido dela.

– Apenas arranque os alfinetes e diga que o ajustou. Ela nunca vai notar a diferença.

Sophie estava pensando a mesma coisa, e suspirou. Se seguisse a sugestão de Rosamund, no dia seguinte ela a deduraria, e então a madrasta iria reclamar por uma semana. Agora ela definitivamente teria de fazer o ajuste.

– Do que você precisa, Rosamund?

– Tem um rasgo na barra da minha fantasia. Não faço ideia de como isso aconteceu.

– Talvez quando você a experimentou...

– Não seja impertinente!

Sophie se calou. Era muito mais difícil receber ordens de Rosamund do que de Araminta, provavelmente por elas terem sido iguais um dia, dividindo a mesma sala de aula e a mesma tutora.

– Quero que você o conserte agora – exigiu Rosamund empinando o nariz de modo afetado.

Sophie suspirou.

– Traga a fantasia para mim. Eu a consertarei assim que terminar de ajustar o vestido da sua mãe. Prometo que você a terá de volta com bastante antecedência.

– Eu me nego a chegar atrasada a esse baile – avisou Rosamund. – Se isso acontecer, vou querer *sua* cabeça numa bandeja.

– Você não vai se atrasar – prometeu Sophie.

Rosamund bufou com arrogância e passou apressada pela porta para buscar a fantasia.

– Uuuuf!

Sophie ergueu o olhar e viu Rosamund dando um encontrão em Posy, que entrava correndo no cômodo.

– Olhe por onde anda, Posy! – gritou a mais velha.

– Você também poderia olhar por onde anda – observou a caçula.

– Eu *estava* olhando. É impossível sair do seu caminho, sua desastrada.

O rosto de Posy ficou completamente vermelho e ela deu um passo para o lado.

– Precisa de alguma coisa, Posy? – perguntou Sophie assim que Rosamund desapareceu.

A menina assentiu.

– Você poderia reservar um tempinho para arrumar meus cabelos hoje? Encontrei umas fitas verdes que lembram algas marinhas.

Sophie deu um longo suspiro. As fitas verde-escuras não iriam se destacar muito nos cabelos escuros de Posy, mas ela não teve coragem de falar isso.

– Vou tentar, Posy, mas preciso consertar o vestido de Rosamund e ajustar o da sua mãe.

– Ah.

A jovem ficou abatida, o que quase partiu o coração de Sophie. Posy era a única pessoa a ser pelo menos um pouco gentil com ela naquela casa, à exceção dos criados.

– Não se preocupe – tranquilizou ela. – Vou deixar seus cabelos lindos, não importa quanto tempo tenhamos.

– Ah, obrigada, Sophie! Eu...

– Você ainda não começou a ajustar meu vestido? – trovejou Araminta quando voltou da sala de banho.

Sophie engoliu em seco.

– Eu estava falando com Rosamund e Posy. Rosamund rasgou a barra do vestido e...

– Comece a trabalhar logo!

– Vou começar. Imediatamente. – Sophie se atirou no sofá e virou o vestido do avesso para poder ajustar a cintura. – Mais rápido do que imediatamente. Mais rápido do que as asas de um beija-flor. Mais rápido do que...

– O que você está falando? – perguntou Araminta.

– Nada.

– Bem, pois pare de tagarelar. O som da sua voz é muito irritante.

Sophie rangeu os dentes.

– Mamãe – chamou Posy. – Sophie vai arrumar meus cabelos hoje como...

– É claro que ela vai arrumar os seus cabelos. Pare de perder tempo e vá agora mesmo fazer compressas nos olhos para que eles não pareçam tão inchados.

Posy fez uma expressão triste.

– Meus olhos estão inchados?

Sophie balançou a cabeça para a remota chance de Posy decidir olhar para ela.

– Seus olhos estão sempre inchados – retrucou Araminta. – Você não acha, Rosamund?

Tanto Posy quanto Sophie se viraram na direção da porta. Rosamund acabara de entrar no cômodo, levando seu vestido de Maria Antonieta.

– Acho – concordou ela. – Mas tenho certeza de que uma compressa vai ajudar.

– Você está linda hoje – disse Araminta a Rosamund. – E ainda nem começou a se arrumar. O dourado do seu vestido combina perfeitamente com os seus cabelos.

Sophie lançou um olhar solidário para a morena Posy, que nunca recebia esse tipo de elogio da mãe.

– Você vai fisgar um daqueles irmãos Bridgertons – continuou Araminta. – Tenho certeza disso.

Rosamund baixou o olhar com uma modéstia afetada. Era uma expressão que ela havia aperfeiçoado, e Sophie tinha que admitir que lhe caía muito bem. Mas também quase tudo caía como uma luva em Rosamund. Os cabelos dourados e os olhos azuis eram a última moda naquele ano, e, graças ao generoso dote estabelecido para ela pelo finado conde, muitos acreditavam que faria um excelente casamento antes do final da temporada.

Sophie olhou de novo para Posy, que encarava a mãe com uma expressão triste e melancólica.

– Você está muito bonita também, Posy – elogiou Sophie em um impulso.

Os olhos da menina se iluminaram.

– Você acha?

– Claro que acho. E seu vestido é muito original. Tenho certeza de que não haverá mais nenhuma sereia.

– Como você poderia saber disso, Sophie? – indagou Rosamund, dando uma risada. – Você nunca foi a nenhum evento da alta sociedade.

– Estou certa de que você vai se divertir, Posy – enfatizou Sophie, ignorando a ladainha de Rosamund. – Tenho inveja de você. Gostaria de também poder ir.

O suspiro e o desejo de Sophie foram recebidos com absoluto silêncio... seguido pela gargalhada rouca de Araminta e Rosamund. Até mesmo Posy deu uma risadinha.

– Ah, que ótimo – retrucou Araminta, mal conseguindo recuperar o fôlego. – A pequena Sophie no baile dos Bridgertons. Eles não aceitam bastardas nos eventos da sociedade, sabia?

– Eu não falei que esperava ir – disse Sophie, na defensiva. – Só comentei que gostaria de *poder* ir.

– Bem, você não deveria sequer se dar esse trabalho – acrescentou Rosamund. – Se desejar coisas que não pode nem ao menos esperar realizar, acabará sempre decepcionada.

Mas Sophie não deu atenção ao que Rosamund dizia, porque, naquele momento, algo muito estranho aconteceu. Quando estava se virando para a mais velha das duas irmãs, ela viu a Sra. Gibbons parada na porta. A governanta viera da casa de campo de Penwood Park assim que a governanta da propriedade de Londres falecera. Quando o olhar de Sophie cruzou com o dela, a mulher deu uma piscadela.

Uma piscadela!

Sophie não achava que algum dia tinha visto a Sra. Gibbons dar uma piscadela.

– Sophie! Sophie! Você está me ouvindo?

Sophie virou-se com o olhar distraído para Araminta.

– Desculpe – respondeu. – O que você estava dizendo?

– Eu estava dizendo – continuou a mulher com uma voz desagradável – que é melhor você começar a trabalhar no meu vestido neste instante. Se nos atrasarmos para o baile, *você* responderá por isso amanhã.

– Sim, é claro – retrucou Sophie rapidamente.

Enfiou a agulha no tecido e começou a costurar, mas ainda estava pensando na Sra. Gibbons.

Uma piscadela?

Por que ela lhe daria uma piscadela?

Três horas depois, Sophie estava parada na entrada da Casa Penwood, observando primeiro Araminta, em seguida Rosamund e logo após Posy segurarem a mão do lacaio e subirem na carruagem. Sophie acenou para a mais nova, que retribuiu o cumprimento, e então ficou vendo o veículo seguir pela rua e desaparecer na esquina. A Casa Bridgerton, onde o baile de máscaras ia ser realizado, ficava a apenas seis quarteirões, mas Araminta teria insistido na carruagem mesmo que morasse ao lado da propriedade.

Afinal de contas, era importante fazer uma entrada triunfal.

Com um suspiro, Sophie se virou e voltou para dentro de casa. Pelo menos, na empolgação do momento, Araminta se esquecera de lhe deixar uma lista de tarefas para serem realizadas em sua ausência. Uma noite livre era um verdadeiro luxo. Talvez ela relesse algum romance. Ou talvez conseguisse achar a edição do dia do *Whistledown*. Tinha a impressão de ter visto Rosamund levá-la para o quarto no começo daquela tarde.

Mas, no instante em que passou pela porta de entrada da Casa Penwood, a Sra. Gibbons se materializou do nada e agarrou seu braço.

– Não há tempo a perder! – disse a governanta.

Sophie olhou para ela como se a mulher tivesse ficado louca.

– Como?

A Sra. Gibbons puxou-a pelo cotovelo.

– Venha comigo.

Sophie se deixou ser arrastada por três andares acima até seu quarto, uma pequena alcova enfiada embaixo das calhas do telhado. A Sra. Gibbons estava agindo de forma bastante estranha, mas Sophie a obedeceu e a seguiu. A governanta sempre a tratara com uma bondade excepcional, até mesmo quando ficara claro que Araminta não aprovava isso.

– Você precisa tirar a roupa – falou a Sra. Gibbons ao girar a maçaneta.

– O quê?

– Nós precisamos correr.

– Sra. Gibbons, a senhora...

Ao ver a cena montada em seu quarto, Sophie ficou boquiaberta e as palavras se perderam antes que ela concluísse a frase. Uma banheira de água fumegante estava bem no meio do cômodo e as três arrumadeiras andavam de um lado para outro. Uma delas enchia a banheira com uma jarra d'água, outra mexia na fechadura de um baú de aparência misteriosa e a terceira segurava uma toalha e dizia:

– Rápido! Rápido!

Sophie olhou perplexa para elas.

– O que está acontecendo?

A Sra. Gibbons se virou para ela e explicou, radiante:

– Você, Srta. Sophia Maria Beckett, vai ao baile de máscaras!

Uma hora depois, Sophie estava transformada. O baú continha vestidos que haviam pertencido à finada mãe do conde. Todos eram de cerca de 50 anos atrás, mas isso não importava. A festa era um baile de máscaras, logo, ninguém esperaria que os trajes fossem os mais modernos.

No fundo da arca, encontraram uma linda criação prateada cheia de brilhos, com um corpete justo e incrustado de pérolas e saias largas que tinham sido muito populares no século anterior. Sophie se sentiu uma princesa só de tocar nela. Cheirava um pouco a mofo, por causa dos anos passados ali dentro, então uma das criadas o levou rapidamente para fora a fim de borrifar um pouco de água de rosas sobre o tecido e deixá-lo arejar.

As criadas a banharam e perfumaram, pentearam-lhe os cabelos, e uma das arrumadeiras inclusive aplicou um toque de ruge em seus lábios.

– Não conte à Srta. Rosamund – sussurrou ela. – Eu peguei da coleção em seu quarto.

– Aaaaah, veja – disse a Sra. Gibbons. – Encontrei luvas combinando.

Sophie ergueu o olhar e viu a governanta segurando um par de luvas até os cotovelos.

– Olhe – comentou ela, pegando uma das luvas da mão da Sra. Gibbons e a examinando. – O brasão de Penwood. E tem um monograma bem na bainha.

A Sra. Gibbons virou a que estava segurando.

– SLG. Sarah Louisa Gunningworth. Sua avó.

Sophie encarou-a, surpresa. A Sra. Gibbons nunca havia se referido ao conde como pai dela. Ninguém em Penwood Park jamais admitira em voz alta os laços de sangue de Sophie com a família Gunningworth.

– Bem, ela *era* sua avó – declarou a governanta. – Já fizemos muito rodeio em torno desse assunto. É um crime a forma como Rosamund e Posy são tratadas como filhas da casa, enquanto você, a verdadeira parente de sangue do conde, precisa limpar e servir como uma criada!

As três arrumadeiras assentiram com a cabeça, concordando.

– Apenas uma vez – prosseguiu a Sra. Gibbons –, apenas por uma noite, *você* será a bela do baile.

Com um sorriso, ela virou Sophie devagar até que a jovem ficasse de frente para o espelho.

Ela prendeu a respiração.

– Essa sou eu?

A Sra. Gibbons assentiu, com os olhos brilhantes.

– Você está linda, querida – murmurou ela.

Sophie levou as mãos lentamente aos cabelos.

– Não estrague o penteado! – gritou uma das criadas.

– Não vou estragar o penteado – prometeu Sophie, com o sorriso estremecendo um pouco enquanto tentava conter as lágrimas.

Uma das mulheres havia borrifado um toque de pó brilhante em seus cabelos, de modo que ela cintilava como uma princesa de conto de fadas. Seus cachos louro-escuros estavam presos num coque frouxo no alto da cabeça, com uma mecha grossa caindo pelo pescoço. E os olhos, em geral verde-musgo, brilhavam como esmeraldas.

Embora Sophie suspeitasse que isso pudesse ter mais a ver com as lágrimas represadas do que com qualquer outra coisa.

– Aqui está sua máscara – falou a Sra. Gibbons. Era uma meia máscara, com fitas para serem amarradas atrás da cabeça, evitando que Sophie precisasse usar as mãos para segurá-la. – Agora só precisamos de sapatos.

A jovem olhou com tristeza para seus robustos e feios sapatos de trabalho, jogados em um canto.

– Infelizmente, não tenho nada adequado para algo tão refinado.

A arrumadeira que havia pintado os lábios de Sophie mostrou-lhe um par de sapatos brancos.

– Do armário de Rosamund – explicou.

Sophie calçou um e, com a mesma rapidez, o tirou.

– É grande demais – falou, olhando para a Sra. Gibbons. – Nunca conseguirei caminhar com eles.

A governanta se virou para a criada.

– Pegue um par do armário de Posy.

– Os dela são ainda maiores – afirmou Sophie. – Eu sei. Já tirei muitas manchas deles.

A Sra. Gibbons deu um longo suspiro.

– Então não temos alternativa. Precisaremos atacar a coleção de Araminta.

Sophie estremeceu. A ideia de ir a qualquer lugar usando os sapatos de Araminta era assustadora. Mas era isso ou ir descalça, e ela não achava que isso seria aceitável num sofisticado baile de máscaras londrino.

Alguns minutos depois, a criada voltou com um par de sapatos de cetim branco, costurados com linha prateada e adornados com delicadas rosetas confeccionadas em uma imitação de diamante.

Sophie ainda estava apreensiva em relação a usá-los, mas decidiu experimentá-los assim mesmo. Serviram perfeitamente.

– E combinam com a roupa também – comentou uma das criadas, apontando para a costura prateada. – Parece que foram feitos para o vestido.

– Não temos tempo para ficar admirando sapatos – atalhou a Sra. Gibbons de repente. – Agora, ouça estas instruções com muita atenção. O cocheiro já deixou a condessa e as filhas e vai levar você à Casa Bridgerton. Mas ele precisará estar esperando do lado de fora para quando elas quiserem voltar. Isso significa que você terá que sair à meia-noite, nem um segundo mais tarde. Entendeu?

Sophie assentiu e olhou para o relógio na parede. Passava um pouco das nove, o que lhe daria mais de duas horas no baile.

– Obrigada – sussurrou ela. – Muito obrigada.

A Sra. Gibbons secou os olhos com um lenço.

– Divirta-se muito, querida. É toda a gratidão de que preciso.

Sophie fitou o relógio mais uma vez. Duas horas.

Duas horas que ela teria que fazer durar uma vida inteira.

CAPÍTULO 2

Os Bridgertons são de fato uma família singular. Com certeza não há em Londres quem não saiba que todos eles são impressionantemente parecidos, ou que foram batizados em ordem alfabética: Anthony, Benedict, Colin, Daphne, Eloise, Francesca, Gregory e Hyacinth.

Isso faz com que se imagine como o falecido visconde e a (ainda muito viva) nobre viscondessa viúva teriam batizado o filho seguinte, se tivessem tido o bebê número nove. Imogen? Inigo?

Talvez tenha sido melhor pararem no oitavo.

CRÔNICAS DA SOCIEDADE DE LADY WHISTLEDOWN,
2 DE JUNHO DE 1815

Benedict Bridgerton era o segundo de oito filhos, mas eles às vezes pareciam cem.

A festa que sua mãe insistira em oferecer era um baile de máscaras, e Benedict havia obedientemente colocado uma meia máscara preta, mas todo mundo sabia quem ele era. Ou melhor, *quase* sabia.

– Um Bridgerton! – exclamavam as pessoas, batendo palmas com alegria.

– Você deve ser um Bridgerton!

– Um Bridgerton! Posso reconhecer um de vocês em qualquer lugar.

Benedict era um Bridgerton, e, embora não houvesse outra família a que quisesse pertencer, às vezes desejava ser considerado um pouco menos Bridgerton e um pouco mais ele mesmo.

Nesse instante, uma mulher de idade indeterminada vestida de pastora se aproximou.

– Um Bridgerton! – trinou ela. – Eu reconheceria esses cabelos castanhos em qualquer lugar. Qual deles você é? Não, não diga. Deixe-me adivinhar. Não é o visconde, porque acabei de vê-lo. Deve ser o número dois ou o número três.

Benedict olhou para ela com frieza.

– Qual dos dois? O número dois ou três? – insistiu a pastora.

– Dois – disparou ele.

Ela bateu palmas.

– Foi o que pensei! Ah, preciso encontrar Portia. Eu disse a ela que você era o número dois...

Benedict quase rosnou.

– ... mas ela falou que não, que era o mais jovem, porém eu...

Ele precisava sair dali. Ou isso ou acabaria matando a tagarela, e com tantas testemunhas, achava que não conseguiria se safar.

– Se puder me dar licença – disse ele com delicadeza –, estou vendo alguém com quem preciso falar.

Era mentira, mas Benedict não se importou muito. Deu um breve aceno de cabeça para a pastora solteirona e traçou uma reta até a porta lateral do salão, ávido por fugir da aglomeração e se enfiar no escritório do irmão, onde poderia ter um pouco de paz e tranquilidade, e quem sabe um bom copo de conhaque.

– Benedict!

Droga. Quase havia conseguido escapar. Levantou o olhar e viu a mãe correndo em sua direção. Ela usava uma espécie de fantasia elisabetana. Ele imaginou que era algum personagem de uma das peças de Shakespeare, mas não conseguiu descobrir qual.

– O que posso fazer pela senhora, mamãe? – perguntou. – E não diga "dançar com Hermione Smythe-Smith". Da última vez, eu quase perdi três dedos do pé fazendo isso.

– Eu não ia pedir nada do tipo – respondeu Violet. – Só ia dizer que gostaria que você dançasse com Prudence Featherington.

– Tenha piedade, mamãe – gemeu ele. – Ela é ainda pior.

– Não quero que você se case com a moça – falou ela. – Só que lhe conceda uma dança.

Benedict lutou contra um gemido. Prudence Featherington, embora fosse uma boa pessoa, tinha o cérebro do tamanho de uma ervilha e uma risada tão irritante que ele já testemunhara homens feitos saírem correndo com as mãos nos ouvidos.

– Vamos fazer o seguinte – sugeriu ele. – Eu danço com Penelope Featherington se a senhora mantiver Prudence a distância.

– Combinado – retrucou Violet com um aceno de cabeça de satisfação, deixando Benedict com a sensação de que ela queria que ele dançasse com Penelope desde o começo.

– Ela está perto da mesa das bebidas – informou sua mãe. – Vestida de duende, pobrezinha. A cor fica bem nela, mas alguém precisa ir com a mãe dela às compras da próxima vez. Não consigo pensar numa fantasia pior.

– Pelo jeito, a senhora ainda não viu a sereia – murmurou Benedict.

Ela lhe deu um tapa no braço.

– Nada de fazer piada com as convidadas.

– Mas elas facilitam tanto...

Violet lhe lançou um olhar de advertência antes de dizer:

– Vou procurar sua irmã.

– Qual delas?

– Uma das que ainda estão solteiras – retrucou Violet com animação. – O visconde de Guelph pode estar interessado naquela menina escocesa, mas eles ainda não assumiram compromisso.

Mentalmente, Benedict desejou sorte a Guelph. O coitado iria precisar.

– E obrigada por dançar com Penelope – concluiu Violet de maneira enfática.

Ele ofereceu à mãe um meio sorriso irônico. Os dois sabiam que ela dissera isso como um lembrete, não um agradecimento.

Com os braços cruzados numa postura meio hostil, observou Violet se afastar antes de respirar fundo e se virar para seguir até a mesa das bebidas. Ele adorava a mãe, mas ela tinha o costume de se intrometer na vida social dos filhos. E, se havia algo que a incomodava ainda mais do que o status de solteiro de Benedict, era a visão do rosto triste de uma jovem quando ninguém a tirava para dançar. Como resultado disso, Benedict passava muito tempo na pista do salão de baile, às vezes com moças com quem ela queria que ele se casasse, porém mais frequentemente com as que estavam sempre tomando chá de cadeira.

Dentre as duas situações, ele preferia as do segundo tipo. As moças mais populares tendem a não ter nada na cabeça e, para ser sincero, são um pouquinho maçantes.

Violet sempre tivera um carinho especial por Penelope Featherington, que estava em sua... Benedict franziu a testa. *Terceira* temporada? Devia ser a terceira. E sem perspectiva de casamento à vista. Ora, ele podia muito bem cumprir com seu dever. Penelope era uma jovem bastante agradável, com bom humor e personalidade. Algum dia, encontraria um marido. Não seria *ele*, é claro, e, com toda a honestidade, era provável que não fosse ninguém que ele conhecia, mas ela com certeza acharia *alguém*.

Com um suspiro, Benedict começou a caminhar na direção da mesa de bebidas. Já podia praticamente sentir o gosto do conhaque, suave e agradável, mas imaginou que um copo de limonada seria o suficiente por ora.

– Srta. Featherington! – chamou ele, tentando não estremecer quando três jovens se viraram. Deu um sorriso que em sua opinião deve ter sido o pior do mundo e acrescentou: – Hã, Penelope, eu quis dizer.

A cerca de 3 metros de distância, Penelope olhou radiante para ele, e Benedict se lembrou de que gostava de fato dela. Na verdade, ela não seria considerada tão repelente se não estivesse sempre grudada às infelizes irmãs, que podiam fazer com que um homem desejasse ser mandado para a Austrália.

Ele já quase havia chegado até ela quando ouviu uma onda de sussurros cruzar o salão atrás de si. Sabia que precisava ir em frente e iniciar logo aquela dança obrigatória, mas a curiosidade foi mais forte e ele se virou. Nesse momento, viu uma mulher que devia ser a mais espetacular de todas em que já pousara os olhos.

Ele não saberia nem dizer se ela era bonita. Os cabelos eram de um louro escuro bastante comum e, com a máscara presa em torno da cabeça, não era possível ver nem sequer metade do seu rosto.

Mas havia algo naquela mulher que o deixou hipnotizado. Era o sorriso dela, o formato dos olhos, a forma como se portava e olhava ao redor do salão de baile como se nunca tivesse visto nada mais glorioso do que os tolos membros da sociedade vestindo fantasias ridículas.

A beleza dela vinha de dentro.

Ela brilhava. Cintilava.

Era absolutamente radiante, e Benedict de repente se deu conta de que era porque parecia... *feliz*. Feliz por estar onde estava, feliz por ser *quem* era.

Feliz de uma forma que Benedict não conseguia se lembrar de ter sido. Ele tinha uma vida boa, talvez até mesmo ótima. Tinha sete irmãos maravilhosos, uma mãe amorosa e um monte de amigos. Mas aquela mulher...

Ela sabia o que era alegria.

E Benedict precisava conhecê-la.

Deixou Penelope para lá e atravessou a multidão até estar a poucos passos dela. Três outros cavalheiros a haviam alcançado primeiro e agora a cobriam de elogios. Benedict a observou com interesse. Ela não reagia como qualquer mulher que ele conhecia poderia reagir.

A jovem não fingiu modéstia. Também não agiu como se já estivesse esperando os elogios. Não era tímida nem dava risadinhas nervosas, ou maliciosas, ou irônicas, ou qualquer das coisas que se esperaria de um ser do sexo feminino.

Ela apenas sorria. Brilhava, na verdade. Benedict imaginou que elogios fossem capazes de oferecer certa satisfação a quem os recebia, mas ele nunca vira alguém reagir com tamanha alegria – com um sentimento puro e absoluto.

Deu um passo para a frente. Queria aquela alegria para si.

– Com licença, senhores, mas a dama já tinha prometido esta dança a mim – mentiu.

As fendas para os olhos da máscara eram um pouco grandes – ele a viu arregalar os olhos e então um traço de divertimento os perpassou. Benedict estendeu a mão para ela, em um desafio velado de que a jovem o desmentisse.

Mas ela apenas ofereceu-lhe um sorriso amplo e radiante que o atingiu em cheio no coração. Pôs a mão na dele, e só então Benedict se deu conta de que estava prendendo a respiração.

– Tem permissão de dançar a valsa? – murmurou ele, quando chegaram à pista de dança.

Ela balançou a cabeça.

– Eu não danço.

– Está brincando comigo.

– Gostaria de estar, mas a verdade é que... – ela se inclinou para a frente com um vislumbre de sorriso – eu simplesmente não sei dançar.

Ele olhou para ela surpreso. A jovem se movimentava com uma graciosidade inata e, além disso, que dama bem-nascida chegaria à idade dela sem ter aprendido a dançar?

– Então há apenas uma coisa a fazer – sussurrou Benedict. – Eu a ensinarei.

Ela arregalou os olhos, entreabriu os lábios e explodiu numa gargalhada de surpresa.

– O que é tão engraçado? – quis saber ele, tentando parecer sério.

Ela sorriu mais uma vez – era o tipo de sorriso que se espera receber de um velho colega de escola, não de uma debutante num baile e disse:

– Até mesmo eu sei que não se dá aulas de dança num baile.

– O que quer dizer com *até mesmo eu*?

Ela não respondeu.

– Então precisarei usar minha posição privilegiada e forçá-la a me acompanhar – decretou ele.

– Forçar-me?

Como ela ainda sorria ao dizer isso, Benedict soube que não havia se ofendido e continuou:

– Seria descortês da minha parte permitir que esta situação lamentável prossiga.

– Lamentável, o senhor diz?

Ele deu de ombros.

– Uma linda dama que não sabe dançar. Parece um crime contra a natureza.

– Se eu permitir que me ensine...

– *Quando* permitir que eu a ensine.

– *Se* eu permitir que me ensine, onde a lição acontecerá?

Benedict levantou o queixo e olhou ao redor do salão. Não era difícil ver por cima da cabeça da maioria dos convidados. Com 1,85 metro, ele era um dos homens mais altos do local.

– Teremos que ir para o terraço – retrucou, por fim.

– O terraço? – repetiu ela. – Não estará lotado? Afinal, a noite está bastante quente.

Ele se inclinou para ela.

– Não o terraço *privativo*.

– O terraço privativo? – perguntou ela com tom de divertimento na voz. – E como o senhor poderia conhecer um terraço privativo?

Benedict a encarou, perplexo. Seria possível que não soubesse quem ele era? Não que se considerasse tão importante a ponto de esperar que Londres inteira tivesse conhecimento de sua identidade. Só que ele era um Bridgerton, e se alguém conhecia um dos membros de sua família, isso em geral significava que seria capaz de reconhecer outro. E, como não havia naquela cidade nenhuma pessoa não tivesse cruzado ao menos com um Bridgerton, Benedict normalmente era reconhecido em qualquer lugar. Mesmo que às vezes, pensou com tristeza, esse reconhecimento se desse sob a forma de um simples "número dois".

– O senhor não respondeu à minha pergunta – insistiu a dama misteriosa.

– Sobre o terraço privativo? – Benedict levou a mão dela aos lábios e beijou a seda da luva. – Digamos apenas que tenho meus meios.

Como ela pareceu indecisa, ele apertou sua mão e a puxou para mais perto – apenas alguns centímetros, mas de alguma forma pareceu que a misteriosa jovem estava a apenas um beijo de distância.

– Venha – disse ele. – Dance comigo.

Ela deu um passo para a frente e ele soube que sua vida havia sido mudada para sempre.

Sophie não o vira quando entrara no salão, mas sentira que havia algo mágico no ar. E quando ele surgira diante dela, como um príncipe de conto de fadas, de algum modo ela soube que *ele* tinha sido o motivo pelo qual ela entrara no baile de forma furtiva.

Era alto, e o que ela podia ver de seu rosto era muito bonito, com lábios sorridentes que tinham uma sugestão de ironia e a barba começando a nascer. Os cabelos eram castanho-escuros e a luz bruxuleante das velas lhes conferiam um leve tom avermelhado.

As pessoas pareciam saber quem ele era. Sophie percebeu que, sempre que o homem se movia, os outros convidados abriam-lhe passagem. E quando ele mentira, com a cara mais deslavada, e a chamara para dançar, os outros haviam cedido e se afastado.

Era bonito e forte e, por aquela única noite, seria dela.

Quando o relógio soasse a meia-noite, Sophie voltaria à sua vida de trabalho penoso, de costurar, lavar e atender a todos os desejos de Araminta. Estava tão errada em querer uma noite apenas de magia e amor?

Ela se sentia como uma princesa – uma princesa audaciosa – e, assim que ele a convidara para dançar, ela pusera a mão na dele. E, embora soubesse que tudo aquilo era uma mentira, que era a filha bastarda de um nobre e a criada de uma condessa, que seu vestido era emprestado e os sapatos, praticamente roubados, nada parecera ter importância quando os dedos deles se entrelaçaram.

Por algumas horas, pelo menos, Sophie poderia fingir que era possível que aquele cavalheiro fosse dela e que, daquele momento em diante, sua vida seria modificada para sempre.

Não passava de um sonho, mas fazia muito tempo que ela se permitira sonhar pela última vez.

Pondo de lado toda a precaução, Sophie deixou que ele a conduzisse para fora do salão de baile. Ele caminhava rápido, mesmo ao passar pela multidão pulsante, e ela começou a rir ao tropeçar atrás dele.

– Por que você parece estar sempre rindo de mim? – perguntou ele, parando por um instante quando os dois chegaram ao saguão do lado de fora do salão de baile.

Ela riu de novo – não conseguia evitar.

– Eu estou feliz – retrucou, dando de ombros. – Só estou feliz por estar aqui.

– E por quê? Um baile desses deve ser rotina para alguém como você.

Sophie sorriu. Se ele achava que ela pertencia à sociedade, que era frequentadora de uma infinidade de bailes e festas, é porque devia estar interpretando seu papel à perfeição.

Ele tocou o canto de sua boca.

– Você não para de sorrir – sussurrou.

– Eu gosto de sorrir.

O cavalheiro levou a mão à cintura dela e a puxou para si. A distância entre os corpos dos dois permaneceu respeitável, mas a proximidade crescente a deixou sem fôlego.

– E eu gosto de vê-la sorrir – retrucou ele.

Falava em um tom baixo e sedutor, mas havia algo em sua voz que quase a fez acreditar que ele estava mesmo sendo sincero, que ela não era apenas a conquista da noite.

Mas, antes que Sophie pudesse responder, uma voz acusadora vinda do saguão de repente se fez ouvir:

– Aí está você!

Ela sentiu um embrulho no estômago. Havia sido descoberta. Seria atirada na rua e era provável que no dia seguinte acabasse na cadeia por roubar os sapatos de Araminta e...

E o homem que havia chamado chegara ao lado dela e agora dizia a seu cavalheiro misterioso:

– Mamãe o está procurando por todos os lugares. Você fugiu da dança com Penelope, e *eu* tive que assumir seu lugar.

– Sinto muito – murmurou o cavalheiro dela.

O pedido de desculpas não pareceu ser suficiente para o recém-chegado, porque ele fez uma careta horrível e ameaçou:

– Se você fugir da festa e me deixar sozinho com aquele bando de debutantes cruéis, eu juro que vou me vingar até o dia da minha morte.

– Um risco que estou disposto a correr – retrucou o cavalheiro.

– Bem, eu já o cobri com Penelope – resmungou o outro homem. – Você deu sorte por eu estar passando. O coração da pobrezinha pareceu se partir quando você foi embora.

O cavalheiro de Sophie teve o encanto de corar.

– Algumas coisas, infelizmente, são inevitáveis.

Sophie olhava de um para outro. Mesmo sob as máscaras, estava mais do que evidente que eram irmãos, e ela de repente se deu conta de que deviam ser os irmãos Bridgertons, e aquela devia ser a casa deles, e...

Ah, Deus, isso queria dizer que ela havia feito papel de idiota ao perguntar como ele sabia de um terraço privativo?

Mas qual dos irmãos era ele? Benedict. Só podia ser Benedict. Sophie fez um agradecimento silencioso a Lady Whistledown, que certa vez escrevera uma coluna inteira totalmente dedicada à tarefa de diferenciar os irmãos Bridgertons. Lembrou que Benedict fora descrito como o mais alto de todos.

O homem que fizera seu coração disparar era uns bons 3 centímetros mais alto do que o outro...

...que Sophie de repente percebeu que olhava para ela com muita atenção.

– Já entendi por que você sumiu – disse Colin (porque ele devia ser Colin; com certeza não era Gregory, que tinha apenas 14 anos, e Anthony estava casado e não se importaria que Benedict houvesse fugido da festa e o deixado sozinho à mercê das debutantes).

Ele olhou para Benedict com uma expressão marota.

– Não vai nos apresentar?

Benedict ergueu uma sobrancelha.

– Até poderia, mas eu mesmo ainda não sei o nome dela.

– O senhor não perguntou – comentou Sophie, sem conseguir evitar.

– E você me diria se eu perguntasse?

– Eu responderia *alguma coisa* – retrucou ela.

– Mas não a verdade.

Ela balançou a cabeça.

– Não é uma noite para verdades.

– Meu tipo preferido de noite – disse Colin numa voz alegre.

– Você não deveria estar em outro lugar? – indagou Benedict.

Colin balançou a cabeça.

– Tenho certeza que mamãe preferiria que eu estivesse no salão de baile, mas não é exatamente uma exigência.

– É uma exigência *minha* – falou Benedict.

Sophie sentiu vontade de rir.

– Muito bem – suspirou Colin. – Vou me retirar.

– Ótimo – comemorou Benedict.

– Sozinho e abandonado para encarar as lobas vorazes...

– Lobas? – perguntou Sophie.

– Jovens mocinhas casadouras – esclareceu Colin. – Um bando de lobas vorazes, todas elas. Excetuando-se a dama presente, é claro.

Sophie achou melhor não esclarecer que não era nenhuma "jovem mocinha casadoura".

– Nada deixaria minha mãe... – começou Colin.

Benedict completou, resmungando:

– ...mais feliz do que ver meu querido irmão mais velho casado. – Fez uma pausa e pensou nas próprias palavras. – Exceto, talvez, *me* ver casado.

– Nem que fosse para fazê-lo sair de casa – disse Benedict com rispidez.

Desta vez, Sophie riu.

– Mas também, ele é consideravelmente mais velho – continuou Colin. – Então talvez devamos mandá-lo para fora... quer dizer, para o altar, primeiro.

– Você quer chegar a algum lugar com isso? – grunhiu Benedict.

– Não, nenhum – admitiu Colin. – Mas em geral eu não quero mesmo.

Benedict se virou para Sophie.

– Ele está falando a verdade.

– Então – disse Colin a Sophie com um grandioso floreio do braço –, a senhorita se compadeceria da minha pobre e sofredora mãe e levaria meu querido irmão ao altar?

– Bem, ele não fez nenhum pedido – retrucou Sophie, tentando fazer graça também.

– Quanto você já bebeu? – resmungou Benedict.

– Eu? – perguntou Sophie.

– *Ele.*

– Até agora, nada – garantiu Colin com jovialidade. – Mas estou pensando seriamente em mudar isso. Na verdade, pode ser a única coisa capaz de tornar esta noite suportável.

– Se a busca pela bebida o fizer sumir daqui – observou Benedict –, então com certeza será a única coisa que tornará a *minha* noite suportável também.

Colin sorriu, fez uma saudação pomposa e se retirou.

– É bom ver dois irmãos que se amam tanto – murmurou Sophie.

Benedict, que olhava de forma ameaçadora para a porta pela qual o irmão havia acabado de desaparecer, logo voltou a atenção a ela.

– Você chama *isso* de amor?

Sophie pensou em Rosamund e Posy, que não paravam de implicar uma com a outra, e não de brincadeira.

– Chamo – disse ela com firmeza. – É evidente que o senhor daria sua vida por ele. E vice-versa.

– Acho que você tem razão. – Benedict soltou um suspiro pesaroso e então abriu um sorriso. – Por mais que me custe admitir.

Ele se encostou na parede e cruzou os braços, uma pose que lhe dava um ar bastante sofisticado e casual.

– Então me diga: você tem irmãos? – quis saber.

Sophie ficou pensativa por um instante e depois afirmou, decidida:

– Não.

Benedict ergueu uma das sobrancelhas em um arco curiosamente arrogante. Inclinou um pouco a cabeça para o lado e comentou:

– Fiquei bastante intrigado com o motivo pelo qual você levou tanto tempo para responder. Era de se esperar que fosse uma pergunta bem simples.

Sophie virou a cabeça para o outro lado por um instante, sem querer que ele visse o sofrimento que ela sabia que estaria em seu olhar. Ela sempre quis ter uma família. Na verdade, não havia nada que desejasse mais na vida. Seu pai nunca a reconhecera como filha, nem mesmo em particular, e sua mãe havia morrido ao lhe dar à luz. Araminta a tratava como lixo, e Rosamund e Posy com certeza jamais tinham sido irmãs para ela. Posy às vezes agia como sua amiga, mas até mesmo ela passava a maior parte do tempo pedindo que Sophie arrumasse suas roupas, penteasse seus cabelos ou limpasse seus sapatos...

E, na verdade, embora Posy pedisse e não ordenasse, como a irmã e a mãe faziam, Sophie não tinha a opção de lhe responder que não.

– Sou filha única – falou ela por fim.

– E é tudo o que você dirá sobre o assunto – murmurou Benedict.

– E é tudo o que direi sobre o assunto – concordou ela.

– Muito bem – retrucou ele, depois deu um sorriso preguiçoso tipicamente masculino. – O que, então, eu posso lhe perguntar?

– Nada, na verdade.

– Nadinha?

– Talvez eu possa ser convencida a lhe contar que minha cor preferida é o verde, mas, fora isso, o deixarei sem qualquer pista sobre minha identidade.

– Por que tantos segredos?

– Se eu respondesse a isso – retrucou Sophie com um sorriso enigmático, entregue por completo ao papel de estranha misteriosa –, não teria mais segredos, não é?

Ele se inclinou um pouco para a frente.

– Você poderia criar novos segredos.

Ela recuou um passo. Detectara um calor no olhar dele, e ouvira conversas suficientes na ala dos criados para saber o que significava aquilo. Por mais emocionante que fosse, ela não era tão ousada quanto fingia ser.

– Toda esta noite já é segredo suficiente – falou.

– Então me faça uma pergunta – pediu Benedict. – Eu não tenho segredos.

Ela arregalou os olhos.

– Nenhum? É mesmo? Todo mundo tem segredos.

– Não eu. Minha vida é bastante banal.

– Acho difícil acreditar nisso.

– É verdade – afirmou ele, dando de ombros. – Nunca seduzi uma jovem inocente, ou mesmo uma dama casada. Não tenho dívidas de jogo e meus pais eram completamente fiéis um ao outro.

Isso significava que Benedict não era um bastardo. De alguma forma, a ideia lhe provocara um bolo na garganta. Não, é claro, por ele ser filho legítimo, mas porque Sophie sabia que jamais a cortejaria – ao menos não de forma honrosa – se soubesse que ela não era.

– Você não me perguntou nada – lembrou ele.

43

Sophie piscou, surpresa. Não tinha achado que ele falara a sério.

– Est-tá bem. – Ela gaguejou um pouco, desconcertada. – Qual é a sua cor preferida?

Ele sorriu.

– Você vai desperdiçar sua pergunta com isso?

– Eu só tenho direito a uma pergunta?

– Nada mais justo, considerando que não me concedeu nenhuma. – Benedict se inclinou para a frente, com os olhos escuros cintilando. – E a resposta é azul.

– Por quê?

– Por quê? – repetiu ele.

– Sim, por quê? Por causa do oceano? Ou do céu? Ou porque simplesmente gosta e pronto?

Benedict olhou para ela com curiosidade. Parecia uma pergunta esquisita – *por que* a cor preferida dele era azul. Qualquer pessoa teria ficado satisfeita apenas com sua resposta. Mas aquela mulher – cujo nome ele nem sequer sabia – foi mais fundo.

– Você é pintora? – quis saber ele.

Ela balançou a cabeça.

– Apenas curiosa.

– Por que sua cor preferida é verde?

Sophie suspirou e ficou com um olhar nostálgico.

– Por causa da grama, eu acho. E talvez as folhas. Mas sobretudo a grama. A sensação de correr descalça sobre ela no verão. O cheiro dela depois de ser aparada.

– O que a sensação e o cheiro da grama têm a ver com a cor?

– Nada, imagino. E talvez tudo. Eu morava no campo, sabe... – Ela parou abruptamente.

Não tinha a intenção de lhe contar nem mesmo aquilo, mas não parecia haver qualquer problema em Benedict saber de um fato tão inocente.

– E era mais feliz lá? – perguntou ele baixinho.

Ela assentiu, sendo tomada por uma repentina onda de consciência. Lady Whistledown nunca devia ter tido uma conversa com Benedict Bridgerton além do superficial, porque jamais havia escrito que ele era o homem mais perspicaz de Londres. Quando a fitava nos olhos, Sophie tinha a estranha sensação de que ele podia enxergar sua alma.

– Então você deve gostar de passear no parque – continuou ele.

– Gosto – mentiu Sophie.

Ela nunca tinha tempo de fazer isso. Araminta não lhe dava sequer o dia de folga que os outros criados tinham.

– Devíamos fazer um passeio juntos – convidou Benedict.

Sophie evitou responder ao lembrá-lo:

– O senhor não me contou por que sua cor preferida é o azul.

Ele inclinou a cabeça um pouco para o lado e estreitou os olhos apenas o suficiente para que Sophie soubesse que ele percebera sua evasiva. Mas falou apenas:

– Não sei. Talvez, como você, o azul me faça lembrar de algo de que sinto falta. Há um lago em Aubrey Hall, a casa onde fui criado, em Kent, mas a água parecia mais cinza do que azul.

– Ele provavelmente reflete o céu – comentou Sophie.

– Que é, com bastante frequência, mais cinza do que azul – retrucou Benedict dando uma risada. – Talvez seja disso que eu sinta falta... de céus azuis e do sol brilhando.

– Se não estivesse sempre chovendo, não seria a Inglaterra – comentou Sophie com um sorriso.

– Eu fui à Itália uma vez – falou Benedict. – O sol brilhava quase todos os dias.

– Parece o paraíso.

– Seria de se esperar que fosse – observou ele. – Mas eu me peguei sentindo falta da chuva.

– Não acredito – disse ela com uma risada. – Tenho a impressão de que passei a metade da vida olhando para fora pela janela e resmungando por causa da chuva.

– Se não houvesse mais chuva, você sentiria falta dela.

Sophie ficou pensativa. Será que havia coisas em sua vida de que ela sentiria falta se não existissem mais? Não sentiria falta de Araminta, com certeza, nem de Rosamund. Talvez ficasse com saudade de Posy, e definitivamente sentiria falta da forma como o sol entrava pela janela de seu quarto no sótão de manhã. Sentiria saudade dos risos e brincadeiras dos criados e de quando a incluíam na diversão, embora todos soubessem que era a filha bastarda do finado conde.

Mas ela jamais teria sequer a oportunidade de sentir falta dessas coisas, porque não iria a lugar algum. Depois daquela noite incrível, maravilhosa e mágica, Sophie voltaria à vida de sempre.

Imaginou que, se fosse mais forte, mais corajosa, teria deixado a Casa Penwood anos antes. Mas será que isso teria mesmo feito muita diferença? Ela não gostava de viver com Araminta, mas não era provável que fosse melhorar de vida indo embora. Talvez apreciasse ser tutora, e com certeza era qualificada para a posição, mas era difícil conseguir emprego sem referências, e não tinha qualquer dúvida de que Araminta não as forneceria.

– Você está muito quieta – comentou Benedict baixinho.

– Eu só estava pensando.

– Sobre o quê?

– Sobre as coisas de que sentiria falta, ou não, se minha vida mudasse de forma drástica.

O olhar dele ficou mais intenso.

– E você espera que ela mude de forma drástica?

Sophie balançou a cabeça e tentou disfarçar a tristeza ao responder:

– Não.

O tom de voz dele ficou tão baixo que era quase um sussurro:

– Você quer que ela mude?

– Quero – retrucou ela com um suspiro, antes que pudesse se conter. – Com certeza.

Benedict segurou as mãos dela e as levou aos lábios, beijando uma de cada vez com toda a delicadeza.

– Então vamos começar agora mesmo – decretou ele. – E amanhã você estará transformada.

– Esta noite eu estou transformada – sussurrou ela. – Amanhã, eu desaparecerei.

Benedict a puxou para perto e deu um beijo breve e suave na sobrancelha dela.

– Então teremos que fazer uma vida inteira caber nesta noite.

CAPÍTULO 3

Esta autora espera ansiosa para ver as fantasias que os membros da sociedade irão escolher para o baile de máscaras dos Bridgertons. Há boatos de que Eloise Bridgerton está planejando se vestir de Joana d'Arc e Penelope Featherington, recém-chegada de uma visita às suas primas irlandesas para sua terceira temporada, usará uma fantasia de duende. A Srta. Posy Reiling, enteada do finado conde de Penwood, planeja um traje de sereia, que esta autora mal pode esperar para ver, mas a irmã mais velha dela, a Srta. Rosamund Reiling, tem sido muito discreta quanto à própria vestimenta.

Em relação aos homens, se os bailes de máscaras anteriores servirem de indicação, os corpulentos se fantasiarão de Henrique VIII, os mais elegantes de Alexandre, o Grande, ou talvez de diabo, e os entediados (os cobiçados ir-

mãos Bridgertons com certeza entre eles) como eles mesmos – traje preto básico de noite, apenas com uma meia máscara em reconhecimento à ocasião.

CRÔNICAS DA SOCIEDADE DE LADY WHISTLEDOWN,
5 DE JUNHO DE 1815

– Dance comigo – pediu Sophie em um impulso.

Ele abriu um sorriso divertido e enroscou os dedos nos dela ao murmurar:

– Achei que você não soubesse dançar.

– O senhor disse que iria me ensinar.

Ele a encarou por um longo instante, olhos nos olhos, então puxou sua mão e falou:

– Venha comigo.

Com Benedict puxando Sophie atrás de si, os dois atravessaram um corredor, subiram um lance de escada e viraram uma curva, parando diante de um par de portas francesas. Benedict girou as maçanetas de ferro forjado e as abriu, revelando um pequeno terraço privativo, enfeitado com vasos de plantas e duas *chaise longues.*

– Onde estamos? – perguntou Sophie, olhando ao redor.

– Exatamente acima do terraço do salão de baile. – Ele fechou as portas atrás dos dois. – Não está ouvindo a música?

Sophie podia escutar com facilidade o rumor baixo das conversas, mas se aguçasse os ouvidos conseguia discernir o ritmo suave da orquestra.

– Handel – comentou ela, com um sorriso deliciado. – Minha tutora tinha uma caixa de música com esta melodia.

– Você gostava muito da sua tutora – observou ele baixinho.

Sophie estava de olhos fechados, cantarolando a melodia, mas, ao ouvir o que ele dissera, abriu os olhos com ar perplexo.

– Como o senhor sabe? – perguntou.

– Da mesma forma que soube que você era mais feliz no campo. – Benedict estendeu a mão e tocou o rosto dela, passando um dedo enluvado devagar por sua pele até chegar à linha do maxilar. – Posso ver no seu rosto.

Ela ficou em silêncio por alguns instantes e então se afastou.

– É, bem, eu passava mais tempo com ela do que com qualquer outra pessoa na casa.

– Parece ter sido uma infância solitária – observou Benedict baixinho.

– Às vezes era. – Sophie foi até a beirada da varanda e pousou as mãos sobre a balaustrada enquanto olhava fixamente para a noite escura. – Às vezes, não. – Então se virou de repente, com um largo sorriso, e ele soube que ela não revelaria mais nada sobre sua infância.

– Já sua infância não deve ter sido nada solitária – falou ela–, com tantos irmãos e irmãs por perto.

– Você sabe quem eu sou – disse ele.

Ela assentiu.

– No início, não sabia.

Benedict caminhou até a balaustrada e ali apoiou o quadril, cruzando os braços.

– E o que foi que me entregou?

– Seu irmão, na verdade. Vocês se parecem tanto...

– Mesmo com as máscaras?

– Mesmo com as máscaras – confirmou ela, com um sorriso indulgente. – Lady Whistledown escreve sobre vocês com frequência, e nunca deixa passar uma oportunidade de comentar como são parecidos.

– E você sabe qual deles sou eu?

– Benedict – respondeu ela. – Se de fato Lady Whistledown estivesse correta ao dizer que é o mais alto de todos.

– Você é uma boa detetive.

Ela aparentou certo constrangimento.

– Eu só leio um folhetim de fofocas. Isso não me torna nem um pouco diferente do restante das pessoas aqui.

Benedict a observou por um instante, perguntando-se se ela se dava conta de que revelara mais uma pista para o enigma de sua identidade. Se o reconhecia apenas pelo *Whistledown*, não frequentava a sociedade havia muito tempo, ou talvez nunca tivesse frequentado antes daquela noite. De qualquer maneira, não era uma das muitas jovens a quem sua mãe o havia apresentado.

– O que mais você sabe sobre mim pela coluna dela? – quis saber ele, dando um sorriso lento e indolente.

– O senhor está em busca de elogios? – indagou ela, devolvendo-lhe o meio sorriso. – Porque deve saber que os Bridgertons com frequência são poupados da pena afiada dela. Lady Whistledown quase sempre é muito lisonjeira quando escreve sobre sua família.

– Isso já levou a alguma especulação sobre a identidade dela – admitiu ele. – Algumas pessoas pensam que pode ser uma Bridgerton.

– E é?

Ele deu de ombros.

– Não que eu saiba. E você não respondeu à minha pergunta.

– Qual?

– O que mais você sabe sobre mim que tenha lido no *Whistledown*?

Ela pareceu surpresa.

– O senhor está mesmo interessado?

– Se não posso ter nenhuma informação sobre *você*, ao menos quero saber o que conhece a *meu* respeito.

Ela sorriu e levou a ponta do dedo indicador ao lábio inferior, num encantador gesto de distração.

– Bem, vamos ver. No mês passado, o senhor venceu alguma corrida boba de cavalo no Hyde Park.

– Não foi uma corrida nem um pouco boba – falou ele, sorrindo. – E fiquei cem libras mais rico por causa dela.

Sophie lançou-lhe um olhar divertido.

– Corridas de cavalo são quase sempre bobas.

– Falou exatamente como uma mulher – resmungou ele.

– Bem...

– Não precisa comentar o óbvio – interrompeu ele.

Isso a fez sorrir.

– O que mais você sabe? – quis saber Benedict.

– Pelo *Whistledown*? – Ela tamborilou a bochecha com o indicador, pensativa. – Uma vez, você cortou a cabeça da boneca da sua irmã.

– E ainda estou tentando descobrir como ela soube disso – reclamou ele.

– Talvez Lady Whistledown seja uma Bridgerton, afinal.

– Impossível. Não que não sejamos inteligentes o bastante para conseguir fazer isso – acrescentou ele de forma enfática. – Só que o restante da família é esperto demais para já não ter descoberto.

Ela deu uma gargalhada e Benedict a examinou, imaginando se ela sabia que lhe dera mais uma pequena pista de sua identidade. Lady Whistledown escrevera sobre o infeliz encontro da boneca com a guilhotina dois anos antes, em uma de suas primeiras colunas. Muitas pessoas agora recebiam o folhetim em todo o país, mas, no começo, o *Whistledown* era exclusividade dos londrinos.

Isso queria dizer que sua dama misteriosa estava em Londres dois anos antes. E, no entanto, não sabia quem ele era até conhecer Colin.

Ela estava em Londres, mas não frequentava os eventos da sociedade. Talvez fosse a mais nova da família e lesse o folhetim enquanto as outras mulheres da casa estivessem fora.

Não seria o bastante para descobrir sua identidade, mas era um começo.

– O que mais você sabe? – perguntou ele, ansioso para ver se Sophie revelaria mais algum indício sem querer.

Ela riu, claramente se divertindo.

– O seu nome nunca apareceu ligado de forma séria a nenhuma jovem, e sua mãe está desesperada para vê-lo casado.

– A pressão diminuiu um pouco agora que meu irmão já conseguiu uma esposa.

– O visconde?

Benedict assentiu.

– Lady Whistledown escreveu sobre isso também – comentou ela.

– Nos mínimos detalhes, eu sei. Embora... – ele se inclinou para ela e baixou o tom de voz – ela não tenha relatado todos os fatos.

– É mesmo? – disse Sophie muito interessada. – O que ficou de fora?

Ele balançou a cabeça para ela.

– Tsc, tsc. Não vou revelar os segredos do cortejo de meu irmão enquanto você não quer me dizer nem o seu nome.

Ela deu uma risada.

– *Cortejo* pode ser uma palavra forte demais. Lady Whistledown escreveu...

– Lady Whistledown – interrompeu ele com um sorriso vagamente irônico – não sabe de tudo o que acontece em Londres.

– Ela com certeza parece saber da maior parte.

– Você acha? – disse ele em tom divertido. – Eu tendo a discordar. Por exemplo, suspeito que, se ela estivesse aqui no terraço, não saberia quem é você.

Sophie arregalou os olhos por baixo da máscara. Benedict gostou disso.

Ele cruzou os braços.

– Não é? – perguntou.

Ela assentiu.

– Mas eu estou tão bem disfarçada que ninguém me reconheceria agora.

Ele ergueu uma sobrancelha.

– E se você tirasse a máscara? Ela a reconheceria?

Sophie se afastou da balaustrada e deu alguns passos para o meio do terraço.

– Não vou responder a isso.

Ele a seguiu.

– Não achei mesmo que fosse. Mas eu quis perguntar ainda assim.

Sophie se virou e então prendeu a respiração ao perceber que Benedict estava a poucos centímetros de distância. Ouviu-o ir atrás dela, mas não imaginou que ele se encontrasse tão perto. Abriu os lábios para falar, mas, para sua enorme surpresa, não tinha nada a dizer. Tudo o que parecia conseguir fazer era fitar aqueles olhos escuros que a observavam por detrás da máscara. Falar era impossível. Até mesmo respirar era difícil.

– Você ainda não dançou comigo – comentou ele.

Ela não se mexeu. Apenas ficou parada enquanto ele pousava a mão em sua cintura. Sentiu a pele se arrepiar quando Benedict a tocou, e a atmosfera ao redor deles ficou pesada e quente.

Sophie se deu conta de que aquilo era desejo. Era sobre isso que ouvira as criadas sussurrarem. Era algo que damas bem-criadas nem sequer deveriam *saber*.

Mas ela não era uma dama bem-criada, pensou desafiadoramente. Era uma bastarda, a filha ilegítima de um nobre. Não era membro da sociedade e jamais seria. Será que precisava mesmo obedecer às suas regras?

Sempre jurara que jamais se tornaria amante de um homem, que nunca traria ao mundo uma criança para sofrer o mesmo destino que ela. Mas não estava planejando nada tão atrevido. Apenas uma dança, uma noite, talvez um beijo.

Sim, seria o bastante para acabar com a reputação de uma moça, mas de que tipo de reputação ela gozava, para começo de conversa? Não pertencia à sociedade, logo não devia nenhum respeito às suas normas de moral. E queria uma noite de fantasia. Ergueu o olhar.

– Então você não vai fugir – murmurou ele, com os olhos escuros brilhando de calor e excitação.

Ela balançou a cabeça, percebendo que, mais uma vez, ele adivinhara seus pensamentos. O fato de ele saber o que se passava em sua cabeça com tanta facilidade deveria assustá-la, mas ali, na sedutora escuridão da noite, com o vento batendo nas mechas soltas de seus cabelos e a música chegando a eles vindo do salão de baile abaixo, aquilo era emocionante.

– Onde devo colocar a mão? – perguntou ela. – Quero dançar.

– Bem aqui no meu ombro – instruiu Benedict. – Não, um pouquinho mais para baixo. Pronto.

– O senhor deve me achar uma tola completa – comentou ela –, por não saber dançar.

– Na verdade, eu a acho muito corajosa por admitir isso. – Com a mão livre, ele segurou a dela e a ergueu devagar. – A maioria das mulheres que conheço teria fingido estar machucada ou desinteressada.

Ela fitou-o nos olhos, mesmo sabendo que isso a deixaria sem fôlego.

– Eu não tenho o talento necessário para fingir desinteresse – admitiu.

Benedict apertou um pouco mais a cintura dela.

– Ouça a música – pediu, com a voz curiosamente rouca. – Pode sentir o ritmo?

Ela balançou a cabeça.

– Ouça com mais atenção – sussurrou ele, aproximando os lábios do ouvido dela. – *Um*, dois, três. *Um*, dois, três.

Sophie fechou os olhos e de alguma forma conseguiu isolar o interminável murmúrio dos convidados no salão, até que tudo o que ouvia era o ritmo suave da música. Sua respiração ficou mais lenta, e ela se deslocou seguindo o andamento da orquestra, movendo a cabeça para a frente e para trás com as instruções numéricas pronunciadas baixinho por Benedict.

– *Um*, dois, três. *Um*, dois, três.

– Estou sentindo – murmurou ela.

Ele sorriu. Sophie não entendeu ao certo como soube disso, pois ainda tinha os olhos fechados, mas ela sentiu o sorriso, escutou-o no ruído da respiração dele.

– Que bom – falou Benedict. – Agora observe meus pés e me deixe conduzi-la.

Ela abriu os olhos e olhou para baixo.

– *Um*, dois, três. *Um*, dois, três – disse ele.

De maneira hesitante, ela seguiu os passos de seu par – e pisou bem em cima do pé dele.

– Ah! Sinto muito! – disparou.

– Minhas irmãs já fizeram muito pior – garantiu ele. – Não desista.

Ela tentou mais uma vez. E, de repente, seus pés sabiam o que fazer.

– Ah! – suspirou ela, surpresa. – Isso é maravilhoso!

– Olhe para cima – ordenou ele, com delicadeza.

– Mas eu vou tropeçar.

– Não, não vai – prometeu Benedict. – Não a deixarei tropeçar. Olhe nos meus olhos.

Sophie obedeceu e, no instante em que seus olhos cruzaram com os dele, algo dentro dela pareceu se encaixar e ela não conseguiu desviar. Ele a girou em círculos e espirais pelo terraço, primeiro devagar, depois mais rápido, até que ela ficou zonza e sem fôlego.

E, o tempo todo, seus olhos permaneceram presos aos dele.

– O que está sentindo? – quis saber Benedict.

– Tudo! – retrucou ela, com uma risada.

– E o que está ouvindo?

– A música. – Sophie arregalou os olhos de empolgação. – Estou escutando a música de uma forma que nunca tinha experimentado antes.

Ele puxou-a mais um pouco e o espaço entre os dois diminuiu vários centímetros.

– O que está vendo? – indagou.

Sophie tropeçou, mas não tirou os olhos dos dele em nenhum momento.

– Minha alma – sussurrou. – Estou vendo minha alma.

Ele parou.

– O que disse? – sussurrou.

Ela ficou em silêncio. O momento pareceu muito carregado, muito significativo, e ela teve medo de estragá-lo.

Não, não era isso. Sophie temeu transformá-lo em algo ainda melhor, o que tornaria mais sofrido ter que retornar à realidade à meia-noite.

Como poderia voltar a limpar os sapatos de Araminta depois daquilo?

– Eu sei o que você disse – afirmou Benedict com a voz rouca. – Eu a ouvi, e...

– Não diga nada – pediu Sophie.

Ela não queria que ele falasse que se sentia da mesma forma, não queria ouvir nada que a fizesse desejar aquele momento para sempre.

Mas achava que podia ser tarde demais para isso.

Benedict a encarou por um instante agonizantemente longo e então murmurou:

– Tudo bem. Não direi uma palavra.

Então, antes que ela tivesse um segundo para respirar, os lábios dele estavam colados aos dela, gentis e suaves.

Com uma lentidão deliberada, Benedict passou os lábios sobre os dela de um lado a outro, com a mais suave fricção fazendo o corpo dela se arrepiar inteiro.

Ele encostava em seus lábios e ela sentia o toque até nos dedos dos pés. Era uma sensação completamente nova – e maravilhosa também.

Então, com a mão que estava na cintura dela – e que a guiara com tanta tranquilidade durante a valsa –, ele começou a puxá-la em sua direção. A pressão era lenta, mas inflexível, e Sophie experimentou um calor ainda maior conforme os corpos dos dois se aproximavam, chegando ao ponto de sentir a pele queimar quando enfim o corpo todo dele estava encostado ao seu.

Ele parecia muito grande, muito poderoso, e em seus braços ela se sentia a mulher mais linda do mundo.

De repente, tudo parecia possível, talvez até uma vida livre de servidão e estigma.

O beijo ficou mais exigente, e Benedict tocou o canto da boca de Sophie com a língua. A mão dele, que ainda a segurava na pose da valsa, deslizou pelo braço dela até as costas e foi parar em sua nuca, e depois soltou os cabelos do penteado.

– Seu cabelo parece seda – sussurrou ele, e Sophie riu, porque ele usava luvas. Benedict se afastou.

– Do que você está rindo? – perguntou, com uma expressão divertida.

– Como pode saber disso? Você está com as mãos cobertas.

Ele deu um sorriso torto e travesso que fez o estômago de Sophie se revirar e seu coração derreter.

– Não sei como sei – retrucou ele –, mas sei. – O sorriso ficou ainda mais torto e então Benedict acrescentou: – Mas, só para ter certeza, talvez seja melhor testar com as mãos livres.

Ele levantou a mão à frente do rosto dela.

– Você faria a gentileza?

Sophie olhou fixamente para a mão dele por alguns segundos, antes de se dar conta do que Benedict queria. Com a respiração trêmula e nervosa, deu um passo para trás e pegou a mão dele com as suas. Devagar, puxou a ponta de cada dedo da luva, até tirá-la por completo.

Ainda segurando a luva, ela olhou para cima. Ele estava com uma expressão muito estranha. Era desejo... e algo mais. Alguma coisa quase espiritual.

– Eu quero tocar em você – sussurrou ele, e então segurou o rosto dela com a mão nua, acariciando a pele com as pontas dos dedos, subindo com delicadeza até tocar os cabelos perto da orelha. Puxou uma mecha com gentileza até soltá-la do penteado, e Sophie não conseguiu tirar os olhos do cacho enrolado no indicador dele. – Eu estava errado – murmurou Benedict. – É mais macio que seda.

De repente, Sophie foi tomada por uma vontade incontrolável de tocá-lo da mesma forma e estendeu a mão.

– É minha vez – falou baixinho.

Os olhos dele brilharam, e ele começou a tirar a luva dela, soltando cada um dos dedos da mesma forma como ela havia feito com os seus. Mas então, em vez de puxá-la por completo, levou os lábios até a barra, que ficava na altura do cotovelo dela, e beijou a pele sensível da parte interna do braço.

– Também é mais macia que seda – murmurou.

Sophie usou a mão livre para agarrar o ombro dele, não confiando mais em sua capacidade de se manter de pé.

Benedict enfim puxou a luva, libertando o braço dela com uma lentidão agonizante, sem tirar os lábios de seu cotovelo. Depois, olhou para cima e disse:

– Espero que não se importe que eu fique por aqui um pouco.

Sem conseguir resistir, Sophie balançou a cabeça. Benedict percorreu a dobra de seu braço com a língua.

– Ah, Deus – gemeu ela.

– Achei que você poderia gostar disso – comentou ele, com as palavras queimando a pele dela.

Sophie assentiu. Ou melhor, quis assentir. Não soube ao certo se conseguiu.

Benedict fez os lábios prosseguirem, deslizando com sensualidade pelo antebraço dela até chegarem à parte interna do pulso. Demoraram-se ali por um instante até enfim repousarem bem na palma de sua mão.

– Quem é você? – perguntou ele, levantando os olhos sem soltar a mão dela.

Sophie balançou a cabeça.

– Eu preciso saber – insistiu ele.

– Não posso dizer. – E então, quando viu que ele não aceitaria um não como resposta, ela mentiu e acrescentou: – Ainda.

Benedict pegou um dos dedos dela e o passou com delicadeza nos próprios lábios.

– Quero vê-la amanhã – falou baixinho. – Quero visitá-la e ver onde mora.

Sophie ficou em silêncio, tentando não chorar.

– Quero conhecer seus pais e brincar com seu maldito cachorrinho – continuou ele, meio inseguro. – Você está entendendo o que quero dizer?

A música e o ruído das conversas ainda vinham do salão de baile, mas o único som no terraço era o ritmo ofegante da respiração dos dois.

– Eu quero... – A voz dele virou um sussurro, e seus olhos pareceram vagamente surpresos, como se ele não conseguisse acreditar nas próprias palavras. – Eu quero o seu futuro. Cada pedacinho seu.

– Não diga mais nada – implorou Sophie. – *Por favor*. Nem mais uma palavra.

– Então me diga seu nome. Diga onde encontrá-la amanhã.

– Eu... – Nesse momento ela escutou um som estranho, exótico e retumbante. – O que foi isso?

– Um gongo – respondeu ele. – Para anunciar que é hora de todos tirarem as máscaras.

Sophie sentiu o pânico tomar conta de seu corpo.

– O quê?

– Deve ser meia-noite.

– Meia-noite? – arfou ela.

Benedict assentiu.

– Hora de tirar sua máscara.

Sophie levou uma das mãos até a têmpora e apertou a máscara com força contra a pele, como se de alguma forma ela pudesse colá-la a seu rosto apenas com a força de vontade.

– Você está bem? – indagou Benedict.

– Preciso ir – retrucou ela, e então, sem dizer mais nada, levantou as saias do vestido e saiu correndo do terraço.

– Espere! – ouviu-o chamar, e sentiu no ar o movimento dos braços dele tentando agarrar seu vestido.

Porém Sophie era rápida e, talvez mais importante, encontrava-se em absoluto estado de pânico. Desceu a escada em uma velocidade tal que pareceu que seus pés estavam em chamas.

Enfiou-se por entre os convidados no salão de baile, sabendo que Benedict seria um perseguidor determinado e ela teria mais chances de despistá-lo em meio à multidão. Tudo o que precisava fazer era atravessar o salão, sair pela porta lateral e dar a volta na casa até a carruagem que a esperava.

Os convivas ainda estavam tirando as máscaras, e a festa continuava animada, com muitas risadas pelo salão. Sophie abria caminho empurrando as pessoas, fazendo de tudo para conseguir chegar ao outro lado. Olhou em desespero por cima do ombro. Benedict havia entrado no salão de baile e observava a multidão com urgência. Ainda não parecia tê-la visto, mas ela sabia que isso aconteceria. Seu vestido prateado a tornava um alvo fácil de ser localizado.

Sophie continuou afastando as pessoas de sua frente. Pelo menos metade não pareceu notar, talvez pelo efeito do álcool.

– Com licença – murmurou ela, dando uma cotovelada nas costelas de Júlio César.

– Perdão – disse mais como um resmungo quando Cleópatra pisou em seu pé.

– Com licença, eu... – e então Sophie sentiu o ar literalmente ser sugado para fora de seu corpo, porque se viu face a face com Araminta.

Ou melhor, face a máscara. Sophie ainda estava disfarçada. Mas se havia alguém capaz de reconhecê-la, seria a madrasta. E...

– Olhe por onde anda – falou a mulher mais velha com arrogância.

Então, deixando Sophie parada boquiaberta, ela deu uma rabanada com a saia de seu vestido de rainha Elizabeth e se afastou.

Araminta não a reconhecera! Se Sophie não estivesse tão aflita para deixar a Casa Bridgerton antes que Benedict a alcançasse, teria começado a rir.

Ela deu outra olhada desesperada para trás. Benedict a havia localizado e estava atravessando a multidão com muito mais eficiência do que ela. Engolindo em seco, com as energias renovadas, Sophie seguiu em frente, quase derrubando duas deusas gregas no chão antes de enfim chegar à porta de saída.

Olhou para trás uma última vez apenas por tempo suficiente para ver que Benedict havia sido encurralado por uma senhora idosa de bengala. Saiu correndo do prédio e deu a volta até a frente, onde a carruagem Penwood a esperava, exatamente como a Sra. Gibbons dissera.

– Vá, vá, vá! – gritou Sophie de forma frenética para o cocheiro.

Então partiu.

CAPÍTULO 4

Mais de um convidado do baile de máscaras relatou a esta autora que Benedict Bridgerton foi visto na companhia de uma dama desconhecida usando um vestido prateado.

Por mais que tenha tentado, esta autora foi incapaz de descobrir quem era a jovem misteriosa. E, se esta autora não foi capaz de saber a verdade, o leitor pode ter certeza de que sua identidade é, de fato, um segredo muito bem guardado.

Crônicas da sociedade de Lady Whistledown,
7 de junho de 1815

Ela havia ido embora.

Benedict ficou parado na calçada na frente da Casa Bridgerton, examinando a rua. Toda a Grosvenor Square estava repleta de carruagens. Ela poderia estar em qualquer uma delas, simplesmente parada no meio do caminho, tentando fugir do trânsito. Ou poderia estar em uma das três carruagens que haviam acabado de fugir da confusão e virado a esquina.

De qualquer forma, ela se fora.

Sentia-se tentado a estrangular Lady Danbury, que pressionara a bengala em seu pé e insistira que ele lhe desse sua opinião sobre as fantasias da maioria dos convidados. Quando conseguiu se livrar daquela senhora, sua dama misteriosa havia desaparecido pela porta lateral do salão de baile.

E ele sabia que ela não tinha intenção de deixá-lo vê-la mais uma vez.

57

Soltou um xingamento baixo e bastante furioso. Com nenhuma das damas que a mãe lhe apresentara – e foram muitas – Benedict sentira aquela conexão intensa de almas que ardera entre ele e a dama de prateado. Desde o instante em que a vira – não, desde *antes* de avistá-la, quando apenas sentira sua presença –, o ar parecia estar mais vivo, crepitando de tensão e entusiasmo. E ele se sentiu vivo também, de uma forma que não experimentava havia anos, como se tudo de repente fosse novo e animado, cheio de paixão e sonhos.

E, no entanto...

Praguejou de novo, desta vez com um toque de arrependimento.

Não sabia sequer a cor dos olhos dela.

Com certeza, não eram castanhos. Mas, à fraca luz das velas, não conseguira discernir se eram azuis ou verdes. Acinzentados ou cor de mel. Por algum motivo, achava isso muito perturbador. Era algo que o devorava por dentro, causando-lhe uma sensação ardente e faminta na boca do estômago.

Dizem que os olhos são a janela da alma. Se ele de fato havia encontrado a mulher de seus sonhos, aquela com quem poderia enfim se imaginar tendo uma família e um futuro, então, por Deus, precisava saber a cor de seus olhos.

Não seria fácil encontrá-la. Nunca era fácil achar alguém que não queria ser encontrado, e ela deixara mais do que claro que queria manter a identidade em segredo.

As pistas que Benedict tinha eram, na melhor das hipóteses, insignificantes. Alguns comentários aleatórios sobre a coluna de Lady Whistledown e...

Ele olhou para a luva que ainda segurava na mão direita.

Esquecera-se por completo de que estava com ela enquanto atravessava correndo o salão de baile. Levou o acessório ao rosto e aspirou o perfume, mas, para sua surpresa, não cheirava a água de rosas e sabão, como sua dama misteriosa. Em vez disso, recendia um pouco a mofo, como se tivesse ficado guardada dentro de um baú num sótão por muitos anos.

Estranho. Por que ela estaria usando uma luva antiga?

Ele a virou na mão, como se o movimento de alguma forma pudesse trazê-la de volta, e neste momento percebeu um bordado minúsculo na bainha.

SLG. As iniciais de alguém.

Seriam as dela?

Havia também um brasão de família. Que ele não reconhecia.

Mas a mãe dele saberia a quem pertencia. Ela sempre tinha esse tipo de informação. E eram grandes as chances de que, conhecendo o brasão, também soubesse de quem eram as iniciais SLG.

Benedict sentiu seu primeiro vislumbre de esperança. Ele iria encontrá-la. Iria encontrá-la e ela seria dele. Simples assim.

⌒

Foi preciso apenas meia hora para que Sophie retornasse a seu estado normal e sem graça, sem o vestido, os brincos brilhantes e o penteado sofisticado. Os sapatos cravejados de pedras foram recolocados no armário de Araminta e o ruge que a criada usara em seus lábios tinha voltado para a penteadeira de Rosamund. Ela havia inclusive tirado cinco minutos para massagear a pele do rosto a fim de tirar as marcas deixadas pela máscara.

Antes de ir para a cama, Sophie tinha a mesma aparência de sempre – simples, sem graça e despretensiosa, com os cabelos presos numa trança frouxa e os pés enfiados em meias quentes para afastar o ar frio da noite.

Parecia-se mais uma vez com o que era de verdade – nada além de uma arrumadeira. Não havia mais traço algum da princesa de conto de fadas que tinha sido por uma breve noite.

E o mais triste de tudo: não havia mais príncipe encantado.

Benedict Bridgerton era tudo o que ela lera no *Whistledown*. Bonito, forte, educado. Era o sonho de qualquer jovem, mas não o *seu*, ela pensou com tristeza. Um homem daqueles não se casaria com a filha ilegítima de um conde. E com certeza não se casaria com uma arrumadeira.

Mas, por uma noite, Benedict fora dela, e Sophie pensou que isso teria que ser o suficiente.

Pegou um cachorrinho de pelúcia que tinha desde pequena. Guardara-o durante todos aqueles anos como uma lembrança de tempos mais felizes. O bichinho costumava ficar sobre sua cômoda, mas, por algum motivo, ela o queria mais perto agora. Deitou-se na cama, com ele preso entre os braços, e se enroscou embaixo das cobertas.

Então fechou os olhos bem apertado e mordeu o lábio inferior enquanto lágrimas silenciosas escorriam para o travesseiro.

Foi uma noite muito, muito longa.

⌒

– A senhora reconhece isto?

Benedict Bridgerton estava sentado ao lado da mãe em sua feminina sala de estar, decorada em tons de rosa e creme, segurando a única coisa que o ligava à mulher de prateado. Violet pegou a luva e examinou o brasão. Em uma fração de segundo, anunciou:

– Penwood.

– De "conde de Penwood"?

Violet assentiu.

– E o G é de Gunningworth. Se não me falha a memória, o título saiu da família há pouco tempo. O conde morreu sem deixar... ah, deve ter sido há uns seis ou sete anos. O título ficou com um primo distante. E – acrescentou ela com um aceno desaprovador de cabeça – você se esqueceu de dançar com Penelope Featherington ontem à noite. Ainda bem que seu irmão estava lá para assumir seu lugar.

Benedict se esforçou para não resmungar e tentou ignorar a bronca.

– Quem é, então, SLG?

Violet estreitou os olhos azuis.

– Por que você está interessado?

– Pelo jeito – retrucou ele com um suspiro –, a senhora não irá simplesmente responder à minha pergunta sem fazer outra.

Ela deu uma risadinha elegante.

– Você me conhece muito bem.

Benedict fez um esforço para não revirar os olhos.

– De quem é a luva, Benedict? – indagou Violet. Como ele não respondeu rápido o bastante para seu gosto, ela acrescentou: – É melhor me dizer tudo. Você sabe que vou descobrir a história toda por conta própria mais dia, menos dia, e será muito menos constrangedor se eu não precisar fazer perguntas.

Benedict suspirou. Ele teria que contar tudo à mãe. Ou, pelo menos, quase tudo. Uma das coisas de que menos gostava era dividir aquele tipo de detalhe com sua progenitora – ela tendia a se agarrar com a tenacidade de um carrapato a qualquer esperança de que o filho pudesse de fato se casar. Mas ele não tinha muita escolha. Não se quisesse encontrar a dama misteriosa.

– Conheci uma pessoa ontem no baile de máscaras – começou ele afinal.

Violet juntou as mãos, deliciada.

– É mesmo?

– Foi por causa dela que me esqueci de dançar com Penelope.

Violet parecia prestes a morrer de entusiasmo.

– Quem? Uma das filhas de Penwood? – Ela enrugou a testa. – Não, isso é impossível. Ele não teve filhos. Mas tinha duas enteadas.– Franziu a testa de novo.

– Embora eu deva dizer, depois de conhecer aquelas duas meninas... bem...

– Bem, o quê?

Violet tentou pensar em um modo educado de se expressar.

– Bem, eu simplesmente não consigo imaginar que você se interessaria por qualquer uma delas, só isso. Mas, se quiser – acrescentou ela, com a expressão se iluminando –, convidarei a condessa viúva para um chá. É o mínimo que posso fazer.

Benedict começou a dizer algo, mas parou quando viu que a mãe franzia a testa mais uma vez.

– O que foi agora? – perguntou ele.

– Ah, nada – retrucou Violet. – É só que... bem...

– Desembuche, mamãe.

Ela deu um sorriso fraco.

– É só que eu não gosto muito da condessa viúva. Sempre a achei muito fria e ambiciosa.

– Algumas pessoas poderiam dizer isso da senhora também, mamãe – observou Benedict.

Violet fez uma careta.

– É claro que quero que meus filhos tenham casamentos bons e felizes, mas não sou do tipo que faria a filha se unir a um homem de 70 anos apenas por ele ser um duque!

– A condessa fez isso?

Benedict não se lembrava de nenhum duque de 70 anos subindo ao altar nos últimos tempos.

– Não – admitiu Violet –, mas seria capaz. Enquanto eu... – Benedict segurou um sorriso quando a mãe apontou para si mesma fazendo um floreio – ...eu permitiria que meus filhos se casassem com pessoas pobres, se isso os fizesse felizes.

Benedict ergueu uma sobrancelha.

– Pobres com princípios e trabalhadores, é claro – explicou Violet. – Não falo de aventureiros.

Como não queria rir da mãe, Benedict deu uma tossidinha discreta em seu lenço de mão.

– Mas você não deveria se preocupar comigo – disse Violet, olhando para o filho de lado antes de lhe dar um tapinha no braço.

– É claro que deveria – retrucou ele com rapidez.

Violet sorriu com serenidade.

– Posso deixar de lado minha antipatia pela condessa se você estiver gostando de uma das filhas dela... – Ela ergueu o olhar com ar esperançoso. – É esse o caso?

– Não faço ideia – confessou Benedict. – Não sei o nome dela. Só fiquei com sua luva.

Violet fitou-o com uma expressão severa.

– Não vou nem perguntar como você ficou com a luva dela.

– Garanto que foi tudo muito inocente.

Ela o encarou como se duvidasse do que ele tinha acabado de dizer.

– Tenho filhos homens o suficiente para acreditar nisso – murmurou.

– E as iniciais? – lembrou Benedict.

Violet examinou a luva mais uma vez.

– É bem antiga – comentou.

Benedict assentiu.

– Pensei o mesmo. E estava com um pouco de cheiro de mofo, como se tivesse ficado guardada por muito tempo.

– E os pontos demonstram que foi bastante usada – sugeriu Violet. – Não sei o que significa o L, mas o S poderia ser de Sarah, a mãe do finado conde, que também já é falecida. O que faria sentido, levando em consideração a idade da luva.

Benedict olhou para o acessório na mão da mãe por um instante antes de dizer:

– Imagino que não tenha conversado com um fantasma ontem à noite, então, a quem a senhora acha que a luva pode pertencer?

– Não faço ideia. Pelo jeito, a alguém da família Gunningworth.

– Sabe onde eles moram?

– Na Casa Penwood – retrucou Violet. – O novo conde ainda não as despejou. Não sei por quê. Talvez tema que elas queiram morar com ele depois de sua mudança. Acho que ele nem se encontra na cidade para a temporada. Jamais o conheci.

– Por acaso sabe...

– Onde fica a Casa Penwood? – interrompeu Violet. – É claro que sei. Não é longe daqui. Fica a apenas alguns quarteirões.

Ela lhe deu as orientações e, apressado, Benedict se levantou e se colocou a caminho da porta antes mesmo de a mãe terminar.

– Ah! Benedict! – chamou Violet, sorrindo com entusiasmo.

Ele se virou.

– Sim?

– As filhas da condessa se chamam Rosamund e Posy. Caso esteja interessado.

Rosamund e Posy. Nenhum dos nomes parecia combinar com a dama misteriosa, mas como ele poderia saber? Talvez também não parecesse um Benedict adequado ao olhar das pessoas que o conheciam. Deu meia-volta e tentou sair mais uma vez, mas a mãe o interrompeu mais uma vez:

– Ah! Benedict!

Ele se virou.

– Sim, mamãe? – perguntou, parecendo contrariado.

– Você vai me deixar a par dos acontecimentos, não vai?

– É claro, mamãe.

– Você está mentindo para mim – disse ela, sorrindo. – Mas eu o perdoo. É muito bom vê-lo apaixonado.

– Eu não estou...

– Está bem, está bem, querido – retrucou ela, com um aceno de mão.

Benedict decidiu que não fazia sentido responder, então, revirando os olhos, ele continuou a caminho da porta e saiu de casa com pressa.

⌒

– Sophieeeeeeeeeeeeeeee!

Ela levantou o queixo. Araminta parecia ainda mais furiosa do que o normal, como se isso fosse possível. A madrasta estava *sempre* irritada com ela.

– Sophie! Que droga, onde está aquela garota irritante?

– A garota irritante está bem aqui – murmurou Sophie, largando a colher de prata que polia.

Como camareira de Araminta, Rosamund e Posy, ela não deveria ter que polir a prataria também, mas Araminta adorava fazê-la trabalhar até o limite.

– Estou aqui! – gritou Sophie, levantando-se e indo até o saguão.

Só Deus sabia o que estava irritando Araminta desta vez. Ela olhou para um lado e outro.

– Milady?

Araminta apareceu furiosa diante dela.

– O que significa isto? – berrou a mulher, segurando alguma coisa na mão direita.

Quando viu o que era, Sophie mal conseguiu disfarçar uma arfada. Araminta estava segurando os sapatos que ela pegara emprestados na noite anterior.

– Eu... eu não sei do que está falando – gaguejou.

– Estes sapatos são novos. Novos!

Sophie ficou parada em silêncio até perceber que Araminta esperava uma resposta.

– Hum, e qual é o problema?

– Olhe para isto! – ganiu Araminta, apontando para um dos saltos. – Está arranhado. Arranhado! Como uma coisa dessas pode ter acontecido?

– Não faço a menor ideia, milady – disse Sophie. – Talvez...

– Talvez nada – bufou Araminta. – Alguém andou usando meus sapatos.

– Posso garantir que ninguém fez isso – retrucou Sophie, espantada de estar conseguindo manter a voz calma. – Todos sabemos como se preocupa com seus calçados.

Araminta estreitou os olhos com desconfiança.

– Você está sendo sarcástica?

Sophie pensou que, se a madrasta havia precisado perguntar, então ela estava sendo muito eficiente em sua ironia, mas mentiu:

– Não! É claro que não. Eu só quis dizer que a senhora cuida muito bem dos seus sapatos. E eles duram mais tempo dessa forma.

Como Araminta não disse nada, Sophie acrescentou:

– O que significa que não precisa comprar muitos pares.

O que era, claro, absolutamente ridículo, uma vez que Araminta já possuía mais pares de sapatos do que seria capaz de usar na vida.

– A culpa é sua – rosnou ela.

Para Araminta, tudo era sempre culpa de Sophie, mas como, desta vez, ela na verdade tinha razão, a jovem apenas engoliu em seco e falou:

– O que posso fazer a respeito, milady?

– Quero que descubra quem usou meus sapatos.

– Talvez eles tenham sido arranhados no armário – sugeriu Sophie. – Talvez os tenha chutado sem querer na última vez em que passou por eles.

– Eu nunca faço nada *sem querer* – reagiu Araminta.

Sophie concordou em silêncio. Araminta sempre fazia tudo de propósito.

– Posso perguntar às arrumadeiras – disse Sophie. – Talvez alguma delas saiba de algo.

– As arrumadeiras não passam de um bando de idiotas – retrucou Araminta. – Tudo o que elas sabem caberia na minha unha do dedo mindinho.

Sophie esperou que a madrasta completasse com "Excetuando-se a dama presente", mas é claro que ela não fez isso. Por fim, Sophie propôs:

– Posso tentar limpá-los. Tenho certeza de que é possível fazer algo a respeito.

– Os saltos são cobertos de cetim – falou Araminta. – Se descobrir uma forma de limpar isso, você terá que ser matriculada na Faculdade Real de Cientistas de Tecidos.

Sophie queria muito perguntar se existia *mesmo* uma Faculdade Real de Cientistas de Tecidos, mas Araminta não era bem-humorada nem quando não estava furiosa. Fazer uma provocação naquele momento seria um claro convite ao desastre.

– Posso tentar limpar esfregando – sugeriu. – Ou escovando.

– Faça isso – ordenou Araminta. – Na verdade, já que vai fazer isso...

Ah, *droga*. Todas as coisas ruins começavam com Araminta dizendo "Já que vai fazer isso...".

– ... pode aproveitar para limpar todos os pares.

– Todos?

Sophie engoliu em seco. A coleção dela devia ter pelo menos oitenta modelos.

– Isso mesmo. E, já que vai fazer isso...

De novo, não.

– Lady Penwood?

Felizmente, Araminta parou no meio da ordem para se virar e ver o que o mordomo queria.

– Há um cavalheiro aqui para vê-la, milady – informou ele, entregando-lhe um cartão branco imaculado.

Araminta pegou o pedaço de papel da mão do mordomo e leu o nome impresso. Arregalou os olhos e soltou um pequeno "Ah!" antes de esbravejar:

– Chá! E biscoitos! A melhor prataria. Agora!

O mordomo saiu com pressa, deixando Sophie encarando a madrasta com curiosidade.

– Posso ajudar em algo? – perguntou ela.

Araminta piscou duas vezes, encarando a enteada como se tivesse se esquecido de sua presença.

– Não – disparou. – Estou ocupada demais para me preocupar com você. Vá lá para cima agora mesmo. – Fez uma pausa, então acrescentou: – Aliás, o que você está fazendo aqui embaixo?

Sophie apontou para a sala de jantar de onde acabara de sair.

– Você tinha me pedido para polir...

– Pedi que fosse cuidar dos meus sapatos – atalhou Araminta, quase gritando.

– Está... está bem – retrucou Sophie devagar. A madrasta estava agindo de maneira muito estranha, até mesmo para ela. – Vou só guardar...

– Agora!

Sophie saiu correndo na direção da escada.

– Espere!

A jovem se virou.

– Sim? – perguntou com hesitação.

Araminta apertou os lábios, fazendo uma careta.

– Vá arrumar os cabelos de Rosamund e Posy.

– Pois não.

– Depois, peça a Rosamund que tranque você em meu closet.

Sophie a encarou. Ela queria mesmo que Sophie desse a ordem para ser trancada no closet?

– Você me entendeu? – insistiu Araminta.

Sophie não conseguiu nem assentir. Algumas coisas eram degradantes demais.

A madrasta se aproximou dela até seus rostos estarem quase colados.

– Você não me respondeu – sibilou. – Você me entendeu?

Sophie assentiu muito de leve. Cada dia parecia ter mais provas do ódio profundo que Araminta nutria por ela.

– Por que você me mantém aqui? – sussurrou ela antes que pudesse pensar duas vezes.

– Porque a acho útil – retrucou Araminta em voz baixa.

Sophie assistiu enquanto a madrasta saía da sala e correu escada acima. Como os cabelos de Rosamund e Posy estavam bastante aceitáveis, ela suspirou, virou-se para a mais nova e disse:

– Tranque-me no closet, por favor.

Posy piscou, surpresa.

– Como?

– Fui instruída a pedir que Rosamund fizesse isso, mas não consigo.

Posy espiou dentro do closet com grande interesse.

– Posso perguntar por quê?

– Eu preciso limpar os sapatos da sua mãe.

Posy engoliu em seco, com desconforto.

– Sinto muito.

– Eu também – disse Sophie com um suspiro. – Eu também.

CAPÍTULO 5

Ainda sobre o baile de máscaras, a fantasia de sereia da Srta. Posy Reiling foi bastante infeliz, mas não, na opinião desta autora, tão pavorosa quanto a da Sra. Featherington e as de suas duas filhas mais velhas, que aparecerem vestidas de frutas – Philippa de laranja, Prudence de maçã e a mãe como cacho de uvas.

Infelizmente, nenhuma das três estava nem um pouco apetitosa.

CRÔNICAS DA SOCIEDADE DE LADY WHISTLEDOWN,
7 DE JUNHO DE 1815

Benedict imaginou no que havia se transformado sua vida, para ele estar obcecado por uma luva. Conferira o bolso do casaco um monte de vezes desde que se sentara na sala de estar de Lady Penwood, assegurando-se de que ela ainda se encontrava lá. Estranhamente ansioso, ele não estava certo do que planejara dizer à condessa quando ela aparecesse, mas em geral era bastante articulado. Com certeza pensaria em algo quando chegasse o momento.

Sem parar de bater o pé no chão, olhou para o relógio em cima da lareira. Dera o cartão ao mordomo cerca de quinze minutos antes, o que significava que Lady Penwood deveria descer logo. Parecia haver uma regra tácita segundo a qual todas as damas da sociedade precisavam manter as visitas esperando durante pelo menos quinze minutos, ou vinte, se estivessem particularmente irritadiças.

Era um costume bastante idiota, Benedict pensou com irritação. Jamais compreenderia por que o resto do mundo não valorizava a pontualidade como ele, mas...

– Sr. Bridgerton!

Ele olhou para cima. Uma loura bastante atraente e muito elegante de 40 e poucos anos entrou na sala. Ela lhe pareceu familiar, mas isso era de se esperar. Eles decerto haviam comparecido a muitos dos mesmos eventos da sociedade, ainda que não tivessem sido apresentados.

– A senhora deve ser Lady Penwood – murmurou ele, levantando-se e fazendo uma mesura educada.

– Isso mesmo – disse ela inclinando a cabeça com graça. – Estou encantada que tenha decidido nos homenagear com uma visita. Já informei minhas filhas sobre sua presença. Logo elas descerão.

Benedict sorriu. Era exatamente o que esperava que Lady Penwood fizesse. Teria ficado chocado se ela se comportasse de outro modo.

Nenhuma mãe de moças em idade de se casar era capaz de ignorar um Bridgerton.

– Eu gostaria muito de conhecê-las – falou ele.

Araminta franziu um pouco a testa.

– Então vocês ainda não se conhecem?

Diabos. Agora ela devia estar se perguntando por que ele fora até ali.

– Ouvi muitas coisas encantadoras a respeito das duas – improvisou Benedict, tentando não gaguejar. Se Lady Whistledown ficasse sabendo daquilo – e pelo jeito ela ficava sabendo de tudo –, logo toda a cidade estaria comentando que ele queria encontrar uma esposa e que tinha demonstrado interesse em uma das filhas da condessa. Por que outro motivo ele visitaria duas mulheres a quem jamais havia sido apresentado?

Lady Penwood ficou radiante.

– Rosamund é considerada uma das moças mais esplêndidas da temporada.

– E Posy? – perguntou Benedict, com certa perversidade.

A condessa contraiu os cantos da boca.

– Posy é, hã, encantadora.

Benedict sorriu educadamente.

– Mal posso esperar para conhecer Posy.

Lady Penwood piscou, então escondeu a surpresa com um sorriso meio forçado.

– Estou certa de que será um prazer para ela conhecê-lo.

Uma criada entrou na sala com um serviço de chá de prata ornamentado, que pousou sobre uma mesa depois de um aceno de cabeça de Lady Penwood. Antes que a serviçal se retirasse, no entanto, a condessa disse (de modo um pouco rude, na opinião de Benedict):

– Onde estão as colheres, Penwood?

A empregada fez uma reverência bastante assustada e explicou:

– Sophie estava polindo a prataria na sala de jantar, milady, mas precisou subir quando a senhora...

– Silêncio! – interrompeu Lady Penwood, embora a pergunta sobre as colheres tivesse partido dela. – Estou certa de que o Sr. Bridgerton não faz questão de colheres com monogramas para o chá.

– É claro que não – murmurou Benedict, pensando que a própria Lady Penwood devia ser do tipo que considera esse tipo de coisa imprescindível, já que trouxera o assunto à tona.

– Vá! Vá! – ordenou a condessa à criada, acenando com a mão. – Desapareça.

A mulher se retirou com pressa e a dona da casa se virou para ele.

– Nossa melhor prataria é entalhada com o brasão de Penwood – explicou.

Benedict inclinou-se para a frente.

– É mesmo? – perguntou, com interesse evidente. Seria uma excelente maneira de verificar se o brasão na luva pertencia mesmo à família Penwood. – Não temos nada parecido na Casa Bridgerton – comentou, esperando não estar mentindo. Na realidade, ele nunca sequer notara o padrão da prataria. – Adoraria ver uma peça.

– Verdade? – retrucou Lady Penwood, com os olhos brilhando. – Eu sabia que era um homem de gosto refinado.

Benedict sorriu, tentando não soltar um gemido.

– Mandarei alguém buscar uma peça na sala de jantar. Supondo, é claro, que aquela garota irritante tenha conseguido fazer o trabalho.

Ela curvou os lábios para baixo de uma forma nada atraente, e Benedict percebeu que as rugas em sua testa eram bastante profundas.

– Algum problema? – indagou Benedict com polidez.

Ela balançou a cabeça e acenou com a mão em negativa.

– Só que é muito difícil encontrar bons criados. Tenho certeza de que a sua mãe diz a mesma coisa o tempo todo.

Violet jamais dissera nada parecido, mas talvez fosse porque todos os criados dos Bridgertons eram tratados muito bem e, como resultado, eram absolutamente dedicados à família. Mas Benedict assentiu mesmo assim.

– Um dia desses, vou dispensar Sophie – continuou a condessa torcendo o nariz. – Ela não sabe fazer nada direito.

Benedict sentiu uma pontada de pena da pobre e invisível Sophie. Mas, como a última coisa que queria era entrar numa discussão sobre criados com Lady Penwood, mudou de assunto ao fazer um gesto para o bule, dizendo:

– Imagino que já esteja no ponto.

– Claro, claro. – Lady Penwood ergueu o olhar e sorriu. – Como toma o seu chá?

– Com leite, sem açúcar.

Enquanto ela lhe preparava uma xícara, Benedict ouviu o barulho de passos descendo a escada e seu coração começou a bater mais forte. A qualquer instante, as filhas da condessa entrariam pela porta, e com certeza uma delas seria a jovem que ele conhecera na noite anterior. Era verdade que vira muito pouco do rosto dela, mas sabia mais ou menos sua altura e seu tamanho. E estava quase certo de que os cabelos eram longos e castanho-claros.

É claro que a reconheceria quando a visse. Como poderia não reconhecê-la?

Mas, quando as jovens apareceram, ele soube de imediato que nenhuma das duas era a mulher que vinha assombrando seus pensamentos. Uma delas era loira demais e, além disso, tinha uma postura presunçosa e afetada. Não havia alegria em sua expressão, nem ironia em seu sorriso. A outra parecia bastante simpática, mas era gorducha demais e os cabelos eram muito escuros.

Benedict fez o possível para não parecer decepcionado. Sorriu durante as apresentações e beijou a mão das duas, murmurando alguma bobagem sobre estar encantado por conhecê-las. Fez questão de ser simpático com a gordinha, ainda que apenas porque a preferência da mãe pela outra era muito óbvia.

Ele pensou que mulheres assim não mereciam ser mães.

– A senhora tem mais filhos? – perguntou a Lady Penwood, depois de encerradas as apresentações.

Ela lhe lançou um olhar estranho.

– Claro que não. Senão, eu os teria chamado para conhecê-lo.

– Pensei que talvez ainda tivesse filhos no meio das aulas com a tutora – retrucou ele. – Da sua união com o conde, talvez.

Ela balançou a cabeça.

– Lorde Penwood e eu não fomos abençoados com filhos. Uma pena que o título tenha saído da família Gunningworth.

Benedict não pôde deixar de notar que a condessa parecia mais irritada do que entristecida pela falta de descendentes Penwoods do sexo masculino.

– O seu marido tinha irmãos ou irmãs? – indagou.

Talvez sua dama misteriosa fosse uma prima da família.

A condessa lhe lançou um olhar desconfiado bastante merecido – ele foi obrigado a admitir –, considerando que suas perguntas não eram nem um pouco comuns em visitas vespertinas.

– É óbvio que meu falecido marido não tinha irmãos, já que o título saiu da família – retrucou ela.

Benedict sabia que deveria ficar de boca fechada, mas havia algo tão irritante naquela mulher que ele não conseguiu se conter:

– Ele poderia ter tido um irmão que morreu antes dele.

– Bem, mas não teve.

Rosamund e Posy testemunhavam a conversa com muito interesse, virando a cabeça para um lado e outro como se assistissem a uma partida de tênis.

– E irmãs? – quis saber Benedict. – Só pergunto porque venho de uma família bem grande. – Fez um gesto na direção de Rosamund e Posy. – Não consigo imaginar ter apenas um irmão. Pensei que talvez as suas filhas pudessem ter primos que lhes fizessem companhia.

Ele pensou que a explicação havia sido muito ruim, mas teria que servir.

– Ele teve uma irmã – contou a condessa, torcendo o nariz com desdém. – Mas ela morreu solteira. Era uma mulher de muita fé, que escolheu dedicar a vida a trabalhos de caridade.

Era o fim daquela teoria.

– Gostei muito de seu baile de máscaras ontem à noite – comentou Rosamund de repente.

Benedict olhou para ela surpreso. As duas moças estavam tão silenciosas que ele se esquecera de que elas sabiam falar.

– Na verdade, o baile era de minha mãe – explicou ele. – Não participei do planejamento. Mas transmitirei seus elogios.

– Por favor, faça isso – pediu Rosamund. – Gostou do baile, Sr. Bridgerton?

Benedict a encarou por um instante antes de responder. Ela tinha um olhar rude, como se estivesse em busca de alguma informação específica.

– Gostei bastante – retrucou ele, por fim.

– Percebi que passou um bom tempo com uma dama em especial – insistiu Rosamund.

Lady Penwood virou a cabeça rapidamente para ele, mas nada falou.

– É mesmo? – murmurou Benedict.

– Ela estava usando um vestido prateado – comentou Rosamund. – Quem era?

– Uma mulher misteriosa – disse ele com um sorriso enigmático.

Não precisavam saber que ela era um mistério para ele também.

– Tenho certeza de que pode nos dizer o nome dela – observou Lady Penwood.

Benedict apenas sorriu e se levantou. Não iria conseguir mais qualquer informação ali.

– É uma pena, mas preciso ir, senhoras – informou ele com delicadeza, fazendo uma leve reverência com a cabeça.

– O senhor ainda nem viu as colheres – lembrou Lady Penwood.

– Terei de deixar para outra oportunidade – disse Benedict.

Era pouco provável que sua mãe tivesse se enganado ao identificar o brasão dos Penwoods, e, além disso, se passasse muito mais tempo na companhia da cruel e fria condessa de Penwood, ele começaria a passar mal.

– Foi um prazer – mentiu.

– Igualmente – retrucou Lady Penwood, levantando-se para acompanhá-lo até a porta. – Foi uma visita breve, mas encantadora.

Benedict não se deu ao trabalho de sorrir de novo.

– O que vocês acham que foi isso? – perguntou Araminta ao ouvir a porta da frente se fechar depois de Benedict Bridgerton sair.

– Bem – disse Posy –, talvez ele...

– Eu não estava falando com você – atacou Araminta.

– Bem, então com quem estava falando? – devolveu Posy com um desembaraço pouco característico.

– Talvez ele tenha me visto de longe – sugeriu Rosamund – e...

– Não foi isso que aconteceu – disparou Araminta, andando de um lado para outro da sala.

Rosamund recuou, surpresa. A mãe nunca se dirigia a ela com tamanha impaciência.

Araminta continuou:

– Você mesma disse que ele estava estupefato com uma mulher de vestido prateado.

– Eu não falei exatamente "estupefato"...

– Não discuta comigo por detalhes sem importância. Estupefato ou não, ele não veio aqui à procura de nenhuma de vocês – disse Araminta com uma boa dose de escárnio. – Não sei o que ele está buscando. Ele...

Ela se interrompeu quando chegou à janela e puxou a cortina. Nesse momento, viu o Sr. Bridgerton parado na calçada, tirando alguma coisa do bolso.

– O que ele está fazendo? – murmurou.

– Acho que está segurando uma luva – disse Posy, com a intenção de ajudar.

– Não é uma... – retrucou Araminta no mesmo instante, acostumada a sempre discordar de tudo o que Posy dizia. – Ora, *é* uma luva.

– Eu costumo reconhecer uma luva quando vejo uma – resmungou Posy.

– Para o que ele está olhando? – indagou Rosamund, empurrando a irmã para fora do caminho.

– Há algo na luva – disse Posy. – Talvez seja um bordado. Temos algumas luvas com o brasão de Penwood costurado na bainha. Talvez aquela luva tenha o mesmo bordado.

Araminta ficou pálida.

– Você está se sentindo bem, mamãe? – perguntou Posy. – Está tão pálida...

– Ele veio até aqui atrás dela – sussurrou Araminta.

– Atrás de quem? – quis saber Rosamund.

– Da mulher de prateado.

– Bem, ele não irá encontrá-la aqui – retrucou Posy –, já que eu estava fantasiada de sereia e Rosamund, de Maria Antonieta. E a senhora, é claro, foi de rainha Elizabeth.

– Os sapatos – arfou Araminta. – Os sapatos.

– Que sapatos? – disse Rosamund com irritação.

– Eles estavam arranhados. Alguém usou meus sapatos. – O rosto de Araminta, que já estava muito branco, ficou ainda mais pálido. – Foi *ela*. Só pode ter sido ela.

– Quem? – indagou Rosamund.

– Mamãe, tem certeza de que está bem? – questionou Posy mais uma vez. – A senhora não está agindo com normalidade.

Mas Araminta já havia saído correndo da sala.

⌒

– Droga de sapato – resmungou Sophie, esfregando o salto de um dos modelos mais antigos de Araminta. – Ela não usa este aqui há anos.

Terminou de lustrar o bico do exemplar e o devolveu ao lugar na organizada fileira de calçados. Mas, antes que pegasse outro par, a porta do closet foi aberta de repente e bateu contra a parede com tanta força que Sophie quase gritou de susto.

– Ah, meu Deus, você me assustou – disse ela à madrasta. – Não a ouvi chegando e...

– Arrume suas coisas – ordenou Araminta em uma voz baixa e cruel. – Quero você fora desta casa antes do amanhecer.

O trapo que Sophie usava para lustrar os sapatos caiu de sua mão.

– O quê? – arfou ela. – Por quê?

– Eu preciso mesmo de um motivo? Nós duas sabemos que parei de receber quaisquer recursos para cuidar de você há quase um ano. Basta que eu não a queira mais aqui.

– Mas para onde eu irei?

Araminta estreitou os olhos cheios de crueldade.

– Isso não é problema meu, é?

– Mas...

– Você está com 20 anos. Já tem idade suficiente para se virar no mundo. Chega de mimos da minha parte.

– Você nunca me mimou – retrucou Sophie em voz baixa.

– Não ouse me responder atravessado.

– Por que não? – devolveu Sophie, com a voz ficando mais alta e aguda. – O que tenho a perder? Você está me mandando embora mesmo.

– Você pode me tratar com um pouco de respeito – sibilou Araminta, pisando na saia de Sophie para mantê-la de joelhos –, considerando que lhe dei roupa e abrigo durante todo este último ano apenas por caridade.

– Você não faz nada por caridade. – Sophie puxou a saia, mas o tecido estava preso com força pelo salto de Araminta. – Por que me manteve aqui? Diga, de verdade?

Araminta gargalhou.

– Você é mais barata do que uma criada normal, e eu gosto de lhe dar ordens.

Sophie detestava ser praticamente escrava de Araminta, mas pelo menos a Casa Penwood era um lar. A Sra. Gibbons era sua amiga, e Posy quase sempre demonstrava compaixão. E o resto do mundo era... bem... bastante assustador. Para onde iria? O que iria fazer? Como poderia se sustentar?

– Por que agora? – quis saber Sophie.

Araminta deu de ombros.

– Você não tem mais nenhuma serventia para mim.

Sophie olhou para a longa fileira de sapatos que acabara de limpar.

– Não tenho?

Araminta pressionou ainda mais o salto pontudo na saia da enteada, rasgando o tecido.

– Você foi ao baile ontem à noite, não foi?

Sophie sentiu o sangue se esvair do rosto e soube que Araminta viu a verdade em seus olhos.

– N-não – mentiu. – Como eu poderia...

– Não sei como você fez, mas sei que esteve lá. – Ela chutou um par de sapatos na direção de Sophie. – Calce esses sapatos.

Sophie apenas olhou assustada para os calçados. Eram de cetim branco com bordados prateados. Os mesmos que ela usara na noite anterior.

– Calce os sapatos! – gritou Araminta. – Eu sei que os pés de Rosamund e Posy são grandes demais. Você é a única que poderia tê-los usado ontem à noite.

– E por causa disso acha que fui ao baile? – perguntou Sophie, ofegante por conta do pânico.

– Calce os sapatos, Sophie.

A jovem obedeceu e os calçados, é claro, serviram com perfeição.

– Você ultrapassou os limites – disse Araminta em voz baixa. – Há anos, eu a avisei que não se esquecesse de seu lugar neste mundo. Você é uma bastarda, uma filha ilegítima, o produto de...

– Eu *sei* o que é uma bastarda – reagiu Sophie.

Araminta levantou uma sobrancelha com arrogância, ironizando silenciosamente a explosão de Sophie.

– Você não pode se misturar à sociedade educada – continuou ela –, mas mesmo assim *ousou* fingir que é tão boa quanto o restante de nós indo ao baile de máscaras.

– Sim, eu ousei ir! – gritou Sophie, não ligando mais para o fato de a madrasta ter, de alguma forma, descoberto seu segredo. – Ousei e ousaria de novo. Meu sangue é tão nobre quanto o seu, e meu coração é muito melhor, e...

Num instante, Sophie estava de pé, berrando com Araminta, e no seguinte estava no chão, com a mão no rosto, ardido pelo tapa que ela lhe desferira.

– Jamais se compare a mim – alertou Araminta.

Sophie permaneceu caída no assoalho. Como seu pai podia tê-la deixado aos cuidados de uma mulher que claramente a detestava? Ele se importava tão pouco com ela? Ou fora apenas cego?

– Você irá embora de manhã – sibilou Araminta. – E eu nunca mais quero ver seu rosto na minha frente.

Sophie começou a caminhar na direção da porta.

– Mas não até terminar a tarefa que lhe deleguei – completou a mulher, apertando a mão no ombro de Sophie.

– Vou levar até amanhã de manhã para acabar – protestou Sophie.

– Isto é problema seu.

Com isso, Araminta bateu a porta e girou a chave ruidosamente.

Sophie olhou para a vela tremeluzente que levara para iluminar o closet comprido e escuro. Com certeza a chama não duraria até de manhã.

E com certeza ela não iria limpar o resto dos sapatos da madrasta.

Sophie se sentou com os braços e as pernas cruzadas e fitou fixamente o fogo, até ficar com a vista embaralhada. No dia seguinte, quando o sol nascesse, sua vida estaria mudada para sempre. A Casa Penwood podia não ser o lugar mais acolhedor do mundo, mas pelo menos era segura.

Ela quase não tinha dinheiro. Não havia recebido sequer um centavo de Araminta ao longo dos últimos sete anos. Por sorte, ainda possuía alguma coisa das mesadas que ganhara quando o pai era vivo e ela era tratada como sua pupila, não como escrava de sua mulher. Houvera várias oportunidades para gastá-lo, mas Sophie sempre soubera que aquele dia poderia chegar e parecera prudente guardar tudo o que conseguira reunir.

Mas suas parcas libras não a levariam muito longe. Ela precisava de uma passagem para sair de Londres, e isso custava dinheiro. Era provável que bem mais da metade do que ela havia economizado. Pensou que talvez pudesse ficar um pouco na cidade, mas os bairros mais pobres de Londres eram sujos e perigosos, e Sophie sabia que suas finanças não permitiriam que ela se hospedasse em nenhum dos melhores bairros. Além disso, se iria ficar sozinha, era melhor que voltasse para o campo, que tanto amava.

Sem falar que Benedict Bridgerton morava ali. Londres era uma cidade grande, e Sophie não tinha dúvida de que conseguiria evitá-lo durante anos, mas temia desesperadamente que não fosse *querer* evitá-lo, que se pegaria olhando sempre para a casa dele, esperando que ele a visse quando saísse pela porta da frente.

E, se ele a visse... Bem, Sophie não sabia o que aconteceria. Ele poderia ficar furioso com sua farsa. Poderia fazer dela sua amante. Ou poderia sequer reconhecê-la.

A única coisa que tinha certeza que ele não iria fazer era atirar-se aos seus pés, declarar devoção eterna e pedir sua mão em casamento.

Filhos de viscondes não se casam com pobres. Nem mesmo em livros românticos.

Não, ela precisava ir embora de Londres. Devia ficar longe da tentação. Mas precisaria de mais dinheiro, o suficiente para se manter até arranjar um emprego. O suficiente para...

De repente ela viu algo brilhante – um par de sapatos escondido num canto. Mas ela limpara aqueles calçados apenas uma hora antes e sabia que aqueles brilhos não eram deles, mas de um par de enfeites para sapatos com pedras, facilmente destacáveis e pequenos o suficiente para caberem em seu bolso.

Será que ela teria coragem?

Pensou em todo o dinheiro que Araminta ganhara para mantê-la, uma quantia que a madrasta jamais pensara em dividir com ela.

Pensou em todos aqueles anos durante os quais trabalhara como camareira sem receber nem um tostão.

Pensou em sua consciência, e logo a reprimiu. Em momentos como aquele, não havia espaço para consciência.

Pegou os enfeites.

E então, muitas horas depois, quando Posy a deixou sair (contra a vontade da mãe), Sophie arrumou tudo o que tinha e foi embora.

Para sua própria surpresa, não olhou para trás.

PARTE 2

CAPÍTULO 6

Já faz três anos que nenhum irmão Bridgerton se casa, e dizem que Lady Bridgerton declarou em várias ocasiões que não sabe mais o que fazer. Benedict não escolheu nenhuma esposa (e esta autora acha que, como ele já chegou aos 30, passou bastante da hora), nem Colin, embora este possa ser perdoado pelo atraso, afinal, tem apenas 26 anos.

A viscondessa também tem duas filhas com quem precisa se preocupar. Eloise tem quase 21 anos, e, embora tenha recebido vários pedidos, não demonstrou nenhuma inclinação em se casar. Francesca está com quase 20 (as duas fazem aniversário no mesmo dia, coincidentemente), e também parece mais interessada em aproveitar a temporada do que em assumir um compromisso.

Esta autora acredita que Lady Bridgerton não precisa se preocupar. É impossível que qualquer um de seus filhos acabe não arranjando um par aceitável. Além disso, seus dois rebentos que já se casaram lhe deram um total de cinco netos, e com certeza esse é o desejo de seu coração.

CRÔNICAS DA SOCIEDADE DE LADY WHISTLEDOWN,
30 DE ABRIL DE 1817

Álcool e charutos. Jogos de cartas e montes de mulheres fáceis. Aquele era o tipo de festa que Benedict Bridgerton teria adorado logo depois de sair da universidade.

Agora estava apenas entediado.

Não sabia nem por que aceitara o convite. Por mais tédio, imaginava. Até então, a temporada de 1817 de Londres fora uma repetição da anterior, e em 1816 ele já não vira nada de interessante. Passar por aquilo tudo de novo era mais do que maçante.

Benedict nem sequer conhecia muito bem o anfitrião, um certo Phillip Cavender. Era amigo de um amigo de um amigo dele, e agora desejava com todas as forças ter permanecido em Londres. Acabara de se curar de um resfriado fortíssimo e devia ter usado isso como desculpa para recusar o convite, mas seu amigo – que ele mal vira nas últimas quatro horas – insistira muito, e Benedict acabara cedendo. Agora, no entanto, estava profundamente arrependido.

Percorreu o corredor principal da casa dos pais de Cavender. Pela porta à esquerda, viu um jogo de cartas de apostas altas em andamento. Um dos participantes suava em bicas.

– Imbecil – resmungou Benedict.

Era provável que o pobre coitado estivesse prestes a perder sua casa ancestral.

A porta à direita encontrava-se fechada, mas ele ouviu o som de risadinhas femininas, seguido por uma risada masculina e por gemidos e gritinhos muito pouco atraentes.

Aquilo era loucura. Não queria estar ali. Detestava jogos de cartas em que as apostas eram mais altas do que os jogadores podiam pagar, e nunca tivera qualquer interesse em se entregar aos prazeres carnais de forma tão pública. Não fazia ideia do que acontecera com o amigo que o levara até lá, e não gostava muito de nenhum dos outros convidados.

– Vou embora – decidiu, embora não houvesse ninguém por perto para escutá-lo.

Tinha uma pequena propriedade não muito longe dali, a apenas uma hora de carruagem. Era apenas um chalé, mas pertencia a ele e, naquele momento, parecia o paraíso.

Porém, as boas maneiras mandavam que ele encontrasse o anfitrião e o avisasse de sua partida, mesmo que o Sr. Cavender estivesse tão bêbado que não fosse se lembrar da conversa no dia seguinte.

Depois de cerca de dez minutos de procura infrutífera, no entanto, Benedict começava a desejar que sua mãe não tivesse sido tão inflexível em seus esforços para educar os filhos. Teria sido muito mais fácil apenas sair e pronto.

– Só mais três minutos – resmungou . – Se não encontrar o idiota em mais três minutos, vou embora.

Nesse exato momento, uma dupla de rapazes passou tropeçando nos próprios pés e gargalhando sem parar. O cheiro de álcool tomou conta do ambiente e Benedict deu um discreto passo para trás, para o caso de um deles de repente ser compelido a eliminar o que tinha no estômago.

Ele sempre gostara muito das botas que estava usando.

– Bridgerton! – chamou um deles.

Benedict fez um breve aceno com a cabeça em cumprimento. Os dois eram cerca de cinco anos mais novos que ele, e ele não os conhecia bem.

– Não é um Bridgerton – disse o outro, com a voz engrolada. – É um... ora, *é* um Bridgerton. Tem o cabelo e o nariz deles. – Estreitou os olhos. – Mas qual Bridgerton?

Benedict ignorou a pergunta.

– Vocês viram nosso anfitrião?

– Nós temos um anfitrião?

– Claro que temos – respondeu o primeiro. – Cavender. Sujeito bom, sabe, por nos deixar usar a casa dele...

– A casa dos pais dele – corrigiu o outro. – Ele ainda não a herdou, coitado.

– Que seja. A casa dos pais dele. Mesmo assim, foi gentil da parte dele.

– Algum de vocês o viu? – resmungou Benedict.

– Está ali fora – retrucou o que primeiro não havia se lembrado de que eles tinham um anfitrião. – Na frente.

– Obrigado – disse Benedict, e passou por eles rapidamente para chegar até a porta da frente.

Desceria os degraus da entrada, cumprimentaria Cavender e seguiria até os estábulos para pegar sua carruagem. Mal teria que parar.

⁓

Sophie Beckett pensou que fora uma grande sorte ter conseguido um novo emprego.

Já fazia quase dois anos que saíra de Londres, dois anos desde que enfim deixara de ser praticamente escrava de Araminta, dois anos em que estava por conta própria.

Depois que abandonara a Casa Penwood, ela penhorara os enfeites para sapatos de Araminta, mas os diamantes de que a madrasta tanta se vangloriava acabaram não sendo legítimos, apenas cópias, e não renderam uma quantia muito alta. Ela tentara conseguir trabalho como tutora, mas nenhuma das agências que procurara estava disposta a aceitá-la. É claro que ela era bem-educada, mas não tinha referências e, além disso, a maioria das mulheres não gostava de contratar alguém tão jovem e bonita.

Sophie acabara comprando passagem num coche até Wiltshire, que era o mais longe que conseguiria ir sem gastar a maior parte do dinheiro que tinha. Felizmente, logo conseguira um emprego como arrumadeira do Sr. e da Sra. John Cavender. Era um casal normal, que esperava que os criados fizessem as coisas direito, sem exigir o impossível. Depois de trabalhar pesado para Araminta por tantos anos, Sophie achou as tarefas na casa dos Cavenders uma verdadeira moleza.

Mas então o filho deles retornou de sua viagem pela Europa e tudo mudou. Phillip estava sempre a encurralando no corredor, e como suas insinuações eram rejeitadas, ele foi ficando mais agressivo. Sophie já começara a pensar que talvez devesse procurar emprego em outro lugar quando os donos da casa foram fazer uma visita de uma semana à irmã da Sra. Cavender em Brighton, e Phillip decidira oferecer uma festa para mais de vinte amigos próximos.

Havia sido difícil evitar os avanços dele antes, mas pelo menos Sophie se sentira mais ou menos protegida. Phillip jamais ousaria atacá-la com sua mãe presente na casa.

Mas sem o Sr. e a Sra. Cavender por perto, o jovem parecia acreditar que podia fazer o que quisesse, e seus amigos não eram nem um pouco melhores.

Sophie sabia que devia ter saído da propriedade no mesmo instante, mas a Sra. Cavender sempre a tratara bem, e ela achou que não seria educado ir embora sem um aviso prévio de duas semanas. Depois de duas horas sendo perseguida dentro da casa, no entanto, ela decidiu que as boas maneiras não manteriam sua dignidade e disse à governanta, felizmente solidária, que não podia mais ficar, arrumou seus escassos pertences numa sacola pequena, desceu a escada lateral com discrição e saiu. O caminho até a cidade tinha pouco mais de 3 quilômetros, mas, mesmo no meio da noite, a estrada parecia muito mais segura do que continuar na casa dos Cavenders. Além disso, ela conhecia uma pequena pousada onde conseguiria uma refeição quente e um quarto por um preço razoável.

Tinha acabado de dar a volta na casa e chegado à entrada da frente quando ouviu um berro rouco.

Olhou para cima. Ah, *droga*. Era Phillip Cavender, parecendo ainda mais bêbado e desagradável do que o normal.

Sophie disparou a correr, rezando para que o álcool tivesse prejudicado a coordenação de Phillip, porque sabia que não seria mais veloz que ele.

Mas sua fuga deve ter servido apenas para excitá-lo, porque o escutou gritando de entusiasmo e logo sentiu os passos dele ribombando no piso, aproximando-se cada vez mais. Em seguida, ele agarrou o colarinho de seu casaco, obrigando-a a parar.

O rapaz começou a rir, triunfante, e Sophie nunca teve tanto medo na vida.

– Olhem só o que tenho aqui – disse ele. – A Pequena Srta. Sophie. Preciso apresentá-la aos meus amigos.

Sophie sentiu a boca seca e não soube direito se seu coração disparou ou se simplesmente parou.

– Me solte, Sr. Cavender – exigiu ela, com a voz mais firme que conseguiu.

Sabia que ele gostava dela indefesa e implorando, e se recusava a atender seus desejos.

– De jeito nenhum – retrucou ele, virando-a de modo que ela fosse obrigada a ver seus lábios se esticarem num sorriso asqueroso. Virou a cabeça para o lado e gritou: – Heasley! Fletcher! Olhem o que tenho aqui!

Sophie viu, aterrorizada, outros dois homens emergirem das sombras. Pela aparência deles, estavam tão bêbados quanto Phillip, ou mais.

– Você sempre dá as melhores festas – afirmou um deles com a voz afetada. Phillip inflou de orgulho.

– Me solte! – exigiu Sophie mais uma vez.

Ele sorriu.

– O que acham, rapazes? Devo atender ao pedido da dama?

– É claro que não! – retrucou o mais jovem dos dois.

– Dama pode ser um substantivo um pouco inadequado, não acha? – disse o outro, o mesmo que comentara que Phillip oferecia as melhores festas.

– É verdade! – respondeu Phillip. – É uma arrumadeira, que, até onde sabemos, é uma raça que nasce para servir. – Deu um empurrão em Sophie, atirando-a na direção de um dos amigos. – Pronto. Dê uma olhada na mercadoria.

Sophie gritou ao ser jogada para a frente e apertou com força sua pequena sacola. Estava prestes a ser violentada, isso era óbvio. Mas sua mente em pânico queria se agarrar a qualquer resquício de dignidade, e ela se recusou a permitir que aqueles homens espalhassem todos os seus pertences pelo chão frio.

O homem que a apanhou a acariciou com brutalidade, então a atirou na direção do terceiro. Este havia acabado de passar a mão ao redor de sua cintura quando Sophie ouviu alguém gritar:

– Cavender!

Ela fechou os olhos em agonia. *Um quarto homem. Por Deus, três não são o suficiente?*

– Bridgerton! – chamou Phillip. – Junte-se a nós!

Sophie arregalou os olhos. *Bridgerton?*

Um homem alto e forte emergiu das sombras e avançou com graça e autoconfiança.

– O que temos aqui?

Por Deus, ela reconheceria aquela voz em qualquer lugar. Escutava-a com bastante frequência em seus sonhos.

Era Benedict Bridgerton. Seu príncipe encantado.

O ar noturno estava frio, mas Benedict o achou refrescante depois de ser obrigado a respirar os vapores de álcool e tabaco do interior da casa. A lua estava quase cheia, reluzindo redonda e grande, e uma brisa suave balançava as folhas das árvores. De modo geral, era uma noite excelente para sair de uma festa enfadonha e voltar para casa.

Mas primeiro as obrigações. Precisava encontrar o anfitrião, cumprir o protocolo de agradecer pela hospitalidade e informar que estava se retirando. Quando chegou ao último degrau, chamou:

– Cavender!

– Bridgerton! Junte-se a nós! – foi a resposta, e Benedict virou a cabeça para a direita.

Cavender encontrava-se embaixo de um velho e majestoso olmo com dois outros cavalheiros. Eles pareciam se divertir com uma arrumadeira, empurrando-a de um para outro.

Benedict suspirou. Estava longe demais para saber se a criada apreciava a atenção dos rapazes, mas, se não, ele teria que salvá-la, o que não era o que planejara fazer naquela noite. Nunca gostara muito de bancar o herói, mas tinha muitas irmãs mais jovens – quatro, para ser exato – para ignorar qualquer mulher em apuros.

– O que temos aqui? – perguntou ele enquanto se aproximava, mantendo a postura casual de forma deliberada.

Era sempre melhor se movimentar devagar e avaliar a situação do que atacar às cegas.

Benedict chegou até os rapazes no instante em que um dos três passava um braço ao redor da cintura da jovem e a grudava junto a seu corpo, de costas para ele. Com a outra mão, apertava o traseiro dela.

Benedict procurou os olhos da criada. Estavam arregalados e cheios de terror, e ela olhava para sua direção como se ele tivesse acabado de cair do céu.

– Estamos brincando um pouco – retrucou Cavender. – Meus pais foram gentis o bastante para contratar esta belezinha como arrumadeira do andar de cima.

– Ela não parece estar gostando da atenção de vocês – comentou Benedict em voz baixa.

– Ela está gostando, sim – afirmou Cavender com um sorriso. – Pelo menos o suficiente para mim.

– Mas não para mim – falou Benedict, dando um passo para a frente.

– Você vai ter sua vez – garantiu Cavender, ainda com animação. – Assim que terminarmos.

– Você não me entendeu.

A voz de Benedict soou severa, e os três homens ficaram paralisados, olhando para ele com um misto de curiosidade e medo.

– Solte a moça – exigiu.

Ainda espantado com a súbita mudança no clima e com os reflexos provavelmente entorpecidos pelo álcool, o rapaz que segurava a moça nada fez.

– Eu não quero brigar com vocês – prosseguiu Benedict, cruzando os braços –, mas vou se for preciso. E posso garantir que a perspectiva de três contra um não me assusta.

– Ora, vejam só – disse Cavender irritado. – Você não pode me dar ordens dentro da minha propriedade.

– A propriedade é dos seus pais – observou Benedict, lembrando a todos que o anfitrião ainda era bastante imaturo.

– É *minha* casa – replicou Cavender –, e ela é *minha* criada. Vai fazer o que eu quero.

– Eu não sabia que a escravidão era legalizada neste país – murmurou Benedict.

– Ela tem que fazer o que eu mando!

– Tem, é?

– Eu a demitirei se não fizer.

– Muito bem – falou Benedict dando um leve sorriso. – Pergunte a ela, então. Pergunte se a moça quer ter relações sexuais com vocês três. Porque era nisso que você estava pensando, certo?

Cavender gaguejou enquanto raciocinava sobre o que dizer.

– Pergunte a ela – disse Benedict mais uma vez, agora sorrindo abertamente, sobretudo porque sabia que isso enfureceria ainda mais o jovem. – E, se ela responder que não, pode demiti-la aqui mesmo.

– Não vou perguntar a ela – retrucou Cavender.

– Ora, então você não pode estar de fato esperando que ela faça o que você deseja, não é? – Benedict olhou para a garota. Era uma moça atraente, com seus cabelos castanhos cacheados presos e olhos quase grandes demais para seu rosto. – Muito bem – continuou ele, lançando um olhar rápido para Cavender. – Eu pergunto.

A moça entreabriu um pouco os lábios e Benedict teve a estranha sensação de já conhecê-la. Mas isso era impossível, a menos que ela tivesse trabalhado para alguma outra família aristocrática. E, mesmo assim, ele a teria visto apenas de passagem. Seu gosto por mulheres nunca incluíra arrumadeiras e, a bem da verdade, ele quase nem as notava.

– Srta. ... – Ele franziu a testa. – Ou melhor, qual é o seu nome?

– Sophie Beckett – arfou ela.

– Srta. Beckett – prosseguiu ele –, a senhorita poderia responder à pergunta?

– Não! – explodiu ela.

– A senhorita não vai responder? – indagou ele com um ar divertido.

– Não, eu *não* quero ter relações sexuais com esses três!

A moça praticamente cuspiu as palavras.

– Bem, isso parece não deixar dúvidas – disse Benedict. Ele olhou para o rapaz que ainda a segurava. – Sugiro que a solte, para que o nosso Cavender aqui possa demiti-la.

– E aonde ela irá? – desdenhou Cavender. – Posso garantir que não voltará a trabalhar neste distrito.

Sophie se virou para Benedict, com a mesma pergunta no olhar.

Benedict deu de ombros com ar despreocupado.

– Eu lhe arranjarei um emprego na casa de minha mãe. – Ele a fitou e ergueu uma sobrancelha. – Imagino que isso seja aceitável.

Sophie abriu a boca em completa surpresa. Benedict queria levá-la para a casa dele!

– Não era essa a reação que eu esperava – comentou Benedict com a voz áspera. – Com certeza será mais agradável do que seu emprego aqui. No mínimo, posso lhe garantir que não será violentada. O que me diz?

Sophie olhou de forma frenética para os três homens que pretendiam violentá-la. Na realidade, não tinha escolha. Benedict Bridgerton era seu único meio de sair da propriedade. Ela sabia que não poderia trabalhar para a mãe dele em hipótese alguma. Estar tão próxima de Benedict e ainda ter que ser uma criada era mais do que conseguiria suportar. Mas poderia encontrar uma forma de evitar isso mais tarde. Por ora, precisava apenas se afastar de Phillip.

Ela se virou para Benedict e assentiu com a cabeça, ainda temerosa de falar em voz alta. Sentia-se sufocar, embora não soubesse ao certo se de medo ou alívio.

– Muito bem – disse ele. – Vamos embora?

Ela lançou um olhar bastante enfático para o braço que ainda a mantinha refém.

– Ora, pelo amor de Deus – rosnou Benedict. – Quer fazer o favor de soltá-la, ou terei que atirar no seu braço?

Ele nem sequer tinha uma arma, mas bastou seu tom de voz para que o homem a largasse no mesmo instante.

– Muito bem – falou Benedict, estendendo o braço na direção de Sophie.

Ela deu um passo para a frente e, com os dedos trêmulos, segurou o cotovelo dele.

– Você não pode simplesmente levá-la! – gritou Phillip.

Benedict lançou um olhar desdenhoso para ele.

– Pois então observe.

– Você vai se arrepender disso – ameaçou Phillip.

– Duvido. Agora, saia da minha frente.

Phillip bufou, virou-se para os amigos e disse:

– Vamos sair daqui. – Então se voltou para Benedict mais uma vez e acrescentou: – Não pense que voltará a ser convidado para alguma festa minha.

– Estou desolado – retrucou Benedict, arrastando as palavras.

Phillip deu uma risada indignada e voltou, seguido pelos outros dois rapazes, para dentro da casa.

Sophie os observou se afastando, voltando o olhar para Benedict devagar. Quando fora capturada por Phillip e seus amigos maldosos, sabia o que queriam fazer com ela e teve vontade de morrer. Então, de repente, ali estava Benedict Bridgerton, parado diante dela como um herói de seus sonhos, e ela pensou que talvez *tivesse* morrido, porque qual seria outro motivo para ele se encontrar ali se aquilo não fosse o paraíso?

Ficara tão perplexa que quase se esquecera de que o comparsa de Phillip ainda a segurava, agarrando seu traseiro de maneira absolutamente humilhante. Por um breve instante, o mundo havia desaparecido e a única coisa que ela podia ver, a única coisa que ela *conhecia*, era Benedict Bridgerton.

Fora um instante de perfeição. Mas então o mundo voltara de repente a ser o que era e tudo em que ela conseguiu pensar foi: o que ele estava fazendo ali? Era uma festa nojenta, cheia de bêbados e prostitutas. Quando o conhecera, dois anos antes, ele não parecera ser do tipo que frequentava um ambiente como aquele. Mas estivera com ele por menos de duas horas. Talvez o tivesse julgado mal. Fechou os olhos em agonia. Ao longo dos últimos dois anos, a lembrança de Benedict Bridgerton havia sido a luz mais brilhante em sua vida sombria e triste. Se havia se enganado a seu respeito, se ele era pouco melhor do que Phillip e seus amigos, ela não teria mais nada.

Nem mesmo uma lembrança de amor.

Mas ele a *salvara*. Isso era irrefutável. Talvez o porquê de ter ido àquela festa não tivesse importância, apenas que estava lá. E que a livrara das garras deles.

– Você está bem? – perguntou ele de repente.

Sophie assentiu, fitando-o nos olhos, esperando que ele a reconhecesse.

– Tem certeza?

Ela assentiu de novo, ainda em expectativa. Ele a reconheceria em breve.

– Que bom. Eles foram muito brutos.

– Eu vou ficar bem.

Sophie mordeu o lábio inferior. Não fazia ideia de como ele reagiria depois que se desse conta de quem ela era.

Ficaria entusiasmado? Furioso? O suspense a estava matando.

– De quanto tempo você precisa para pegar suas coisas?

Sophie piscou em silêncio, e então se deu conta de que ainda segurava sua bolsa.

– Está tudo aqui – falou. – Eu estava tentando ir embora quando eles me pegaram.

– Moça inteligente – murmurou Benedict em tom de aprovação.

Sophie apenas o encarou, sem poder acreditar que ele não a reconhecera.

– Vamos embora, então – disse ele. – O simples fato de estar na propriedade de Cavender me faz mal.

Sophie não respondeu, mas empinou o queixo de leve e inclinou a cabeça um pouco para o lado enquanto o observava.

– Tem certeza de que está se sentindo bem? – quis saber ele.

Então ela começou a pensar.

Dois anos antes, quando o conhecera, metade de seu rosto estava coberta por uma máscara.

Seus cabelos tinham sido ligeiramente empoados, o que os deixava parecendo mais louros do que eram na verdade. Além disso, desde então ela os cortara e vendera a um fabricante de perucas. Suas longas mechas onduladas eram agora cachos curtos.

Sem a Sra. Gibbons para cuidar da sua alimentação, emagrecera mais de 5 quilos.

E, analisando com frieza, os dois tinham estado na companhia um do outro por apenas uma hora e meia.

Ela o encarou direto nos olhos. E foi nesse momento que soube.

Ele não iria reconhecê-la.

Não fazia ideia de quem ela era.

Sophie não sabia se ria ou se chorava.

CAPÍTULO 7

Ficou claro a todos os convidados do baile dos Mottrams, na quinta-feira passada, que a Srta. Rosamund Reiling não parava de olhar para o Sr. Phillip Cavender.

É da opinião desta autora que os dois realmente combinam.

CRÔNICAS DA SOCIEDADE DE LADY WHISTLEDOWN,
30 DE ABRIL DE 1817

Dez minutos mais tarde, Sophie estava sentada ao lado de Benedict Bridgerton na carruagem dele.

– Está com alguma coisa no olho? – perguntou ele com educação.

Isso chamou a atenção dela.

– C-como?

– Você não para de piscar – explicou ele. – Pensei que talvez pudesse ter alguma coisa no olho.

Sophie engoliu em seco, tentando conter uma risada nervosa. O que deveria dizer? A verdade? Que não parava de piscar porque ficava esperando acordar do que só podia ser um sonho? Ou talvez um pesadelo?

– Tem certeza de que está bem? – insistiu ele.

Ela assentiu.

– Devem ser só os efeitos do choque – comentou Benedict.

Ela assentiu de novo, deixando-o acreditar que aquilo era tudo o que a estava afetando.

Como podia não tê-la reconhecido? Ela sonhava com aquele momento havia anos. Seu príncipe encantado enfim aparecera para salvá-la, mas não sabia quem ela era.

– Como você se chama mesmo? – perguntou ele. – Sinto muitíssimo. Sempre preciso ouvir um nome duas vezes para me lembrar dele.

– Srta. Sophia Beckett.

Não parecia haver motivo para mentir. Ela não lhe dissera seu nome no baile de máscaras.

– Prazer em conhecê-la, Srta. Beckett – disse ele, mantendo os olhos na estrada escura. – Sou o Sr. Benedict Bridgerton.

Sophie reagiu à saudação com um aceno de cabeça, embora ele não estivesse olhando para ela. Ficou em silêncio por um instante, sobretudo por não ter a menor ideia de como agir naquela situação tão inacreditável. Ela se deu conta de que se tratava da apresentação que não acontecera dois anos antes.

Por fim, falou apenas:

– O senhor foi muito corajoso.

Benedict deu de ombros.

– Eles eram três, e você, apenas um. A maioria dos homens não interviria.

Desta vez, ele olhou para ela.

– Detesto valentões – limitou-se a dizer.

Ela assentiu mais uma vez.

– Eles iam me violentar.

– Eu sei – retrucou ele. Então acrescentou: – Eu tenho quatro irmãs.

Ela quase respondeu "Eu sei", mas se conteve bem a tempo. Como é que uma arrumadeira de Wiltshire teria essa informação? Em vez disso, preferiu comentar:

– Imagino que por isso tenha sido tão sensível ao meu drama.

– Gosto de pensar que outro homem as ajudaria se algum dia estivessem em situação semelhante.

– Espero que nunca precise descobrir.

Ele assentiu com ar grave.

– Eu também.

A carruagem seguiu em frente na noite silenciosa. Sophie se lembrou do baile de máscaras, quando não lhes faltara assunto sequer por um instante. Ela percebia que agora era diferente. Era uma arrumadeira, não uma gloriosa dama da sociedade. Os dois não tinham nada em comum.

Mesmo assim, ela ainda esperava que ele a reconhecesse, parasse a carruagem, puxasse-a de encontro ao peito e lhe dissesse que a vinha procurando fazia dois anos. Mas Sophie logo se deu conta de que isso não iria acontecer. Ele não conseguia reconhecer a dama na arrumadeira, e, a bem da verdade, por que deveria?

As pessoas viam o que esperavam ver. E Benedict Bridgerton com certeza não esperava ver uma fina dama da sociedade na pele de uma humilde arrumadeira.

Não se passara um dia sem que ela pensasse nele, sem que se lembrasse de seus lábios nos dela ou da magia estonteante daquela noite. Ele se tornara o ponto central de suas fantasias, o personagem principal nos sonhos em que ela era uma pessoa diferente, com pais diferentes. Em seus devaneios, ela o conhecia num baile, talvez seu próprio baile, oferecido por seus dedicados pais. Cortejava-a delicadamente, com flores perfumadas e beijos roubados. E então, num agradável dia de primavera, com os pássaros cantando e uma brisa suave, ele se ajoelhava e a pedia em casamento, jurando amor eterno.

Era ótimo sonhar acordada com isso. Só não era melhor do que o sonho em que os dois viviam felizes para sempre, com três ou quatro filhos maravilhosos, nascidos a salvo dentro do sacramento do matrimônio.

Mas ela jamais imaginara, em nenhuma de suas fantasias, que de fato o veria de novo, muito menos que seria salva por ele de um trio de agressores devassos.

Sophie se perguntou se ele pensava na mulher misteriosa de prateado com quem uma noite trocara um beijo apaixonado. Gostava de imaginar que sim, mas duvidava que para ele significasse o mesmo que significara para ela. Ele era um homem, afinal, e era provável que já houvesse beijado dezenas de mulheres.

E, para ele, aquela noite havia sido como outra qualquer. Sophie ainda lia o *Whistledown* sempre que conseguia pôr as mãos num exemplar. Sabia que ele frequentava inúmeras festas. Por que um baile de máscaras se destacaria em sua lembrança?

Ela suspirou e olhou para as mãos, ainda agarradas à sacola. Desejou ter luvas, mas seu único par havia estragado no começo daquele ano e ela não conseguira comprar outro. Estava com a pele áspera e rachada, e seus dedos estavam ficando gelados.

– Isso é tudo o que possui? – perguntou Benedict, apontando para a bolsa.

Ela assentiu.

– Infelizmente, não tenho muitos pertences. Apenas uma muda de roupas e algumas lembranças pessoais.

Ele ficou em silêncio por um instante, então disse:

– Seu sotaque é bastante refinado para uma arrumadeira.

Como Benedict não fora o primeiro a fazer tal observação, Sophie lhe deu a resposta-padrão:

– Minha mãe foi governanta de uma família muito boa e generosa. Eles permitiram que eu tivesse aulas com suas filhas.

– Por que não trabalha lá? – Girando os pulsos com habilidade, Benedict guiou os cavalos para a trilha da esquerda ao chegar a uma bifurcação na estrada. – Imagino que não esteja se referindo aos Cavenders.

– Não – retrucou ela, tentando pensar numa resposta adequada. Ninguém jamais se interessara o bastante por ela para se dar ao trabalho de aprofundar o assunto. – Minha mãe faleceu – disse ela por fim –, e eu não me dei bem com a nova governanta.

Ele pareceu aceitar a explicação e os dois seguiram sem falar nada por mais alguns minutos. A não ser pelo vento e pelo barulho rítmico dos cascos dos cavalos, a noite estava silenciosa. Enfim, sem conseguir conter a curiosidade, Sophie perguntou:

– Aonde estamos indo?

– Eu tenho um chalé não muito longe daqui – replicou Benedict. – Ficaremos lá por uma ou duas noites e então eu a levarei para a casa de minha mãe. Tenho certeza de que ela encontrará um emprego para você lá.

Sophie sentiu o coração acelerar.

– Esse seu chalé...

– Você estará adequadamente acompanhada – disse ele, sorrindo de leve. – Os caseiros estarão de serviço, e posso garantir que o Sr. e a Sra. Crabtree jamais permitiriam que qualquer coisa inconveniente ocorresse na casa deles.

– Eu achei que a propriedade fosse sua.

O sorriso dele se alargou.

– Venho tentando convencê-los disso há anos, mas nunca consegui.

Sophie sentiu os cantos dos lábios se arqueando.

– Acho que vou gostar muito deles.

– Imagino que sim.

Então os dois ficaram em silêncio de novo. Sophie manteve os olhos bem fixos à frente. Sentia um medo absurdo de que, se seus olhares se cruzassem, ele a reconhecesse. Mas isso não passava de fantasia. Ele já a havia encarado, até mesmo mais de uma vez, e ainda pensava nela apenas como uma arrumadeira.

Depois de alguns minutos, no entanto, ela sentiu uma estranha comichão no rosto e, ao se virar para fitá-lo, viu que ele não parava de olhar para ela com uma expressão estranha.

– Nós já nos conhecemos? – perguntou ele de repente.

– Não – garantiu ela, com a voz um pouco menos segura do que gostaria. – Acho que não.

– Imagino que esteja certa – murmurou ele –, mas, ainda assim, você me parece muito familiar.

– Todas as arrumadeiras são iguais – comentou ela, com um sorriso amargo.

– Eu costumava achar isso – retrucou Benedict.

Ela virou o rosto para a frente, boquiaberta. Por que dissera aquilo? Ela não *queria* que ele a reconhecesse? Não havia passado a última meia hora esperando, desejando, sonhando e...

E esse era o problema. Ela estava sonhando. Em seus sonhos, ele a amava. Em seus sonhos, a pedia em casamento. No mundo real, ele poderia lhe pedir que fosse sua amante, e isso era algo que ela jurara jamais fazer. No mundo real, talvez ele fosse sentir a obrigação moral de devolvê-la a Araminta, que provavelmente a entregaria direto ao magistrado por ter roubado seus enfeites para sapatos (e Sophie não achara nem por um instante que a madrasta não havia notado o desaparecimento deles).

Não, era melhor que Benedict não a reconhecesse. Isso apenas complicaria a vida dela, e, considerando que não tinha qualquer fonte de renda – de fato, tinha muito pouco além das roupas do corpo –, sua vida não precisava de complicações a esta altura.

91

E, no entanto, ela se sentiu decepcionada de uma forma inexplicável por ele não ter sabido de imediato quem ela era.

– Foi uma gota de chuva? – perguntou Sophie, disposta a manter a conversa em torno de temas mais agradáveis.

Benedict olhou para cima. A lua estava encoberta por nuvens.

– Não parecia que ia chover quando saímos – murmurou ele. Uma grande gota caiu em sua calça. – Mas acho que você tem razão.

Ela olhou para o céu.

– O vento aumentou bastante. Espero que não seja uma tempestade.

– Com certeza será uma tempestade – comentou ele, contrariado –, já que estamos numa carruagem aberta. Se eu tivesse pegado a fechada, não haveria nem uma nuvem no céu.

– Falta quanto tempo para chegarmos a seu chalé?

– Acho que cerca de meia hora. – Ele franziu a testa. – Desde que a chuva não nos atrase.

– Bem, eu não me importo com um pouco de chuva – disse ela de forma corajosa. – Há coisas muito piores do que se molhar um pouco.

Os dois sabiam do que ela estava falando.

– Acho que não me lembrei de agradecer – falou ela em voz baixa.

Benedict virou a cabeça de repente. Por tudo o que era mais sagrado, havia algo muito familiar na voz dela. Mas, quando olhava para seu rosto, tudo o que via era uma simples arrumadeira. Uma arrumadeira muito atraente, é verdade, mas ainda assim uma arrumadeira. Ninguém com quem ele algum dia tivesse cruzado.

– Não foi nada – retrucou por fim.

– Para o senhor, talvez. Para mim, foi tudo.

Desconfortável com tamanho reconhecimento, Benedict apenas fez um sinal com a cabeça e deu um daqueles grunhidos que os homens tendem a emitir quando não sabem o que dizer.

– Foi uma atitude muito corajosa – insistiu ela.

Ele resmungou mais uma vez.

E então desabou uma verdadeira tempestade.

Não levou mais do que um minuto para as roupas deles ficarem encharcadas.

– Vou chegar lá o mais rápido possível! – gritou ele, tentando se fazer ouvir acima do vento.

– Não se preocupe comigo! – respondeu Sophie, mas, quando ele olhou, ela estava se encolhendo toda, enrolando os braços sobre o peito para tentar conservar o calor do corpo.

– Deixe-me lhe dar meu casaco.

Ela balançou a cabeça e chegou a rir.

– Acho que vai me deixar ainda mais molhada, encharcado do jeito que está.

Ele incitou os cavalos a irem mais rápido, mas a estrada estava ficando enlameada e o vento espalhava a chuva por todos os lados, diminuindo ainda mais a visibilidade.

Que inferno. Só faltava isso. Tinha passado toda a semana anterior resfriado, e era provável que ainda não estivesse recuperado por completo. Um passeio sob a chuva gelada com certeza lhe causaria uma recaída e ele passaria o mês seguinte inteiro com o nariz escorrendo, os olhos lacrimejando... todos aqueles sintomas irritantes e desagradáveis.

É claro que...

Benedict não conseguiu conter um sorriso. É claro que, se ficasse doente de novo, sua mãe não poderia tentar convencê-lo a comparecer a uma única festa na cidade, sempre na esperança de que ele encontrasse uma jovem apropriada com quem construir um casamento tranquilo e feliz.

Em sua defesa, ele estava sempre atento ao aparecimento de uma possível noiva. Com certeza não era contra o casamento. Seu irmão Anthony e sua irmã Daphne tinham se casado e eram muito felizes. Mas os matrimônios dos dois haviam sido bem-sucedidos porque ambos foram inteligentes o bastante para se unirem às pessoas certas, e Benedict sabia que ainda não a encontrara.

Não, pensou, voltando alguns anos na memória, isso não era inteiramente verdade. Ele havia conhecido alguém uma vez...

A dama de prateado.

Quando a segurara nos braços e rodopiara com ela pela varanda em sua primeira valsa, sentira algo diferente, uma sensação de agitação e vibração. A sensação deveria tê-lo deixado apavorado.

Mas não. Em vez disso, o sentimento o deixara sem fôlego, entusiasmado... e determinado a possuí-la.

Mas então ela desaparecera. Era como se tivesse sumido no ar. Ele não conseguira descobrir nada naquela irritante visita a Lady Penwood, e quando perguntara aos amigos e à família, ninguém sabia nada sobre uma jovem de vestido prateado.

Ela não chegara com ninguém e fora embora igualmente sozinha. Para todos os efeitos, a jovem nem existia.

Ele procurava por ela em todos os bailes, festas e saraus a que comparecia. Diabos, tinha passado até a ir ao dobro de eventos sociais só na esperança de vê-la.

Mas sempre voltava para casa decepcionado.

Ele pensou que pararia de procurá-la. Era um homem prático, e imaginara que acabaria desistindo. De certa forma, foi o que fez. Após algum tempo, viu-se novamente rejeitando mais convites do que aceitava. Alguns meses depois disso, percebeu que era mais uma vez capaz de conhecer outras mulheres sem compará-las a ela de forma automática.

Mas não conseguia deixar de procurá-la. Podia não sentir mais a mesma urgência, porém sempre que ia a um baile ou sarau, pegava-se varrendo a multidão com os olhos e aguçando os ouvidos em busca da risada dela.

A dama misteriosa estava em algum lugar. Fazia tempo que ele se resignara ao fato de que seria difícil encontrá-la, e não ia ativamente atrás dela fazia mais de um ano, mas...

Benedict deu um sorriso melancólico. Simplesmente não conseguia parar de tentar achá-la. A busca se tornara, de uma maneira muito estranha, parte de quem ele era. Seu nome era Benedict Bridgerton, ele tinha sete irmãos e irmãs, era bastante habilidoso com o florete e com desenhos e estava sempre na expectativa de encontrar a mulher que havia tocado sua alma.

Continuava esperando... e desejando... e procurando. E, embora dissesse a si mesmo que já estava na hora de se casar, não era capaz de reunir o entusiasmo necessário para isso.

E se ele pusesse uma aliança no dedo de uma mulher e no dia seguinte a visse?

Seria o suficiente para partir seu coração.

Não, seria mais grave do que isso. Poderia destruir sua alma.

Benedict suspirou de alívio ao ver a cidade de Rosemeade se aproximando. Isso queria dizer que o chalé estava a apenas cinco minutos de distância, e ele mal podia esperar para se atirar numa banheira de água quente. Olhou para a Srta. Beckett. Ela também tiritava de frio, mas não havia soltado um pio, ele pensou com um toque de admiração. Benedict tentou se lembrar de alguma outra mulher que conhecesse e fosse capaz de suportar a intempérie com tamanha bravura, mas nenhuma lhe veio à cabeça. Até sua irmã Daphne, que era muito bem-humorada, estaria reclamando do frio àquela altura.

– Estamos quase lá – garantiu ele.

– Eu estou... Oh! O senhor está bem?

Benedict foi tomado por um acesso de tosse, do tipo profundo e seco, que faz doer o peito. Sentia seus pulmões em chamas e a garganta parecia ter sido cortada com uma lâmina.

– Estou bem – arfou ele, endireitando-se no banco para trazer os cavalos de volta ao prumo; os animais haviam saído um pouco do caminho enquanto Benedict tossia.

– O senhor não parece bem.

– Eu peguei um resfriado na semana passada – informou ele, com uma expressão de dor.

Droga, como se sentia mal.

– Não parece um simples resfriado – comentou ela, tentando sorrir.

Mas não conseguiu. Na verdade, parecia muito preocupada.

– Devo ter tido uma recaída – resmungou ele.

– Não quero que fique doente por minha causa.

Ele fez um esforço para sorrir, mas estava muito mal.

– Eu teria pegado chuva com ou sem você.

– Mesmo assim...

O que quer que ela pretendesse dizer se perdeu sob mais um acesso profundo de tosse seca.

– Desculpe – murmurou Benedict.

– Me deixe guiar – disse ela, tomando as rédeas.

Ele se virou para Sophie, incrédulo.

– É uma carruagem aberta, não uma carroça de um cavalo só.

Ela conteve a vontade de estrangulá-lo. Ele estava com o nariz escorrendo, os olhos vermelhos e não conseguia parar de tossir, mas ainda assim encontrou energia para agir como um pavão arrogante.

– Posso lhe garantir que sei guiar uma parelha de cavalos – garantiu ela, falando bem devagar.

– E onde você aprendeu isso?

– Com a mesma família que me deixou estudar com suas filhas – mentiu Sophie. – Aprendi a guiar junto com as meninas.

– A dona da casa devia gostar muito de você – comentou ele.

– Gostava muito – retrucou Sophie, tentando não rir.

Araminta era a dona da casa e fazia um escândalo cada vez que o marido insistia que Sophie recebesse a mesma instrução de Rosamund e Posy. As três aprenderam a guiar parelhas no ano anterior à morte do conde.

– Pode deixar comigo, obrigado – falou Benedict de forma categórica.

Então anulou as próprias palavras tendo mais um ataque de tosse.

Sophie pegou as rédeas.

– Pelo amor de...

– Aqui – disse ele, passando as rédeas para ela e secando os olhos. – Pode pegá-las. Mas vou ficar de olho em você.

– Não esperaria nada diferente – respondeu ela com irritação.

A chuva não tornava as condições nem um pouco ideais, e fazia anos desde a última vez que ela conduzira uma carruagem, mas achou que se saiu bastante bem. Há coisas que não se desaprende, ela pensou.

Na verdade, foi bastante agradável fazer algo que não fazia desde sua vida pregressa, quando era, ao menos oficialmente, a pupila de um conde. Na época, ela tinha boas roupas, boa comida, aulas interessantes e...

Suspirou. Não era perfeito, mas era melhor do que tudo o que se seguiu.

– Qual é o problema? – quis saber Benedict.

– Nenhum. Por que pensou que pudesse haver algum problema?

– Você suspirou.

– Me ouviu suspirar com todo esse vento? – perguntou ela com incredulidade.

– Estou bastante atento. Já me encontro doente o suficiente sem que você nos faça cair numa vala.

Então teve mais um acesso de tosse.

Sophie decidiu nem sequer lhe dar uma resposta.

– Vire à direita ali na frente – orientou Benendict. – Iremos direto para meu chalé.

Ela obedeceu.

– O seu chalé tem um nome?

– Meu Chalé.

– Eu devia ter adivinhado – murmurou ela.

Benedict sorriu. Um verdadeiro feito, Sophie pensou, já que estava com uma aparência péssima.

– Não estou brincando – disse ele.

De fato, após um minuto, os dois pararam diante de uma elegante casa de campo, ornada com uma placa pequena e discreta que dizia MEU CHALÉ.

– O proprietário anterior o batizou – explicou Benedict ao lhe indicar a direção dos estábulos –, e eu decidi manter o nome.

Sophie olhou para a casa, que, embora relativamente pequena, não tinha nada de humilde.

– Chama isso de chalé?

– Não, o proprietário anterior chamava – retrucou ele. – Você precisa ver a outra casa dele.

No instante seguinte, os dois estavam abrigados da chuva. Benedict desceu e começou a desencilhar os cavalos. Usava luvas, mas, como elas se encontravam encharcadas e não paravam de escorregar nas rédeas, ele as tirou e as jogou longe. Sophie observou seus movimentos. Ela tinha os dedos murchos como uvas-passas e tremia de frio.

– Deixe-me ajudar – pediu, dando um passo à frente.

– Eu consigo fazer isso.

– Claro que consegue – disse ela de modo apaziguador –, mas será mais rápido com minha ajuda.

Ele se virou, talvez para recusar a ajuda mais uma vez, e então se dobrou em outro ataque de tosse. Sophie se aproximou dele e o ajudou a se sentar num banco.

– Fique aqui, por favor – implorou ela. – Eu termino.

Sophie achou que ele discordaria, mas dessa vez Benedict se rendeu.

– Desculpe – falou ele com a voz rouca. – Eu...

– Não tem por que pedir desculpas – retrucou ela, fazendo o trabalho com agilidade.

Ou com tanta agilidade quanto possível. Ainda estava com os dedos amortecidos e enrugados por ficarem molhados por tanto tempo.

– Não é muito... – Benedict tossiu de novo, desta vez mais baixo e mais profundamente – ... cavalheiresco de minha parte.

– Ah, acho que posso perdoá-lo desta vez, considerando a forma como me salvou mais cedo.

Sophie tentou dar um sorriso alegre, mas, por algum motivo, seus lábios estremeceram e ela se viu, de uma forma inexplicável, à beira das lágrimas. Virou-se rápido para o outro lado, tentando evitar que ele visse seu rosto.

Mas ele deve ter notado alguma coisa, ou talvez apenas tenha percebido que havia algo errado, porque perguntou:

– Você está bem?

– Estou ótima! – retrucou ela, mas a voz saiu estrangulada e, antes que se desse conta, ele estava a seu lado, tomando-a nos braços.

– Está tudo bem – falou ele em tom tranquilizador. – Você está a salvo agora.

As lágrimas começaram a rolar sem parar. Sophie chorou pelo que poderia ter sido seu destino naquela noite e pelo que de fato fora nos últimos nove anos. Chorou pela lembrança de quando ele a tomara nos braços no baile de máscaras e chorou porque se encontrava nos braços dele naquele momento.

Chorou pela gentileza dele, que, embora estivesse claramente doente e não a visse como nada mais que uma simples arrumadeira, ainda se preocupava com ela e queria protegê-la.

Chorou porque não se permitia chorar havia tanto tempo que nem sequer lembrava quanto. E chorou porque se sentia muito solitária.

Mais do que tudo, chorou porque vinha sonhando com ele fazia tanto tempo e ele não a reconhecera. Era provável que tivesse sido melhor assim, mas seu coração estava em pedaços por causa disso.

Por fim, as lágrimas diminuíram e ele deu um passo para trás. Tocou no queixo dela e disse:

– Está se sentindo melhor agora?

Ela assentiu, surpresa por ser verdade.

– Que bom. Você levou um susto, e... – Benedict de repente se afastou dela e se dobrou num acesso de tosse.

– O senhor precisa mesmo entrar – afirmou Sophie, secando as últimas lágrimas. – Em casa, quero dizer.

Ele assentiu.

– Vamos ver quem chega primeiro.

Ela arregalou os olhos, perplexa. Não acreditava que ele tivera o ânimo de fazer uma piada daquelas, quando era claro que estava se sentindo tão mal. Mas enrolou o cordão da sacola nas mãos, levantou as saias e saiu correndo na direção da porta do chalé. Quando chegou aos degraus da entrada, não parava de rir por causa do esforço e pela situação ridícula de correr como uma louca para sair da chuva quando já estava ensopada até os ossos.

Como era de se esperar, Benedict chegara antes dela ao pequeno pórtico. Podia estar doente, mas tinha as pernas muito mais compridas e fortes que as de Sophie. Quando ela parou ao seu lado, ele batia na porta com força.

– Não tem uma chave? – gritou Sophie.

O vento ainda soprava forte, tornando a conversa mais difícil.

Ele balançou a cabeça.

– Não planejava parar aqui.

– Acha que os caseiros irão escutá-lo?

– Espero que sim – murmurou ele.

Sophie secou o rosto e espiou por uma janela próxima.

– Está muito escuro – falou. – Será que eles podem não estar em casa?

– Não sei onde mais estariam.

– Não devia ter ao menos uma criada ou um lacaio?

Benedict balançou a cabeça.

– Venho tão pouco aqui que pareceu tolice contratar uma equipe inteira. As criadas vêm apenas durante o dia.

Sophie fez uma careta.

– Eu sugeriria que procurássemos uma janela aberta, mas é pouco provável que encontremos, com toda essa chuva.

– Não é necessário – disse Benedict. – Eu sei onde está escondida a chave reserva.

Sophie olhou para ele, surpresa.

– Por que parece tão irritado com isso?

Ele tossiu várias vezes antes de responder:

– Porque significa que terei que voltar à maldita tempestade.

Sophie sabia que ele estava ficando sem paciência. Já havia praguejado duas vezes na frente dela, e não parecia ser o tipo de homem que faz isso diante de uma mulher, mesmo de uma simples arrumadeira.

– Espere aqui – ordenou ele.

E então, antes que ela pudesse responder, ele saiu correndo pela chuva.

Alguns minutos depois, Sophie escutou uma chave girando na fechadura e a porta da frente se abriu, revelando Benedict com uma vela na mão, com a roupa pingando no chão.

– Não sei onde o Sr. e a Sra. Crabtree estão – disse ele, com a voz rouca de tanto tossir –, mas com certeza não estão aqui.

Sophie engoliu em seco.

– Estamos sozinhos?

Ele assentiu.

– Completamente.

Ela começou a ir na direção da escada.

– É melhor eu ir para os aposentos dos criados.

– Ah, não mesmo – resmungou ele, segurando o braço dela.

– Não?

Ele balançou a cabeça.

– Você, minha cara, não vai a lugar algum.

CAPÍTULO 8

Nos últimos tempos, parece não ser possível dar dois passos num baile em Londres sem tropeçar numa mãe da alta sociedade lamentando as dificuldades para se encontrar bons criados. De fato, esta autora pensou que a Sra. Featherington e Lady Penwood chegariam às vias de fato no recital dos Smythe-Smiths da semana passada. Pelo jeito, Lady Penwood roubou a camareira da Sra. Featherington bem debaixo do nariz dela há um mês, prometendo um salário melhor e roupas usadas. (É preciso observar que a Sra. Featherington também dava à pobre moça roupas de segunda mão, mas qualquer um que tenha prestado atenção ao guarda-

-roupa das irmãs Featheringtons compreenderia por que ela não via isso como um benefício.)

A situação se complicou, no entanto, quando a camareira em questão procurou a Sra. Featherington implorando para ser recontratada. Parece que a ideia que Lady Penwood tem de uma camareira inclui tarefas que dizem respeito mais precisamente à faxineira, à arrumadeira e à cozinheira.

Alguém devia dizer à mulher que uma só moça não pode fazer o trabalho de três.

CRÔNICAS DA SOCIEDADE DE LADY WHISTLEDOWN,
2 DE MAIO DE 1817

—Vamos acender a lareira – sugeriu Benedict – e nos aquecer antes de nos deitar. Eu não a salvei de Cavender para você acabar morrendo de pneumonia.

Sophie ficou observando enquanto ele tossia mais uma vez, o corpo sendo sacudido pelos espasmos que o forçavam a se abaixar.

– Mil perdões, Sr. Bridgerton – disse ela sem conseguir evitar –, mas, de nós dois, creio que é o senhor quem corre mais perigo de contrair uma pneumonia.

– Mesmo assim – arfou ele –, e eu lhe garanto que não tenho qualquer desejo de adoecer também. Então... – Ele se dobrou para a frente de novo e de novo foi dominado pelo acesso de tosse.

– Sr. Bridgerton? – chamou Sophie, a voz cheia de preocupação.

Ele engoliu de maneira convulsiva e mal conseguiu responder:

– Apenas me ajude a acender o fogo antes de tossir até desmaiar.

Sophie franziu a testa. Os acessos de tosse dele estavam ficando cada vez mais próximos um do outro, além de mais profundos e ruidosos, como se viessem do fundo do peito.

Ela acendeu a lareira com facilidade. Como arrumadeira, tinha experiência suficiente com isso, e logo os dois estavam com as mãos o mais próximo possível do fogo.

– Acho que sua muda de roupa não deve estar seca – comentou Benedict, fazendo um sinal com a cabeça para a bolsa encharcada de Sophie.

– Também acho – concordou ela com tristeza. – Mas não tem importância. Se eu permanecer aqui por tempo suficiente, minha roupa do corpo vai acabar secando.

– Não seja tola – zombou ele, virando-se para o fogo aquecer suas costas. – Tenho certeza de que posso conseguir uma muda de roupa para você.

– Há roupas femininas aqui? – perguntou ela com desconfiança.

– Imagino que você não seja tão exigente que não possa vestir calças e camisa por uma noite, certo?

Até aquele exato momento, talvez Sophie fosse, sim, exigente a esse ponto, mas, analisando sob o ponto de vista de Benedict, de fato parecia um pouco tolo.

– Creio que não – retrucou ela.

Roupas secas com certeza seriam agradáveis.

– Ótimo – disse ele com rapidez. – Por que não acende as caldeiras em dois quartos enquanto eu vou atrás de roupas secas?

– Posso ficar no alojamento dos criados – observou Sophie.

– Não é necessário – garantiu ele, saindo da sala e fazendo um sinal para que ela o seguisse. – Tenho quartos extras, e você não é uma criada aqui.

– Mas *sou* uma criada – lembrou ela, apressando-se em ir atrás dele.

– Faça como preferir, então. – Ele começou a subir a escada, mas precisou parar no meio do caminho para tossir. – Você pode procurar um quartinho minúsculo no alojamento dos criados com um catrezinho duro ou pode ficar num quarto de hóspedes, que lhe garanto que terá colchões e cobertores de penas de ganso.

Sophie sabia que devia se lembrar de seu lugar no mundo e continuar pelo próximo lance de escada, que levava ao sótão, mas, por Deus, colchão e cobertor de penas de ganso pareciam o paraíso sobre a terra. Fazia anos que não dormia com tanto conforto.

– Vou procurar um quarto de hóspedes pequeno, então – cedeu ela. – O, hã, menor que houver.

Benedict deu um meio sorriso seco, do tipo "eu avisei".

– Escolha os aposentos que desejar. Mas não aquele – completou, apontando para a segunda porta à esquerda. – Aquele é meu.

– Vou ligar a caldeira lá agora mesmo – disse ela.

Ele precisava mais do calor do que ela e, além disso, Sophie ficou morrendo de curiosidade para ver como era o quarto dele. É possível dizer muito sobre uma pessoa pela decoração de seu próprio canto. Desde que, é claro, a pessoa possua recursos suficientes para decorá-lo conforme suas preferências, ela pensou fazendo uma careta. Duvidava muito que alguém pudesse inferir qualquer coisa a seu respeito vendo sua pequena torre do sótão dos Cavenders – a não ser o fato de que ela não tinha um centavo.

Sophie deixou sua bolsa no corredor e correu para os aposentos de Benedict. Era um cômodo encantador, aconchegante, masculino e muito confor-

101

tável. Apesar de ele ter dito que quase não ia lá, havia todos os tipos de itens pessoais sobre a escrivaninha e as mesas – miniaturas do que deviam ser seus irmãos e irmãs, livros com capa de couro e até mesmo um vasinho de vidro cheio de... pedras?

– Que curioso – murmurou Sophie, aproximando-se, embora soubesse que estava sendo terrivelmente invasiva e intrometida.

– Cada uma tem um significado especial – afirmou uma voz forte atrás dela. – Eu as coleciono desde... – Ele parou para tossir. – Desde criança.

Sophie corou por ter sido flagrada bisbilhotando, mas, como sua curiosidade ainda não tinha sido satisfeita, pegou uma. Tinha um tom rosado, com uma veia cinza irregular que a atravessava no meio.

– Qual o significado desta?

– Eu a recolhi numa caminhada – explicou Benedict baixinho. – Foi no dia em que meu pai morreu.

– Ah! – Sophie devolveu a pedra ao lugar como se ela tivesse queimado sua mão. – Eu sinto muito.

– Foi há muito tempo.

– Mesmo assim, sinto muito.

Ele deu um sorriso triste.

– Eu também.

Então ele tossiu com tanta força que teve que se apoiar na parede.

– O senhor precisa se aquecer – disse Sophie. – Deixe-me acender o fogo.

Benedict atirou um monte de roupas em cima da cama.

– Para você – falou.

– Obrigada – retrucou ela, mantendo a atenção na pequena caldeira.

Era perigoso ficar no mesmo quarto que ele. Ela não achava que Benedict poderia ter qualquer atitude inconveniente – era cavalheiro demais para se impor a uma mulher que mal conhecia. Não, o perigo estava nela mesma. Para ser sincera, Sophie achava que, se passasse tempo demais na companhia dele, poderia acabar perdidamente apaixonada.

E o que isso lhe traria?

Nada além de um coração partido.

Ela se agachou diante da pequena caldeira de ferro e permaneceu assim por vários minutos, atiçando a chama até ter certeza de que ela não se apagaria.

– Pronto – anunciou quando ficou satisfeita. Então se levantou, arqueando as costas de leve para se alongar, e se virou. – Isso vai tratar de... ah, nossa!

A pele de Benedict Bridgerton estava esverdeada.

– O senhor está bem? – perguntou ela, correndo para o lado dele.

– Não muito – admitiu ele, enrolando as palavras e se apoiando contra a coluna da cama.

Parecia meio bêbado, mas Sophie estava com ele havia pelo menos duas horas e sabia que não tinha bebido.

– O senhor precisa ir para a cama – afirmou ela, tropeçando sob o peso dele, que resolvera se apoiar nela e não mais na coluna da cama.

Ele sorriu.

– Você vem também?

Ela recuou.

– Agora eu sei que está com febre.

Ele levantou a mão para tocar na própria testa, mas bateu no nariz.

– Ai! – gritou.

Sophie se encolheu em solidariedade.

Ele levou a mão até a testa.

– Hum, acho que estou um pouco quente.

Foi um gesto incrivelmente íntimo da parte dela, mas, como a saúde de um homem estava em jogo, Sophie estendeu a mão e tocou a testa dele. Não ardia, mas também não estava fria.

– O senhor precisa tirar essas roupas molhadas – disse ela. – Agora mesmo.

Benedict olhou para baixo, piscando como se a visão das roupas encharcadas fosse uma surpresa.

– Sim – murmurou ele com ar pensativo. – Sim, acho que sim. – Levou os dedos até os botões da camisa, mas eles estavam pegajosos, dormentes, e não paravam de escorregar. Por fim, ele deu de ombros e confessou: – Não consigo.

– Ah, puxa. Aqui, eu vou... – Sophie estendeu a mão para os botões, então recuou, nervosa, até que enfim cerrou os dentes e estendeu a mão de novo. Abriu-os com rapidez, fazendo o possível para desviar os olhos à medida que se revelavam mais alguns centímetros da pele dele. – Quase pronto – falou em voz baixa. – Só mais um instante.

Como ele não respondeu nada, ela olhou para cima. Ele tinha os olhos fechados e todo o seu corpo balançava de leve. Se Benedict não estivesse de pé, Sophie teria jurado que tinha pegado no sono.

– Sr. Bridgerton? – chamou ela baixinho. – Sr. Bridgerton!

Benedict levantou a cabeça num movimento brusco.

– O quê? O quê?

– O senhor caiu no sono.

Ele piscou, confuso.

– Isso é ruim?

– Não pode dormir com essas roupas.

Ele olhou para baixo.

– Como a minha camisa está aberta?

Sophie ignorou a pergunta e preferiu empurrá-lo com delicadeza até que estivesse com o traseiro no colchão.

– Sente-se – ordenou ela.

Sua voz deve ter soado bastante autoritária, porque ele obedeceu.

– Há alguma roupa seca para vestir? – quis saber ela.

Ele tirou a camisa e a atirou no chão.

– Nunca durmo vestido.

Sophie sentiu um embrulho no estômago.

– Bem, esta noite acho que deveria colocar alguma roupa e... *O que* está fazendo?

Ele a fitou como se Sophie tivesse feito a pergunta mais idiota do mundo.

– Estou tirando as minhas calças.

– Não poderia ao menos esperar que eu me virasse de costas?

Ele a encarou com ar inexpressivo.

Ela devolveu-lhe o olhar.

Ele a fitou por um pouco mais de tempo. Depois, enfim disse:

– E então?

– E então o quê?

– Não vai se virar de costas?

– Ah! – gritou ela, girando-se como se alguém tivesse acendido uma fogueira sob seus pés.

Benedict balançou a cabeça, cansado, ao se sentar na beirada da cama e tirar as meias. Que Deus o protegesse das moças pudicas. Ela era uma arrumadeira, ora. Mesmo que fosse virgem – e seu comportamento levava a crer que era –, ela com certeza já vira um homem antes. Arrumadeiras estavam sempre entrando e saindo de quartos sem bater, levando toalhas, lençóis e tudo o mais. Era inconcebível que jamais tivesse deparado com um homem nu por acidente.

Ele tirou as calças – tarefa nada simples, considerando que elas ainda estavam um pouco úmidas e ele teve que desgrudá-las da pele. Quando terminou de se despir por completo, levantou uma sobrancelha na direção das costas de Sophie. Ela continuava parada, tensa, com as mãos fechadas ao lado do corpo.

Surpreso, ele percebeu que a visão dela o fazia sorrir.

Começava a se sentir um pouco letárgico, e precisou de duas tentativas para conseguir levantar a perna o suficiente para subir na cama. Com esforço considerável, ele se inclinou para a frente e agarrou a borda do cobertor, puxando-o para cima do corpo. Então, completamente exausto, atirou-se nos travesseiros e gemeu.

– O senhor está bem? – perguntou Sophie.

Ele fez um esforço para responder "Ótimo", mas saiu algo mais parecido com "Fmmph".

Benedict a escutou se movimentar pelo quarto e, quando reuniu energia suficiente para abrir uma pálpebra pela metade, viu que ela fora para o lado da cama. Parecia preocupada.

Por algum motivo, aquilo pareceu muito comovente. Já fazia um bom tempo desde a última vez que uma mulher que não fosse sua parente havia se preocupado com seu bem-estar.

– Eu estou bem – murmurou ele, tentando dar um sorriso tranquilizador.

Mas sua voz saiu sufocada. Ele aguçou os ouvidos. Tinha a impressão de que sua boca falava corretamente, o que queria dizer que o problema devia ser com os ouvidos.

– Sr. Bridgerton? Sr. Bridgerton?

Ele abriu um olho de novo.

– Vá para a cama – resmungou ele. – Vá se secar.

– Tem certeza?

Ele assentiu. Falar estava ficando difícil demais.

– Muito bem. Mas vou deixar sua porta aberta. Se precisar de mim à noite, basta chamar.

Ele assentiu mais uma vez. Ou pelo menos tentou. Então caiu no sono.

Sophie levou menos de quinze minutos se arrumando para se deitar. Um excesso de ansiedade a manteve agitada enquanto vestia as roupas secas e aprontava a caldeira do quarto, mas, no instante em que deitou a cabeça no travesseiro, ela sucumbiu a uma exaustão tão profunda que parecia vir dos ossos.

Havia sido um longo dia, pensou meio grogue. Um dia interminável, entre cumprir suas tarefas matinais, correr pela casa fugindo de Cavender e seus amigos... Fechou os olhos. O dia havia sido muito, muito longo, e...

Ela se sentou de repente, com o coração disparado. O fogo na caldeira diminuíra, então era provável que ela tivesse caído no sono. Mas, como estava morta de cansaço, alguma coisa devia tê-la despertado. Teria sido Benedict?

Será que a chamara? Ele não parecia bem quando ela o deixara, mas também não aparentava estar à beira da morte.

Ela saltou da cama, pegou uma vela e disparou para a porta do quarto, segurando as calças imensas que Benedict lhe emprestara quando elas começaram a deslizar por seus quadris. Quando chegou ao corredor, Sophie ouviu o som que devia tê-la despertado.

Foi um gemido profundo, seguido de um barulho forte e de algo que soou como uma lamúria.

Sophie entrou no quarto de Benedict e se dirigiu à caldeira para acender a vela. Ele encontrava-se deitado na cama, em uma imobilidade quase sobrenatural. Sophie se aproximou dele, olhando fixamente para seu peito. Sabia que não podia estar morto, mas se sentiria muito melhor depois de vê-lo respirar.

– Sr. Bridgerton? – sussurrou. – Sr. Bridgerton?

Não houve resposta.

Ela se aproximou um pouco mais e se inclinou na beirada da cama.

– Sr. Bridgerton?

Ele estendeu a mão e agarrou o ombro dela, fazendo-a perder o equilíbrio até cair na cama.

– Sr. Bridgerton! – gritou Sophie. – Me solte!

Mas ele havia começado a se debater e a gemer, e seu corpo estava tão quente que Sophie soube que ele ardia em febre.

Ela deu um jeito de se soltar e saiu aos tropeços da cama, enquanto ele continuava se revirando, murmurando montes de palavras sem sentido.

Sophie esperou um instante de tranquilidade e levou a mão à testa dele. Estava queimando.

Ela mordeu o lábio inferior enquanto tentava decidir o que fazer. Não tinha experiência cuidando de pessoas febris, mas lhe pareceu que a atitude lógica seria esfriá-lo. Por outro lado, quartos de pessoas doentes pareciam ser sempre mantidos fechados, abafados e quentes, então, talvez...

Benedict começou a se debater de novo e, do nada, pediu baixinho:

– Me beije.

Sophie soltou as calças, que caíram no chão. Ela soltou um gritinho de surpresa e se abaixou com toda a rapidez para recuperá-las. Segurando-as firmemente na cintura com a mão direita, ela estendeu o braço para dar um tapinha na mão dele com a esquerda, mas pensou melhor.

– O senhor está apenas sonhando, Sr. Bridgerton – falou.

– Me beije – repetiu ele.

Mas não abriu os olhos.

Sophie se aproximou mais. Mesmo à luz de uma vela solitária, ela pôde ver os olhos dele se movendo sob as pálpebras. Era estranho, ela pensou, ver outra pessoa sonhando.

– Que droga! – gritou ele de repente. – Me beije!

Sophie recuou, surpresa, deixando a vela sobre a mesa de cabeceira, com pressa.

– Sr. Bridgerton, eu... – começou, com a intenção de explicar por que não poderia sequer começar a pensar em beijá-lo, mas então reconsiderou: *por que não?*

Sentindo o coração batendo muito forte, ela se abaixou e deu um beijinho suave e delicado nos lábios dele.

– Eu amo você – sussurrou. – Sempre amei.

Para alívio de Sophie, Benedict não se mexeu. Não gostaria que ele se lembrasse desse momento na manhã seguinte. Mas então, justo quando tinha se convencido de que ele voltara a dormir profundamente, Benedict começou a virar a cabeça de um lado para outro, deixando marcas profundas no travesseiro de penas.

– Aonde você foi? – resmungou ele com a voz rouca. – Aonde você foi?

– Eu estou aqui – respondeu Sophie.

Ele abriu os olhos e por um brevíssimo instante pareceu totalmente desperto ao dizer:

– Não *você*.

Depois revirou os olhos e começou a mexer a cabeça de um lado para outro de novo.

– Bem, eu sou tudo o que você tem – murmurou Sophie. – Não saia daqui – continuou, com um riso nervoso. – Eu já volto.

Então, com o coração batendo forte de medo e ansiedade, ela saiu correndo do quarto.

Se havia algo que Sophie aprendera em seus dias de arrumadeira era que a maioria das casas funcionava quase da mesma maneira. Foi por isso que não teve qualquer dificuldade em encontrar roupas de cama extras para substituir os lençóis encharcados de suor de Benedict. Providenciou também uma jarra cheia de água fresca e algumas toalhas pequenas para umedecer a testa dele.

Quando voltou ao quarto, ela o encontrou imóvel, mas com a respiração superficial e rápida. Sophie estendeu a mão e tocou a testa dele. Não podia ter certeza, mas parecia que ele estava ficando mais quente.

Puxa vida. Aquilo não era bom, e ela não podia ser menos qualificada para cuidar de um paciente febril. Araminta, Rosamund e Posy nunca ficaram doentes, e os Cavenders também sempre foram muito saudáveis. O mais perto que ela chegara de cuidar de alguém fora ajudando a mãe da Sra. Cavender, que não conseguia caminhar. Mas nunca cuidara de alguém com febre.

Ela mergulhou uma toalhinha na jarra d'água e depois a segurou acima do recipiente até que parasse de pingar.

– Isso deve fazê-lo se sentir um pouco melhor – sussurrou ela, encostando o tecido úmido na testa dele. Então acrescentou, com uma voz pouco confiante: – Pelo menos é o que espero.

Benedict não se esquivou quando ela o tocou com a toalha molhada. Sophie interpretou isso como um ótimo sinal, e preparou outra. Só que não fazia ideia de onde apoiá-la. No peito dele não parecia certo, e ela com certeza não iria permitir que o lençol descesse abaixo da cintura dele, a menos que o pobre homem estivesse à beira da morte (e, mesmo assim, não sabia ao certo o que poderia fazer lá embaixo que fosse capaz de reanimá-lo). Assim, ela apenas passou o pano de leve atrás das orelhas dele e um pouco na lateral do pescoço.

– Está melhor? – perguntou, sem esperar qualquer resposta, mas sentindo que devia continuar a conversa unilateral ainda assim. – Não sei muita coisa sobre cuidar de pessoas doentes, mas achei que pudesse querer algo fresco na testa. Pelo menos eu iria querer, se estivesse no seu lugar.

Ele se remexeu e murmurou algo incompreensível.

– É mesmo? – retrucou Sophie, tentando sorrir sem sucesso algum. – Que bom.

Ele resmungou alguma outra coisa.

– Não – falou ela, passando o tecido úmido na orelha dele –, concordo com o que disse antes.

Ele voltou a ficar imóvel.

– Mas posso reconsiderar – continuou ela, preocupada. – Por favor, não se ofenda.

Ele não se mexeu.

Sophie suspirou. Havia um limite de quanto se podia conversar com um homem inconsciente antes de começar a se sentir tola. Ela tirou a toalha da testa dele e tocou em sua pele, que agora estava meio pegajosa. Pegajosa e ainda quente, uma combinação que não imaginava ser possível.

Ela decidiu manter a toalhinha fora da testa por ora e a deixou apoiada em cima da jarra. Como não parecia haver muito o que fazer por ele de imediato,

Sophie começou a andar pelo quarto, examinando sem qualquer pudor tudo o que estivesse à vista.

A coleção de miniaturas foi sua primeira parada. Havia nove delas sobre a escrivaninha. Sophie deduziu que eram dos pais e dos sete irmãos de Benedict. Começou a ordenar os irmãos por idade, então lhe ocorreu que era provável que os objetos não tivessem sido todos confeccionados ao mesmo tempo, de modo que ela podia estar olhando para uma representação do irmão mais velho aos 15 anos e para a do mais jovem aos 20.

Ficou impressionada com a semelhança entre eles – todos tinham os mesmos cabelos castanhos e espessos, as mesmas bocas largas e mesma estrutura óssea elegante. Aproximou-se para tentar comparar as cores dos olhos, mas a luz da vela era muito fraca e, de qualquer maneira, essa não era uma característica que se pudesse identificar com facilidade numa miniatura.

Ao lado da minifamília de Benedict estava o vaso com a coleção de pedras dele. Sophie pegou algumas delas, uma por vez, e as girou na palma da mão.

– Por que será que estas são tão especiais para você? – sussurrou, devolvendo-as rapidamente a seu lugar.

Elas lhe pareciam simples pedras, mas imaginou que Benedict devia achá-las mais interessantes e singulares, já que representavam lembranças especiais para ele.

Encontrou uma caixinha de madeira que não conseguiu abrir de jeito nenhum. Talvez fosse uma daquelas caixas mágicas do Oriente de que ouvira falar. O mais intrigante era um grande caderno apoiado na lateral da escrivaninha, cheio de desenhos feitos a lápis, a maior parte de paisagens, mas alguns retratos também. Seriam obra de Benedict? Sophie tentou ler a assinatura na parte inferior de cada desenho. Os pequenos rabiscos com certeza pareciam duas letras "B".

Ela prendeu a respiração e um sorriso espontâneo lhe iluminou o rosto. Jamais imaginara que Benedict pudesse ser um artista. Nunca lera nada a respeito no *Whistledown*, e parecia o tipo de coisa que Lady Whistledown teria descoberto com o passar dos anos.

Sophie aproximou o caderno da vela e o folheou. Queria se sentar com ele e passar dez minutos examinando cada desenho detalhadamente, mas parecia invasivo demais. Era provável que ela estivesse apenas tentando justificar sua bisbilhotice, mas, de alguma forma, não pareceu tão grave dar uma olhada.

As paisagens eram variadas. Algumas mostravam o Meu Chalé (ou deveria chamá-lo de Chalé Dele?) e outras eram de uma propriedade maior, que Sophie imaginou se tratar da casa de campo da família. A maioria delas não tinha qualquer construção, apenas um riacho, ou uma árvore ao vento, ou uma campina sob a chuva. O mais impressionante era que os desenhos pareciam captar a essência do momento. Sophie podia jurar que ouviu aquele riacho correndo ou a brisa balançando as folhas daquela árvore.

Os retratos eram poucos, mas Sophie os achou muito mais interessantes. Havia vários de uma jovem que só podia ser sua irmã caçula e alguns que deviam ser da mãe dele. Um dos preferidos dela foi o que retratava algum tipo de jogo ao ar livre. Pelo menos cinco irmãos seguravam tacos compridos e uma das meninas fora desenhada em primeiro plano, com o rosto contorcido de determinação enquanto tentava acertar uma bola.

Algo naquele retrato quase fez Sophie rir alto. Ela pôde sentir a alegria do dia, e isso fez com que desejasse com todas as forças ter a própria família.

Olhou de novo para Benedict, que ainda dormia um sono tranquilo na cama. Será que ele sabia quanta sorte tinha por ter nascido num clã tão grande e amoroso?

Com um suspiro, ela folheou mais algumas páginas até chegar ao fim do caderno. O último desenho era diferente dos outros, porque retratava uma cena noturna na qual uma mulher segurava a barra do vestido acima dos tornozelos enquanto corria e...

Por Deus! Sophie arfou, estupefata. Era ela!

Sophie aproximou o desenho do rosto. Ele havia captado os detalhes do vestido – aquele lindo traje prateado que fora dela por apenas uma noite – com perfeição. Lembrara-se até mesmo de suas luvas compridas e de seu penteado. O rosto era um pouco menos reconhecível, mas era preciso considerar que ele nunca havia de fato visto sua fisionomia por inteiro.

Bem, não até agora.

Benedict gemeu de repente, e, quando Sophie olhou, viu que se remexia, agitado, na cama. Fechou o caderno e o recolocou no lugar antes de correr até ele.

– Sr. Bridgerton? – sussurrou.

Queria tanto chamá-lo de Benedict... Era como pensava nele. Como o chamara em seus sonhos durante aqueles dois longos anos. Mas isso seria imperdoavelmente íntimo, e com certeza não estaria de acordo com sua posição de criada.

– Sr. Bridgerton? – sussurrou ela de novo. – Está se sentindo bem?

Ele abriu os olhos.

– Precisa de alguma coisa?

Benedict piscou várias vezes, e Sophie não soube ao certo se a escutara ou não. Ele parecia tão disperso que ela ficou em dúvida se ele a vira mesmo.

– Sr. Bridgerton?

Ele estreitou os olhos.

– Sophie – disse ele com a voz rouca e a garganta muito seca e dolorida. – A arrumadeira.

Ela assentiu.

– Estou aqui. O que quer?

– Água – pediu ele.

– É para já. – Sophie tinha mergulhado as toalhinhas na água da jarra, mas decidiu que não era hora de ser detalhista, então pegou o copo que levara da cozinha e o encheu. – Aqui – falou, entregando-o a ele.

Como Benedict estava com os dedos trêmulos, ela não soltou o copo enquanto ele bebia. Ele tomou uns dois goles e se atirou de novo nos travesseiros.

– Obrigado – sussurrou.

Sophie tocou na testa dele. Ainda estava bem quente, mas ele parecia lúcido mais uma vez, e ela interpretou isso como um sinal de que a febre cedera.

– Acho que pela manhã se sentirá melhor.

Ele riu. Foi uma risada fraca, mas ainda assim uma risada.

– Duvido muito – resmungou.

– Bem, não totalmente recuperado – admitiu ela –, porém mais bem-disposto que agora.

– Seria difícil me sentir pior do que isso.

Sophie sorriu.

– Acha que consegue se virar para um dos lados da cama para que eu troque os lençóis?

Ele assentiu e obedeceu. Enquanto Sophie agia, Benedict manteve os olhos fechados.

– Técnica interessante, esta – comentou ele quando ela terminou.

– A mãe da Sra. Cavender costumava visitá-la com frequência – explicou Sophie. – Como ela só ficava na cama, precisei aprender a trocar os lençóis com ela deitada. Não é muito difícil.

Ele assentiu.

– Vou voltar a dormir agora.

Ela deu um tapinha tranquilizador no ombro dele. Simplesmente não conseguiu evitar.

– Estará se sentindo melhor pela manhã – sussurrou ela. – Eu prometo.

CAPÍTULO 9

Dizem que médicos são os piores pacientes, mas esta autora acha que qualquer homem é um paciente terrível. Pode-se dizer que é preciso paciência para ser um paciente, e Deus sabe que os machos da nossa espécie não têm muita paciência.

CRÔNICAS DA SOCIEDADE DE LADY WHISTLEDOWN,
2 DE MAIO DE 1817

A primeira coisa que Sophie fez na manhã seguinte foi gritar.

Ela caíra no sono na cadeira ao lado da cama de Benedict, com as pernas abertas de um modo muito deselegante e a cabeça caída para o lado numa posição bastante desconfortável. Tivera um sono a princípio leve, atenta a qualquer sinal de desconforto de Benedict. Mas, depois de cerca de uma hora, graças ao silêncio, a exaustão a venceu e ela caiu num sono mais profundo, do qual se deve despertar em paz, com um sorriso descansado e tranquilo no rosto.

E deve ter sido por isso que, quando abriu os olhos e viu dois estranhos a encarando, levou um susto tão grande que foram necessários cinco minutos para que seu coração desacelerasse.

– Quem são vocês?

As palavras saíram da boca de Sophie antes que ela se desse conta de quem eles deviam ser: o Sr. e a Sra. Crabtree, os caseiros do Meu Chalé.

– Quem é *você*? – perguntou o homem, num tom nem um pouco hostil.

– Sophie Beckett – retrucou ela, engolindo em seco. – Eu... – Ela apontou para Benedict. – Ele...

– Desembuche, menina!

– Não a trate mal – foi o resmungo que veio da cama.

Os três viraram a cabeça na direção de Benedict.

– O senhor acordou! – exclamou Sophie.

– Seria melhor ter continuado dormindo – murmurou ele. – Minha garganta parece estar pegando fogo.

– Quer que eu vá buscar mais água? – ofereceu Sophie com solicitude.

Ele balançou a cabeça.

– Chá. Por favor.

Ela se levantou.

– Vou pegar.

– *Eu* pego – disse a Sra. Crabtree com firmeza.

– Precisa de alguma ajuda? – perguntou Sophie timidamente.

Alguma coisa naqueles dois fazia com que ela se sentisse com 10 anos. Ambos eram baixos e atarracados, mas exalavam autoridade.

A Sra. Crabtree balançou a cabeça.

– Que tipo de governanta serei eu se não puder preparar um bule de chá?

Sophie engoliu em seco mais uma vez. Não soube dizer se a Sra. Crabtree estava zangada ou brincando.

– Eu não quis dizer...

A mais velha dispensou seu pedido de desculpas com um aceno de mão.

– Deseja uma xícara?

– A senhora não deve trazer nada para mim – afirmou Sophie. – Sou uma cria...

– Traga-lhe uma xícara – ordenou Benedict.

– Mas... – disse Sophie.

Ele apontou o dedo para ela, resmungou um "Fique quieta", depois se virou para a Sra. Crabtree e lhe deu um sorriso capaz de derreter uma calota polar.

– Faria a gentileza de incluir uma xícara para a Srta. Beckett na bandeja?

– Claro, Sr. Bridgerton – respondeu ela. – Mas posso dizer...

– Pode dizer o que desejar assim que retornar com o chá – prometeu ele.

Ela lhe lançou um olhar severo.

– Tenho muito a dizer.

– Disso eu não tenho dúvida.

Benedict, Sophie e o Sr. Crabtree esperaram em silêncio que a Sra. Crabtree saísse do quarto e então, quando ela já não podia mais escutar, o Sr. Crabtree deu uma gargalhada e comentou:

– O senhor está enrascado, Sr. Bridgerton!

Ele deu um sorriso fraco.

O Sr. Crabtree se virou para Sophie e explicou:

– Quando a Sra. Crabtree tem muito a dizer, ela realmente tem muito a dizer.

– Ah – respondeu Sophie.

Gostaria de ter falado algo um pouco mais articulado, mas "ah" foi a única coisa em que conseguiu pensar tão de repente.

– E quando ela tem muito a dizer – continuou o Sr. Crabtree, com um sorriso irônico –, ela gosta de fazê-lo com muita ênfase.

– Ainda bem que teremos nosso chá para nos manter ocupados – retrucou Benedict com a voz seca.

O estômago de Sophie roncou alto.

– E – continuou Benedict, olhando para ela com ar divertido – também um belo café da manhã, se bem conheço a Sra. Crabtree.

O Sr. Crabtree assentiu.

– Já está pronto, Sr. Bridgerton. Vimos seus cavalos no estábulo quando voltamos da casa de nossa filha agora de manhã, e a Sra. Crabtree começou a preparar o desjejum no mesmo instante. Ela sabe que o senhor adora ovos.

Benedict se virou para Sophie e lhe deu um sorriso conspiratório.

– Adoro mesmo.

O estômago dela roncou de novo.

– Mas não sabíamos que havia duas pessoas – comentou o Sr. Crabtree.

Benedict riu, encolhendo-se de dor.

– Duvido que a Sra. Crabtree não tenha preparado o suficiente para alimentar um pequeno exército.

– Bem, ela não teve tempo para preparar um café completo, com torta de carne e peixe – retrucou o Sr. Crabtree –, mas creio que tenha bacon, presunto, ovos e torrada.

O estômago de Sophie roncou alto mais uma vez. Ela levou a mão à barriga, mal resistindo à vontade de sibilar "Silêncio!".

– Devia ter mandado nos avisar que viria – acrescentou o caseiro, balançando um dedo na direção de Benedict. – Jamais teríamos saído de casa se soubéssemos que apareceria.

– Foi uma decisão de última hora – explicou Benedict, alongando o pescoço de um lado a outro. – Fui a uma festa ruim e decidi vir embora.

O Sr. Crabtree acenou para Sophie com a cabeça.

– E ela? De onde veio?

– Ela estava na festa.

– Eu não estava *na festa* – corrigiu Sophie. – Apenas estava na casa.

O Sr. Crabtree olhou para ela com ar desconfiado.

– Qual é a diferença?

– Eu não estava participando da festa. Eu era criada da casa.

– A senhorita é uma criada?

Sophie assentiu.

– É o que tentei lhes dizer.

– Você não parece uma criada. – O Sr. Crabtree se virou para Benedict. – O senhor acha que ela parece ser uma criada?

Benedict deu de ombros, impotente.

– Eu não sei o *que* ela parece ser.

Sophie fez uma careta para ele. Podia não ter sido um insulto, mas com certeza não fora um elogio.

– Se ela é criada de outra pessoa – insistiu o Sr. Crabtree –, então o que está fazendo aqui?

– Posso guardar minhas explicações até a Sra. Crabtree voltar? – indagou Benedict. – Já que ela irá repetir todas as suas perguntas?

O Sr. Crabtree olhou para ele por um instante, piscou, assentiu e se virou para Sophie.

– Por que está vestida assim?

Sophie olhou para baixo e se deu conta, horrorizada, de que se esquecera por completo de que estava usando trajes masculinos. E tão grandes que ela mal conseguia evitar que as calças caíssem a seus pés.

– Minhas roupas estavam molhadas por causa da chuva – explicou.

O Sr. Crabtree assentiu com ar solidário.

– Foi uma tempestade e tanto a de ontem à noite. Por isso ficamos na casa da nossa filha. Tínhamos planejado voltar, sabem?

Benedict e Sophie assentiram.

– Ela não mora muito longe – continuou o Sr. Crabtree. – Sua casa fica do outro lado da cidade.

Ele olhou para Benedict, que anuiu novamente.

– E está com um bebê novo – acrescentou. – Uma menina.

– Parabéns – disse Benedict, e Sophie viu por sua expressão que ele não estava apenas sendo educado, mas sincero.

Um forte barulho claudicante veio da escada. Só podia ser a Sra. Crabtree voltando com o café da manhã.

– Eu deveria ir ajudá-la – disse Sophie, dando um salto e correndo em direção à porta.

– Uma vez criada, sempre criada – comentou com sabedoria o Sr. Crabtree.

Benedict não teve certeza, mas ficou com a impressão de que Sophie estremeceu.

Um minuto depois, a Sra. Crabtree entrou no quarto carregando um esplêndido serviço de chá.

– Onde está Sophie? – perguntou Benedict.

– Desceu para buscar o resto – respondeu a Sra. Crabtree. – Deve voltar em um segundo. Boa moça – acrescentou num tom casual. – Mas está precisando de um cinto para aquelas calças que emprestou a ela.

Benedict sentiu um estranho aperto no peito quando pensou em Sophie, a arrumadeira, com as calças na altura dos tornozelos. Engoliu em seco ao

115

se dar conta de que a sensação de aperto poderia muito bem se tratar de desejo.

Então gemeu e levou a mão ao pescoço na altura da garganta, porque engolir em seco era bastante desconfortável depois de uma noite de muita tosse.

– O senhor precisa de um dos meus tônicos – afirmou a Sra. Crabtree.

Benedict balançou a cabeça freneticamente. Certa vez tomara um dos tônicos dela e tivera ânsia de vômito por três horas.

– Não aceito não como resposta – alertou ela.

– Ela nunca aceita – acrescentou o Sr. Crabtree.

– O chá vai fazer maravilhas – retrucou Benedict bem rápido. – Tenho certeza.

Mas a Sra. Crabtree já estava pensando em outra coisa.

– Onde está aquela menina? – murmurou ela, voltando até a porta e olhando para fora do quarto. – Sophie! Sophie!

– Se conseguir impedir que ela me traga um tônico – sussurrou Benedict para o Sr. Crabtree em tom imperativo –, terá uma nota de cinco no bolso.

O caseiro ficou radiante.

– Considere feito!

– Lá vem ela – declarou a Sra. Crabtree. – Ah, meu Deus do céu.

– O que foi, querida? – quis saber o Sr. Crabtree, caminhando devagar na direção da porta.

– A pobrezinha não consegue carregar a bandeja e segurar as calças ao mesmo tempo – comentou ela em tom solidário.

– Não vai ajudá-la? – indagou Benedict.

– Ah, sim, é claro – disse ela, saindo apressadamente.

– Eu já volto – informou o Sr. Crabtree por cima do ombro. – Não quero perder isso.

– Alguém dê um cinto à moça! – gritou Benedict, mal-humorado.

Não lhe pareceu justo que todos fossem assistir ao pequeno espetáculo enquanto ele ficava preso à cama.

E estava mesmo preso à cama. A simples ideia de se levantar o deixou tonto.

Ele devia estar mais doente do que imaginara na noite anterior. Não tossia mais sem parar, mas sentia o corpo exausto. Todos os seus músculos doíam, assim como sua garganta. Até os dentes pareciam doloridos.

Vagas lembranças de Sophie tomando conta dele lhe vieram à mente. Ela pusera compressas frias em sua testa, não saíra de seu lado e até lhe cantara uma canção de ninar. Mas até aquela manhã Benedict não chegara de fato a ver seu rosto. Durante a maior parte do tempo, não tivera forças nem para abrir os olhos. E mesmo quando conseguia, o quarto estava escuro, deixando-a sempre oculta pelas sombras, fazendo-o se lembrar de...

Benedict prendeu a respiração, com o coração batendo muito depressa no peito, como se, num lampejo repentino de clareza, se lembrasse de seu sonho.

Ele sonhara com *ela*.

Não era um sonho novo, embora fizesse meses desde a última vez que o tivera. Também não era uma fantasia inocente. Benedict não era nenhum santo e, quando sonhava com a mulher do baile de máscaras, ela não usava o vestido prateado.

Não usava nada, pensou com um sorriso malicioso.

Mas o que o deixava perplexo era o fato de aquele sonho ter retornado agora, depois de tantos meses de dormência. Fora algo em Sophie que o despertara? Ele achava – na verdade, esperava – que a ausência do sonho significasse que a superara.

Pelo jeito, isso não tinha acontecido.

Com certeza, Sophie não se parecia com a mulher com quem ele dançara dois anos antes. Ela tinha o cabelo diferente e era magra demais. Ele se lembrava com clareza da sensação da mulher mascarada em seus braços. Era exuberante e curvilínea. Comparada a ela, Sophie era esquelética. Pensou que as vozes das duas eram um pouco parecidas, mas precisava admitir que, com o passar do tempo, suas lembranças daquela noite ficavam menos vívidas, e sua recordação da voz de sua dama misteriosa não era mais tão exata. Além disso, o sotaque de Sophie, ainda que excepcionalmente refinado para uma arrumadeira, não era tão aristocrático quanto o *dela*.

Benedict soltou um grunhido de frustração. Detestava chamar a mulher do baile de "ela". Esse parecia o pior dos segredos. Ela não lhe contara nem sequer seu nome. Parte dele desejava que ela tivesse mentido e lhe dito um nome falso. Ao menos ele teria algo com que se lembrar dela.

Alguma coisa para sussurrar à noite, quando estivesse olhando fixamente pela janela, imaginando por onde ela andava.

Benedict foi poupado de mais pensamentos semelhantes pelos barulhos de tropeços no corredor. O Sr. Crabtree foi o primeiro a retornar, cambaleando com o peso da bandeja do café da manhã.

– Cadê elas? – perguntou Benedict, desconfiado, olhando para a porta.

– A Sra. Crabtree foi procurar uma roupa adequada para Sophie – respondeu o homem, pousando a bandeja na mesa de Benedict. – Presunto ou bacon?

– Ambos. Estou faminto. E como assim, "roupa adequada"?

– Um vestido, Sr. Bridgerton. É o que as mulheres vestem.

Benedict teve vontade de atirar um toco de vela nele.

– O que eu quis dizer foi onde ela vai *encontrar* um vestido – retrucou ele com uma paciência de santo.

O Sr. Crabtree se aproximou do patrão com uma bandeja contendo um prato cheio e a pousou no colo dele.

– A Sra. Crabtree tem vários vestidos extras, e não se incomoda nem um pouco em emprestá-los.

Benedict se engasgou com a garfada de ovo que enfiara na boca.

– A Sra. Crabtree está longe de ter o mesmo tamanho de Sophie.

– O senhor também – observou o Sr. Crabtree –, e ela estava vestindo suas roupas perfeitamente.

– Pensei que haviam dito que as calças tinham caído no corredor.

– Bem, não precisamos ter essa preocupação em relação a um vestido, não é? Acho difícil que o buraco da cabeça escorregue pelos ombros dela.

Benedict decidiu que era melhor para a própria sanidade cuidar da própria vida e se concentrou na refeição. Estava no terceiro prato quando a Sra. Crabtree apareceu.

– Voltamos! – anunciou ela.

Sophie entrou no quarto em silêncio, com o vestido volumoso da Sra. Crabtree quase a engolindo. Exceto, é claro, nos tornozelos, porque a Sra. Crabtree devia ser uns 10 centímetros mais baixa do que Sophie.

A mulher estava radiante:

– Ela não está linda?

– Sim, demais – respondeu Benedict, retorcendo os lábios.

Sophie olhou para ele com raiva.

– Você terá bastante espaço para o café – comentou ele, entusiasmado.

– É só até as roupas dela estarem limpas – explicou a Sra. Crabtree. – E pelo menos ela está decente. – A mulher se aproximou de Benedict. – Como está o seu desjejum, Sr. Bridgerton?

– Delicioso – retrucou ele. – Fazia meses que não comia tão bem.

A Sra. Crabtree se inclinou para ele e sussurrou:

– Gostei da sua Sophie. Podemos ficar com ela?

Benedict se engasgou. Não soube com o quê, mas se engasgou mesmo assim.

– Como?

– O Sr. Crabtree e eu não somos mais tão jovens. Uma ajudante seria útil por aqui.

– Eu, hã, bem... – ele pigarreou. – Vou pensar no caso.

– Ótimo. – A Sra. Crabtree foi até o outro lado do quarto e agarrou o braço de Sophie. – Venha comigo. Seu estômago está roncando a manhã inteira. Quando foi a última vez que comeu?

– Hã, acho que ontem.

– Ontem a que horas? – insistiu a Sra. Crabtree.

Benedict escondeu um sorriso com o guardanapo. Sophie parecia absolutamente estupefata. A Sra. Crabtree tinha a tendência de provocar esse sentimento nas pessoas.

– Hã, bem, na verdade...

A Sra. Crabtree pôs as mãos na cintura. Benedict sorriu. Agora Sophie ia ver com quem estava lidando.

– Você vai me dizer que não comeu nada ontem? – explodiu a Sra. Crabtree.

Sophie lançou um olhar desesperado para Benedict. Ele fez um gesto de que não tinha nada a ver com aquilo. Além disso, estava gostando muito de ver a Sra. Crabtree preocupada com ela. Poderia apostar que havia anos que ninguém demonstrava qualquer interesse pela pobre moça.

– Eu estava muito ocupada ontem – desconversou Sophie.

Benedict franziu a testa. Ela devia estar ocupada correndo de Phillip Cavender e do bando de idiotas que ele chamava de amigos.

A Sra. Crabtree empurrou Sophie para a cadeira que ficava atrás da escrivaninha.

– Coma – ordenou.

Sophie atacou a comida. Era evidente que ela tentava ser o mais bem-educada possível, mas a fome deve ter falado mais alto, porque depois de um minuto ela quase empurrava a comida para dentro da boca com as mãos.

Foi só quando percebeu que estava com a mandíbula travada que Benedict se deu conta da fúria que sentia. Não sabia ao certo em relação a quem, mas não gostou de ver Sophie tão faminta.

Ele e a arrumadeira tinham criado uma ligação estranha. Ele a salvara, e ela fizera o mesmo com ele. Ah, Benedict duvidava de que a febre da noite anterior pudesse tê-lo matado. Se fosse algo realmente grave, ele ainda estaria lutando contra ela. Mas Sophie cuidara dele e se preocupara com seu conforto, e isso devia ter acelerado sua recuperação.

– Pode garantir que ela coma pelo menos mais um prato? – perguntou a Sra. Crabtree a Benedict. – Vou arrumar um quarto para ela.

– Nos alojamentos dos criados – disse Sophie com rapidez.

– Não seja boba. Enquanto não for contratada, não é uma criada aqui.

– Mas...

– Não quero ouvir mais uma palavra a respeito disso – interrompeu a Sra. Crabtree.

– Precisa da minha ajuda, querida? – ofereceu o Sr. Crabtree.

A Sra. Crabtree assentiu e num instante o casal saiu do quarto.

Sophie fez uma pausa em sua missão de ingerir o máximo de comida possível para olhar para a porta através da qual os dois tinham acabado de desaparecer. Imaginou que eles a consideravam uma semelhante, porque, se fosse qualquer coisa além de uma criada, jamais teria sido deixada a sós com Benedict. Reputações podiam ser destruídas por muito menos.

– Você não comeu o dia todo ontem, não foi? – perguntou Benedict baixinho.

Sophie assentiu.

– A próxima vez que eu vir Cavender – rosnou ele –, vou bater nele até lhe tirar sangue.

Se fosse uma pessoa melhor, Sophie teria ficado horrorizada, mas não conseguiu deixar de sorrir ao pensar em Benedict defendendo ainda mais a sua honra. Ou em ver Phillip Cavender com o nariz deslocado para a testa.

– Sirva-se de mais um prato – disse Benedict. – Nem que seja pelo meu bem. Posso garantir que a Sra. Crabtree contou quantos ovos e tiras de bacon havia na bandeja quando ela saiu, e vai me comer vivo se o número não tiver diminuído quando retornar.

– É uma senhora muito boa – comentou Sophie, servindo-se dos ovos.

O primeiro prato não tinha dado nem para a saída. Ela não precisava de qualquer estímulo extra para comer mais.

– Ótima – concordou Benedict.

Sophie equilibrou habilmente uma fatia de presunto entre um garfo e uma colher e a passou para o prato.

– Como está se sentindo hoje, Sr. Bridgerton?

– Bem, obrigado. Muito melhor do que ontem à noite.

– Fiquei bastante preocupada com o senhor – continuou ela, espetando um canto do presunto com o garfo e cortando um pedaço com a faca.

– Foi muito gentil de sua parte cuidar de mim.

Ela mastigou, engoliu e então disse:

– Não foi nada. Qualquer um teria feito o mesmo.

– Talvez – retrucou ele –, mas não com tanta graça e bom humor.

Sophie sustentou o garfo no ar.

– Obrigada – falou baixinho. – Foi um elogio encantador.

– Eu não... hã... – respondeu ele, então pigarreou.

Sophie olhou para Benedict com curiosidade, esperando que terminasse fosse lá o que quisesse dizer.

– Deixe para lá – murmurou ele.

Decepcionada, ela pôs outro pedaço de presunto na boca.

– Eu não fiz nada de que precise me desculpar, fiz? – disparou ele de repente.

Sophie cuspiu o presunto no guardanapo.

– Acho que devo interpretar isto como um sim – resmungou ele.

– Não! – falou ela com rapidez. – De modo algum. O senhor apenas me assustou.

Ele estreitou os olhos.

– Você não mentiria para mim sobre isso, certo?

Sophie balançou a cabeça enquanto se lembrava do único e perfeito beijo que lhe dera. Ele não fizera nada que exigisse um pedido de desculpas, mas isso não significava que *ela* não tivesse feito.

– Você ficou vermelha – acusou ele.

– Não fiquei, não.

– Ficou, sim – insistiu ele.

– Se fiquei, foi por imaginar por que o *senhor* acharia que teria algum motivo para se desculpar – respondeu ela atrevidamente.

– Você tem a língua ferina para uma criada.

– Sinto muito – disse Sophie com rapidez.

Ela precisava lembrar qual era o seu lugar. Mas era difícil fazer isso com aquele homem, o único membro da sociedade que a havia tratado, ainda que por poucas horas, como uma semelhante.

– Eu falei isso como um elogio – retrucou Benedict. – Não se reprima por minha causa.

Sophie ficou em silêncio.

– Eu a acho muito... – ele fez uma pausa, obviamente procurando a palavra correta – revigorante.

– Ah – Ela soltou o garfo. – Obrigada.

– Tem planos para o restante do dia? – perguntou ele.

Ela olhou para seus trajes imensos e fez uma careta.

– Pensei em esperar que minhas roupas fiquem secas e então ver se alguma das casas vizinhas está precisando de uma arrumadeira.

Benedict olhou para ela de cara feia.

– Eu disse que vou conseguir um emprego para você na casa de minha mãe.

– E eu agradeço – retrucou Sophie rapidamente. – Mas preferiria ficar no campo.

Ele deu de ombros daquele jeito que fazem os que nunca levaram uma grande rasteira da vida.

– Pode trabalhar em Aubrey Hall, então. Em Kent.

Sophie mordeu o lábio inferior. Não podia dizer que não queria trabalhar para a mãe dele porque isso a obrigaria a vê-lo.

Não conseguia pensar em nada tão torturante quanto isso.

– O senhor não deveria me ver como responsabilidade sua – retrucou ela, afinal.

Ele lhe lançou um olhar de superioridade.

– Eu prometi que encontraria um novo emprego para você.

– Mas...

– O que há para discutir?

– Nada – resmungou ela. – Absolutamente nada.

Era óbvio que não adiantava discutir com ele naquele momento.

– Ótimo. – Benedict se recostou nos travesseiros, satisfeito. – Fico feliz que concorde comigo.

Sophie se levantou.

– É melhor eu ir.

– Fazer o quê?

Ela se sentiu bastante estúpida ao responder:

– Não sei.

Ele sorriu.

– Divirta-se, então.

Ela fechou a mão em torno do cabo da colher de servir.

– Não faça isso – avisou ele.

– Não faça o quê?

– Não atire a colher.

– Eu nem sonharia em fazer tal coisa – disse ela com firmeza.

Ele riu alto.

– Ah, sonharia, sim. Está sonhando com isso neste instante. Só não tem coragem de ir em frente.

Sophie segurava a colher com tal força que sua mão tremia.

Benedict ria tanto que sua cama sacudia.

Sophie se levantou, ainda com a colher na mão.

Ele sorriu.

– Está pensando em levá-la com você?

Lembre-se do seu lugar, disse Sophie a si mesma. *Lembre-se do seu lugar.*

– Em que você poderia estar pensando para parecer tão adoravelmente furiosa? – provocou Benedict. – Não, não me conte – acrescentou. – Estou certo de que envolve minha morte prematura e dolorosa.

Devagar e com cuidado, Sophie virou as costas para ele e pôs a colher em cima da mesa. Não queria arriscar nenhum movimento brusco. Um movimento em falso e sabia que a atiraria na cabeça dele.

Benedict levantou as sobrancelhas com ar de aprovação.

– Isso foi muito maduro de sua parte.

Sophie se virou lentamente.

– O senhor é tão encantador com todo mundo ou apenas comigo?

– Ah, apenas com você – falou ele, sorrindo. – Preciso garantir que aceite minha oferta de lhe conseguir um emprego com minha mãe. Você desperta o que há de melhor em mim, Srta. Sophie Beckett.

– Isto é o melhor? – perguntou ela, parecendo incrédula.

– Infelizmente.

Ela apenas balançou a cabeça a caminho da porta. Conversas com Benedict Bridgerton podiam ser exaustivas.

– Ah, Sophie! – chamou ele.

Ela se virou.

Ele sorriu com ar travesso.

– Eu sabia que você não atiraria a colher.

O que aconteceu em seguida não foi culpa de Sophie. Ela teve certeza de que foi, por um breve momento, possuída por um demônio, porque não reconheceu a mão que avançou para a mesinha ao lado e pegou o toco de uma vela. É verdade que a mão parecia estar bem presa ao seu braço, mas não lhe pareceu nem um pouco familiar ao se levantar e atirar o toco do outro lado do quarto.

Direto na cabeça de Benedict Bridgerton.

Sophie nem esperou para ver se acertara o alvo. Mas, ao sair pela porta, ouviu Benedict explodir numa gargalhada. Então o escutou gritar:

– Muito bem, Srta. Beckett!

E ela se deu conta de que, pela primeira vez em anos, seu sorriso foi de pura e absoluta alegria.

CAPÍTULO 10

Embora tenha confirmado presença (pelo menos é o que diz Lady Covington), Benedict Bridgerton não compareceu ao baile Covington anual. Isso gerou reclamações de moças (e de suas mães) em todo o salão de baile.

Segundo Lady Bridgerton (a mãe dele, não a cunhada), o Sr. Bridgerton foi para o campo na semana passada e não deu notícias desde então. Aqueles que estão preocupados com a saúde e o bem-estar dele não têm o que temer. A matriarca pareceu mais incomodada do que preocupada. No ano passado, nada menos do que quatro casais se formaram no baile Covington. No ano anterior, três.

Para a consternação de Lady Bridgerton, se aparecer algum novo casal no evento desta temporada, seu filho Benedict não estará entre os noivos.

CRÔNICAS DA SOCIEDADE DE LADY WHISTLEDOWN,
5 DE MAIO DE 1817

Benedict logo descobriu que havia vantagens numa recuperação longa.

A mais evidente era a quantidade e variedade da melhor comida levada para ele da cozinha da Sra. Crabtree. Benedict sempre comera muito bem no Meu Chalé, mas a governanta de fato fazia um esforço extra quando havia alguém doente. E, melhor ainda, o Sr. Crabtree conseguira interceptar todos os tônicos da esposa e os substituir pelo melhor conhaque de Benedict, que bebeu cada gota com obediência. Mas da última vez que olhou pela janela, parecia que três de suas roseiras haviam morrido, provavelmente por serem o local escolhido pelo Sr. Crabtree para derramar o tônico.

Foi um triste sacrifício, porém do tipo que Benedict estava mais do que disposto a fazer depois de sua última experiência com os tônicos da Sra. Crabtree.

Outro privilégio de ficar acamado foi o simples fato de que, pela primeira vez em anos, ele pôde aproveitar algum tempo de tranquilidade. Leu, desenhou e até fechou os olhos para simplesmente sonhar acordado – tudo sem se sentir culpado por negligenciar esta ou aquela atividade ou tarefa.

Benedict logo decidiu que seria muito feliz levando a vida dos indolentes.

No entanto, a melhor parte de sua recuperação foi, de longe, Sophie. Ela aparecia em seu quarto várias vezes por dia, algumas vezes para afofar seus travesseiros, outras para lhe levar algo para comer, às vezes apenas para ler para ele. Benedict tinha a sensação de que sua diligência se devia ao desejo de se sentir útil e de lhe agradecer por salvá-la de Phillip Cavender.

Mas ele não se importava muito com o motivo que a fazia ir vê-lo. Apenas gostava que o fizesse.

Ela tinha sido quieta e reservada no começo, claramente tentando respeitar o padrão de que criados não devem ser vistos ou ouvidos. Mas Benedict não aceitara esse comportamento e passara a envolvê-la nas conversas apenas para que ela não saísse do quarto. Ou então a incitava e alfinetava apenas para lhe provocar alguma reação, porque gostava muito mais dela cuspindo fogo do que dócil e submissa.

Porém, gostava sobretudo de estar no mesmo ambiente que ela. Não importava se eles estavam conversando ou se ela se encontrava apenas sentada numa cadeira, folheando um livro enquanto ele olhava pela janela.

Alguma coisa na presença de Sophie fazia com que ele se sentisse em paz.

Uma batida repentina na porta o despertou de seus pensamentos e ele levantou o olhar com entusiasmo, dizendo:

– Pode entrar!

Sophie enfiou a cabeça pela abertura, com os cachos na altura dos ombros balançando levemente ao encostar na porta.

– A Sra. Crabtree achou que talvez quisesse um chá.

– Chá? Ou chá e biscoitos?

Sophie sorriu, empurrando a porta com o quadril e equilibrando a bandeja.

– Chá e biscoitos, para ser exata.

– Ótimo. E você vai me acompanhar?

Ela hesitou, como sempre fazia, mas então assentiu, como também sempre fazia. Já aprendera que não havia como discutir com Benedict quando ele se decidia a respeito de alguma coisa.

Ele gostava que fosse assim.

– Seu rosto está corado de novo – comentou ela ao depositar a bandeja sobre uma mesa próxima. – E não parece mais tão cansado. Pelo visto, logo o senhor estará de pé.

– Ah, em breve, tenho certeza – disse ele de forma evasiva.

– Está com a aparência cada dia mais saudável.

Ele sorriu, entusiasmado.

– Você acha?

Ela levantou o bule de chá e fez uma pausa antes de servir.

– Acho – falou, dando um sorriso irônico. – Eu não diria se não achasse.

Benedict observou as mãos de Sophie enquanto ela preparava o chá dele. Ela se movimentava com graciosidade inata e servia o chá como se fosse bem-nascida. A arte do chá da tarde claramente fora mais uma das lições que aprendera com os generosos empregadores da mãe. Ou quem sabe ela apenas tivesse observado com atenção outras damas se dedicando a essa tarefa. Benedict já havia reparado que Sophie era uma mulher muito observadora.

Eles já haviam realizado aquele ritual vezes suficientes para que ela não precisasse perguntar como ele preferia o chá – com leite, sem açúcar. Ela lhe passou a bebida e então serviu uma seleção de biscoitos e bolinhos num prato.

– Prepare uma xícara para você – disse Benedict, mordendo um biscoito – e venha se sentar comigo.

Ela hesitou mais uma vez. Ele sabia que ela faria isso, embora já tivesse concordado em acompanhá-lo. Mas Benedict era um homem paciente, e sua qualidade foi recompensada com um leve suspiro quando Sophie pegou outra xícara da bandeja.

Depois de preparar o próprio chá – dois torrões de açúcar, apenas um pouquinho de leite –, ela se sentou na cadeira forrada de veludo que ficava ao lado da cama dele e o observou por cima da borda da xícara enquanto tomava um gole.

– Não vai comer nenhum biscoito? – perguntou Benedict.

Ela balançou a cabeça.

– Comi alguns assim que saíram do forno.

– Sorte sua. Eles são sempre melhores ainda quentes. – Ele devorou um, tirou algumas migalhas da manga e pegou outro. – E como passou o dia?

– Desde a última vez que o vi, há duas horas?

Benedict olhou para ela com uma expressão que significava que notara seu sarcasmo mas preferira não dizer nada.

– Ajudei a Sra. Crabtree na cozinha – contou Sophie. – Ela está fazendo um cozido de carne para o jantar e precisava de alguém para descascar as batatas. Depois, peguei um livro emprestado da sua biblioteca e li no jardim.

– É mesmo? Que livro?

– Um romance.

– Bom?

Ela deu de ombros.

– Bobo, mas romântico. Eu gostei.

– E você sonha com romance?

Ela ficou vermelha no mesmo instante.

– É uma pergunta bastante pessoal, não acha?

Benedict deu de ombros e já ia dizer algo insolente, como "Não custava tentar", quando viu as bochechas dela ficando deliciosamente rosadas enquanto ela baixava os olhos e foi tomado por uma sensação muito estranha.

Ele se deu conta de que a desejava.

Desejava mesmo, de verdade.

Benedict não soube ao certo por que isso o surpreendeu tanto. É claro que a desejava. Era homem, afinal de contas, e um homem não podia passar tanto tempo perto de uma mulher tão divertida e adorável como Sophie sem desejá-la. Ora, ele sentia algum desejo por metade das mulheres que conhecia.

Mas, naquele momento, com aquela mulher, o desejo se tornou urgente.

Benedict trocou de posição. Então, amontoou o cobertor no colo. E mudou de posição mais uma vez.

– Sua cama está desconfortável? – perguntou Sophie. – Quer que eu afofe os travesseiros?

O primeiro impulso de Benedict foi responder que sim, agarrá-la quando ela se inclinasse por cima dele e então fazer o que estava pensando, já que ambos estariam, de maneira muito conveniente, na cama.

Mas ele desconfiou que esse plano específico não funcionaria com Sophie. Dessa forma, apenas respondeu "estou bem" e fez uma careta quando se deu conta de que sua voz saíra estranhamente estridente.

Ela sorriu ao olhar para os biscoitos no prato dele e dizer:

– Talvez só mais um.

Benedict tirou o braço do caminho para lhe dar acesso ao prato, que estava, ele percebeu um pouco tarde demais, em seu colo. A visão da mão de Sophie indo na direção de sua virilha – mesmo que seu alvo fossem os biscoitos – provocou uma sensação curiosa nele; em seus genitais, para ser exato.

Benedict teve uma súbita visão de coisas... *mudando* lá embaixo e agarrou o prato com rapidez, antes que ele se desequilibrasse.

– Importa-se se eu pegar o último...

– Sem problema! – grasnou ele.

Ela alcançou um biscoito de gengibre e franziu a testa.

– Sua aparência está melhor – falou, cheirando o biscoito de leve –, mas sua voz não. A garganta ainda o está incomodando?

Benedict tomou um gole de sua bebida.

– Nem um pouco. Devo ter me engasgado com uma migalha.

– Ah. Tome mais um pouco de chá, então, que logo passa. – Ela pousou a própria xícara. – Quer que eu leia para o senhor?

– Quero! – retrucou Benedict de imediato, reunindo o cobertor ao redor da cintura. Ela poderia tentar tirar o prato que havia posicionado de forma estratégica, então com que cara ele ficaria?

– Tem certeza de que está bem? – insistiu Sophie, parecendo muito mais desconfiada do que preocupada.

Ele deu um sorriso tenso.

– Estou ótimo.

– Muito bem – disse ela, se levantando. – O que quer que eu leia?

– Ah, qualquer coisa – respondeu ele, com um aceno displicente da mão.

– Poesia?

– Ótimo.

Ele teria dito isso mesmo que ela tivesse se oferecido para ler uma dissertação sobre botânica nas tundras árticas.

Sophie foi até uma estante e examinou os títulos.

– Byron? – perguntou. – Blake?

– Blake – disse ele com bastante firmeza. Uma hora das baboseiras românticas de Byron talvez o levasse ao desespero.

Ela tirou um exemplar fino de poesia da prateleira e voltou à cadeira, farfalhando a barra do vestido nada atraente antes de se sentar.

Benedict franziu a testa. Nunca havia notado como o traje dela era feio. Não era tão ruim quanto o que a Sra. Crabtree lhe emprestara, mas com certeza não fora pensado para destacar o melhor de uma mulher.

Ele precisava lhe comprar uma roupa nova. Sophie jamais a aceitaria, é claro, mas quem sabe se seu modelito atual fosse queimado por acidente...

– Sr. Bridgerton?

Mas como ele conseguiria queimar o vestido dela? Ela não poderia estar usando-o, e isso por si só já era um desafio...

– O senhor está me escutando? – perguntou Sophie.

– Hum?

– O senhor *não* está prestando atenção.

– Perdão – disse ele. – Desculpe-me, eu me distraí. Por favor, prossiga.

Ela recomeçou a ler, e, numa tentativa de demonstrar quanto estava atento, Benedict fixou os olhos nos lábios dela, o que se revelou um grande erro.

Porque de repente aqueles lábios eram tudo o que ele podia ver, e não conseguia parar de pensar em beijá-la, e Benedict sabia – simplesmente *sabia* – que se um deles não saísse do quarto nos trinta segundos seguintes, ele iria fazer algo pelo qual precisaria se desculpar mil vezes.

Não que não planejasse seduzi-la. Só que preferia fazê-lo com um pouco mais de elegância.

– Ah, puxa – disparou ele.

Sophie olhou para ele com uma expressão de estranhamento. Benedict não a culpou. Ele parecia um idiota completo. Devia fazer anos que não pronunciava a expressão "Ah, puxa". Se é que algum dia a pronunciara.

Droga, parecia a própria mãe falando.

– Algum problema? – perguntou Sophie.

– Acabei de me lembrar de uma coisa – disse ele de um jeito bastante estúpido, na própria opinião.

Ela levantou as sobrancelhas com um ar curioso.

– Me esqueci de algo – continuou ele.

– Em geral as pessoas se lembram das coisas que haviam esquecido – retrucou Sophie, parecendo achar a situação muito divertida.

Ele fez uma careta.

– Preciso de um pouco de privacidade.

Ela se levantou no mesmo instante.

– É claro – murmurou.

Benedict conteve um gemido. Droga. Ela parecia magoada. Ele não tivera a intenção de ferir seus sentimentos. Só precisava que ela saísse do quarto para que ele não a puxasse para a cama.

– É uma questão pessoal – explicou, tentando fazer com que Sophie se sentisse melhor, mas suspeitando que só estava parecendo ainda mais tolo.

– Ahhhhh – disse ela com ar de cumplicidade. – Gostaria que eu lhe trouxesse o urinol?

– Eu posso caminhar até o urinol – respondeu ele, se esquecendo de que não precisava urinar de fato.

Ela assentiu e se levantou, largando o livro de poesia em cima de uma mesa próxima.

– Vou deixá-lo a sós. Basta tocar a campainha quando precisar de mim.

– Não vou chamá-la como a uma criada – resmungou ele.

– Mas eu *sou* uma...

– Para mim, não é – disse Benedict.

As palavras saíram um pouco mais ríspidas do que o necessário, mas ele sempre detestara homens que atacavam criadas indefesas. A ideia de que podia estar se transformando numa dessas criaturas repugnantes lhe dava engulhos.

– Está bem – retrucou Sophie, pronunciando as palavras obedientemente, como uma criada.

Então ela assentiu como uma criada – ele teve quase certeza de que ela fez isso apenas para irritá-lo – e se retirou.

No instante em que Sophie saiu do quarto, Benedict saltou da cama e correu até a janela. Ótimo. Não havia ninguém à vista. Ele tirou a roupa de dormir, vestiu calças, uma camisa e um casaco e olhou pela janela mais uma vez. Ótimo. Ninguém ainda.

– Botas, botas – resmungou, procurando pelo quarto.

Por onde andavam suas botas? Não as boas, mas as que usava para caminhar na lama... Ah, ali estavam. Agarrou-as e as calçou.

De volta à janela. Nem uma alma à vista. Ótimo. Benedict passou uma perna por cima do peitoril, depois a outra, em seguida se agarrou ao galho comprido e forte de um olmo próximo. De lá, bastou um simples salto até o chão.

Então, seguiu direto para o lago. O lago gelado.

Para dar um mergulho muito gelado.

~

– Se ele precisava do urinol – resmungou Sophie, sozinha –, bastava ter dito. Como se eu nunca tivesse colocado as mãos em um urinol antes...

Ela desceu a escada até o piso principal, sem saber muito bem por quê (não tinha nada específico para fazer lá), mas continuou porque não conseguia pensar em nada melhor naquele momento.

Não entendia por que ele tinha tanta dificuldade em tratá-la como o que ela era – uma criada. Ficava insistindo que ela não trabalhava para ele e que não precisava fazer nada para pagar sua estada no Meu Chalé. Além disso, garantia que encontraria um emprego para ela na casa da mãe.

Se ele simplesmente a tratasse como uma criada, Sophie não se importaria em lembrar que era uma ninguém, uma filha ilegítima, e ele, membro de uma das famílias mais ricas e influentes da sociedade. Toda vez que Benedict agia como se ela fosse uma pessoa de verdade (e, pela experiência dela, a maioria dos aristocratas não via os criados nem de longe dessa forma), ela recordava a noite do baile de máscaras, quando fora, durante uma noite perfeita, uma dama glamourosa – o tipo de mulher que tinha o direito de sonhar com um futuro ao lado de Benedict Bridgerton.

Ele agia como se de fato gostasse da companhia dela. E talvez gostasse mesmo. Mas isso era o mais cruel de tudo, porque fazia com que ela o amasse, com que uma pequena parte dela pensasse que podia sonhar com ele.

E então ela precisava lembrar a si mesma da realidade da situação, e isso doía muito.

– Ah, aí está você, Srta. Sophie!

Sophie levantou os olhos, que acompanhavam distraidamente as rachaduras do piso de parquete, e viu a Sra. Crabtree descendo a escada atrás dela.

– Bom dia, Sra. Crabtree – cumprimentou Sophie. – Como vai o ensopado de carne?

– Bem, bem – respondeu ela. – Está faltando um pouco de cenoura, mas acho que ficará saboroso mesmo assim. Por acaso viu o Sr. Bridgerton?

Sophie piscou, surpresa com a pergunta.

– Estava no quarto dele há um instante.

– Bem, não está lá agora.

– Acho que ele precisava usar o urinol.

A Sra. Crabtree nem corou. Criados costumavam falar sobre esse tipo de coisa a respeito dos patrões.

– Bem, se ele precisava usar, não usou, se entende o que quero dizer. O quarto estava perfumado como um dia fresco de primavera.

Sophie franziu a testa.

– E ele não estava lá?

– Não havia nem sinal dele.

– Não imagino aonde possa ter ido.

A Sra. Crabtree apoiou as mãos nos quadris largos.

– Vou procurar no andar de baixo e você dá uma olhada no de cima. Uma de nós vai acabar o encontrando.

– Não sei se é uma boa ideia, Sra. Crabtree. Se ele saiu do quarto, deve ter um bom motivo para isso. Talvez não queira ser encontrado.

– Mas ele está doente – protestou a outra.

Sophie considerou isso e então pensou na aparência dele. A pele apresentava um brilho saudável e ele não parecia nem um pouco cansado.

– Não tenho muita certeza disso, Sra. Crabtree – falou, afinal. – Acho que ele está se fingindo de doente.

– Não seja boba – zombou a Sra. Crabtree. – O Sr. Bridgerton jamais faria uma coisa dessas.

Sophie deu de ombros.

– Eu também acharia que não, mas realmente ele não parece estar mais nem um pouco enfermo.

– São os meus tônicos – garantiu a Sra. Crabtree, com um aceno de cabeça confiante. – Eu disse que eles iriam acelerar a recuperação dele.

Sophie testemunhara o Sr. Crabtree derramando os tônicos nas roseiras. Também vira o resultado disso. Não foi algo bonito de presenciar. Jamais saberia como conseguiu sorrir e assentir.

– Bem, eu gostaria de saber aonde ele foi – continuou a Sra. Crabtree. – Ele não deveria estar fora da cama, e sabe disso.

– Tenho certeza de que ele vai voltar logo – retrucou Sophie em tom tranquilizador. – Enquanto isso, a senhora precisa de alguma ajuda na cozinha?

A Sra. Crabtree balançou a cabeça.

– Não, não. O ensopado agora só precisa ficar no fogo. Além disso, o Sr. Bridgerton anda me repreendendo por permitir que você trabalhe.

– Mas...

– Sem discussão, por favor – interrompeu a Sra. Crabtree. – Ele tem razão, é claro. Você é uma hóspede aqui, e não deveria ter que levantar nem um dedo.

– Eu não sou uma hóspede – protestou Sophie.

– Bem, então é o quê?

Sophie fez uma pausa.

– Não faço ideia – disse ela, por fim. – Mas com certeza não sou uma hóspede. Uma hóspede seria... seria... – Esforçou-se para organizar os pensamentos e sentimentos. – Imagino que uma hóspede seria alguém da mesma classe social, ou ao menos próxima disso. Alguém que jamais tivesse precisado servir a outra pessoa, ou limpar pisos, ou esvaziar urinóis. Uma hóspede seria...

– Qualquer um que o dono da casa decida convidar é um hóspede – afirmou a Sra. Crabtree. – Essa é a beleza de ser o dono da casa. Ele pode fazer o que quiser. E você deveria parar de se autodepreciar. Se o Sr. Bridgerton prefere vê-la como uma hóspede, cabe a você aceitar a decisão dele e aproveitar. Quando foi a última vez que pôde viver com conforto, sem precisar morrer de trabalhar em troca?

– Ele não pode realmente me ver como hóspede da casa – murmurou Sophie. – Se visse, teria instalado uma acompanhante para proteger minha reputação.

– Como se eu fosse permitir qualquer coisa inconveniente na minha casa – vociferou a Sra. Crabtree.

– É claro que não permitiria – tranquilizou-a Sophie. – Mas quando há reputações em jogo, as aparências são tão importantes quanto os fatos. E, aos olhos da sociedade, uma governanta não se qualifica como acompanhante, não importa quão rígida e pura seja sua moral.

– Se isso é verdade, então você precisa de uma acompanhante, Srta. Sophie – retrucou a Sra. Crabtree.

– Não seja boba. Eu não preciso de uma acompanhante porque não sou da classe dele. Ninguém se importa que uma arrumadeira viva e trabalhe na casa de um homem solteiro. Ninguém a vê com maus olhos, e com certeza ninguém que pense em se casar com ela a considerará desonrada. – Sophie deu de ombros. – É como são as coisas. E obviamente é como o Sr. Bridgerton pensa, quer ele admita isso ou não, porque nunca disse uma palavra sobre minha presença aqui ser algo inadequado.

– Bem, eu não gosto disso – anunciou a Sra. Crabtree. – Não gosto disso nem um pouco.

Sophie apenas sorriu, porque foi muito gentil da parte da governanta se interessar por sua situação.

– Acho que vou sair para uma caminhada – comentou ela –, desde que a senhora tenha certeza de que não precisa da minha ajuda na cozinha. Posso não ser uma hóspede – continuou com um sorriso travesso –, mas é a primeira vez em anos que não sou uma criada e vou aproveitar enquanto durar meu tempo livre.

A Sra. Crabtree deu um tapinha sincero no ombro dela.

– Faça isso, Srta. Sophie. E me traga uma flor do passeio.

Sophie sorriu e foi em direção à porta da frente. O dia estava maravilhoso – quente e ensolarado para aquela época do ano –, e o ar tinha a suave fragrância das primeiras flores da primavera. Não se lembrava de quando fora a última vez que caminhara pelo simples prazer de aproveitar o ar fresco.

Benedict lhe falara sobre um lago próximo, e ela pensou que poderia ir até lá, talvez até mesmo mergulhar os pés na água caso se sentisse especialmente tentada.

Sorriu na direção do sol. O clima podia estar quente, mas a água com certeza ainda estava congelante, já que ainda era início de maio. Mesmo assim, seria uma boa sensação. Qualquer coisa que representasse momentos solitários de lazer e tranquilidade era bem-vinda.

Sophie fez uma pausa e franziu a testa, pensativa, para o horizonte. Benedict dissera que o lago ficava ao sul do Meu Chalé, não? Uma estradinha que ia para o sul a levaria direto para um caminho cheio de árvores, mas uma caminhada no meio do bosque com certeza não a mataria.

Ela seguiu pela floresta e passou por cima de raízes de árvores, afastando galhos caídos do caminho e deixando-os estalando atrás de si. O sol mal passava pela cobertura de folhas acima dela – parecia mais a hora do crepúsculo do que meio-dia.

Avistou uma clareira à frente e imaginou tratar-se do lago. Conforme chegou mais perto, viu a luz do sol cintilando na água e deu um suspiro de satisfação, feliz por constatar que seguira na direção correta.

Mas, ao se aproximar ainda mais, ouviu o barulho de alguém mergulhando e se deu conta, curiosa e atemorizada ao mesmo tempo, de que não estava sozinha.

Como se encontrava a pouco mais de 3 metros da beira do lago, bem à vista de qualquer um que estivesse na água, logo se escondeu atrás do tronco de um grande carvalho. Se tivesse um pingo de sensatez, teria dado meia-volta e corrido para a

133

casa, mas não conseguiu deixar de espiar ao redor da árvore para ver quem poderia ser louco o suficiente para nadar num lago tão no início da estação.

Ela se afastou do carvalho lenta e silenciosamente, tentando ser o mais discreta possível.

E viu um homem.

Um homem *nu*.

Um...

Benedict nu?

CAPÍTULO 11

Uma guerra de comadres foi deflagrada em Londres. Lady Penwood chamou a Sra. Featherington de ladra malcriada na frente de não menos que três mães da alta sociedade, incluindo a conhecida viscondessa de Bridgerton!

A Sra. Featherington reagiu chamando a casa de Lady Penwood de asilo, citando o péssimo tratamento que recebera lá sua camareira (cujo nome, esta autora descobriu, não é Estelle, como se disse a princípio, e, além disso, ela está longe de ser francesa. O nome da garota é Bess, e ela é de Liverpool).

Lady Penwood se afastou furiosa da discussão, seguida por uma das filhas, a Srta. Rosamund Reiling. Sua outra filha, Posy (que usava um horroroso vestido verde), ficou para trás com uma expressão de pesar até que a mãe voltou, agarrou-a pela manga e a arrastou para fora dali.

Não é esta autora quem faz as listas de convidados das festas da alta sociedade, mas é difícil imaginar que as Penwoods sejam convidadas para o próximo evento na casa da Sra. Featherington.

CRÔNICAS DA SOCIEDADE DE LADY WHISTLEDOWN,
7 DE MAIO DE 1817

Foi errado da parte dela ficar.

Muito errado.

Muito, muito errado.

E, mesmo assim, ela não se moveu um centímetro.

Encontrou uma rocha grande e lisa, quase toda escondida por um arbusto, e se sentou, sem tirar os olhos dele por um instante.

Benedict estava *nu*. Ela ainda não acreditava direito nisso.

Parte de seu corpo encontrava-se submersa, claro, com a água batendo nas costelas.

A região *mais baixa* das costelas, ela pensou, de forma irrefletida.

Ou talvez Sophie devesse ser sincera consigo mesma e corrigir seu pensamento anterior para: parte de seu corpo encontrava-se, *infelizmente*, submersa.

Ela era tão inocente como qualquer outra... bem, como qualquer outra jovem, mas era curiosa, e podia dizer que estava apaixonada por aquele homem. Seria tão malicioso assim desejar uma rajada de vento forte o suficiente para criar uma onda que afastasse a água do corpo dele e a levasse para outro lugar? Qualquer outro lugar?

Sim, seria. *Ela* era maliciosa, e não se importava com isso.

Passara a vida seguindo o caminho mais seguro, mais prudente. Apenas em uma noite abandonara a precaução. E fora a noite mais emocionante, mágica e maravilhosa de toda a sua existência.

Portanto ela decidiu continuar exatamente onde estava e ver o que tivesse que ver. Não tinha nada a perder. Não tinha emprego nem qualquer perspectiva além da promessa de Benedict de lhe conseguir um trabalho na casa da mãe (e, de qualquer maneira, ela tinha a sensação de que isso seria uma péssima ideia).

Então, Sophie se recostou, tentando não mexer um só músculo, e manteve os olhos muito, muito abertos.

⌒

Benedict nunca fora supersticioso e jamais pensara em si mesmo como o tipo de homem que tem um sexto sentido, mas uma ou duas vezes na vida experimentara uma estranha onda de consciência, uma espécie de sentimento místico vibrante que lhe avisou que algo importante estava acontecendo.

A primeira vez fora no dia em que seu pai morrera. Benedict nunca havia contado isso a ninguém, nem mesmo ao irmão mais velho, Anthony – que ficara devastado pela morte de Edmund –, mas, naquela tarde fatídica, quando ele e Anthony atravessavam os campos de Kent numa tola corrida de cavalos, ele sentira um estranho torpor nos braços e nas pernas, seguido por um latejamento muito incômodo na cabeça. Não tinha sido exatamente uma dor, mas algo que lhe tirara o ar dos pulmões e o deixara com a maior sensação de terror que ele poderia imaginar.

Acabara perdendo a corrida, é claro. Era difícil segurar rédeas quando os dedos se recusavam a funcionar direito. E, quando voltara para casa, descobrira que seu pânico não fora injustificado. Seu pai já estava morto, vítima de um colapso depois de ter sido picado por uma abelha. Benedict ainda tinha dificuldade para acreditar que um homem tão forte e vigoroso como o pai pudesse ser derrubado por um inseto, mas não houvera nenhuma outra explicação.

Na segunda vez que acontecera, no entanto, fora completamente diferente. Tinha sido na noite do baile de máscaras da mãe, logo antes de ver a mulher de vestido prateado. Como na outra ocasião, a sensação começara nos braços e pernas, mas, em vez de senti-los amortecidos, ele teve um formigamento estranho, como se de repente tivesse acordado depois de anos de sonambulismo.

Então, quando se virara e a vira, soube no mesmo instante que ela era o motivo pelo qual ele estava lá naquela noite, o motivo pelo qual morava na Inglaterra. Diabo, o motivo pelo qual ele havia nascido.

Claro, ela provara que ele estava errado ao desaparecer da face da terra. Mas, na ocasião, Benedict acreditara nisso tudo e, se ela tivesse deixado, o teria provado a ela também.

Agora, parado no meio do lago, com a água batendo-lhe na barriga logo acima do umbigo, ele foi tomado mais uma vez por aquele sentimento estranho de estar mais vivo do que alguns segundos antes. Era uma sensação boa, uma onda de emoção excitante, de tirar o fôlego.

Foi como da outra vez. Quando ele a conhecera.

Algo estava prestes a acontecer, ou talvez alguém se encontrasse por perto. Sua vida estava a ponto de mudar.

Contorcendo os lábios, ele se deu conta de que estava nu como viera ao mundo. Isso não era vantagem alguma para um homem, a não ser que estivesse entre lençóis de seda com uma jovem atraente a seu lado.

Ou embaixo dele.

Benedict deu um passo na direção da parte mais funda do lago, com a lama macia passando-lhe entre os dedos dos pés. Agora a profundidade estava uns 5 centímetros maior. Ele estava congelando, mas ao menos estava quase todo coberto.

Correu os olhos pela margem, procurando entre as árvores e no meio dos arbustos. Tinha que haver alguém ali. Nada poderia explicar aquela estranha sensação que agora tomara todo o seu corpo. E se o corpo dele era capaz de formigar dentro de um lago tão frio, deixando-o apavorado com a ideia de fitar suas partes pudendas (que pareciam ter encolhido até se reduzirem a nada, uma imagem nada agradável para um homem), devia ser um formigamento realmente muito forte.

– Quem está aí? – perguntou.

Não houve resposta. Ele não esperava de fato que alguém respondesse, mas não custava tentar.

Vasculhou a margem mais uma vez, dando um giro de 360 graus em busca de qualquer sinal de movimento. Não viu nada além das folhas balançando ao vento, mas, quando terminou a inspeção, de alguma forma ele soube.

– Sophie!

Ouviu alguém arfando e em seguida se movimentando freneticamente.

– Sophie Beckett – gritou ele –, se correr de mim agora, eu juro que sairei atrás de você, e não vou me dar ao trabalho de me vestir.

Os barulhos vindos da margem ficaram mais lentos.

– Eu vou alcançá-la – continuou Benedict –, porque sou mais forte e mais rápido. E posso muito bem derrubá-la no chão apenas para garantir que não fuja.

Os sons dos movimentos dela pararam.

– Muito bem – rosnou ele. – Apareça.

Ela não obedeceu.

– Sophie – disse ele em tom de ameaça.

Houve um instante de silêncio, seguido pelo ruído de passos lentos e hesitantes, e então ele a viu, parada na margem do lago num daqueles vestidos horrorosos que gostaria de afundar no Tâmisa.

– O que está fazendo aqui? – perguntou ele.

– Saí para dar uma caminhada. O que *o senhor* está fazendo aqui? – contrapôs ela. – Está doente. Isso não pode ser bom para a sua saúde – continuou, indicando o lago com um gesto do braço.

Ele ignorou a pergunta e indagou:

– Você estava me seguindo?

– É claro que não – retrucou Sophie, e ele acreditou.

Não achava que ela possuísse o talento artístico para fingir tal nível de honradez.

– Eu jamais o seguiria até um lago – prosseguiu ela. – Seria indecente.

Então o rosto dele ficou completamente vermelho, porque os dois sabiam que ela não tinha como manter aquele argumento. Se estivesse mesmo preocupada com decência, ela teria saído dali no instante em que o vira, tivesse sido sem querer ou não.

Benedict levantou uma mão da água e a apontou para ela, fazendo um gesto para que se virasse.

– Olhe para o outro lado enquanto me visto – ordenou ele. – Vou levar só um instante.

– Posso ir para casa – sugeriu ela. – Assim o senhor terá mais privacidade e...

– Você fica – disse ele com firmeza.

– Mas...

Benedict cruzou os braços.

– Pareço alguém que quer discutir?

Ela o encarou com rebeldia.

– Se correr, eu a pegarei – avisou ele.

Sophie avaliou o espaço entre eles e depois tentou medir a distância até o Meu Chalé. Se ele parasse para se vestir, ela poderia ter uma chance de escapar, mas, se *não* parasse...

– Sophie, eu estou quase vendo a fumacinha saindo pelas suas orelhas. Pare de forçar o cérebro com cálculos matemáticos inúteis e faça o que pedi.

Ela mexeu um dos pés. Se sua ânsia era correr para casa ou simplesmente se virar, Sophie jamais saberia.

– Agora – ordenou ele.

Após suspirar e resmungar, Sophie cruzou os braços e se voltou para uma árvore, que ficou encarando como se a própria vida dependesse disso. O sujeito infernal não estava sendo nem um pouco silencioso no que quer que estivesse fazendo, e ela não conseguia evitar ouvir e tentar identificar cada barulho que ressoava atrás de si.

Agora ele estava saindo da água, agora estava pegando as calças, agora estava...

Não adiantava. Ela tinha uma imaginação muito fértil, e não havia como calá-la.

Ele devia tê-la deixado voltar para a casa. Em vez disso, Sophie fora obrigada a esperar, absolutamente atormentada, enquanto ele se vestia. Sua pele parecia pegar fogo, e ela tinha certeza de que seu rosto estava com uns oito tons diferentes de vermelho. Um cavalheiro a teria livrado do constrangimento e permitido que ficasse trancada em seu quarto por pelo menos três dias na esperança de que ele se esquecesse de toda a história. Mas Benedict Bridgerton estava determinado a não ser um cavalheiro naquela tarde, porque quando ela mexeu um dos pés – apenas para esticar os dedos, que estavam ficando dormentes dentro dos sapatos, ora! –, não se passou nem meio segundo antes que ele resmungasse:

– Nem pense nisso!

– Eu não pensei em nada! – protestou ela. – Meu pé estava formigando. E ande logo com isso. Não é possível que demore tanto para se vestir.

– Hã? – disse ele.

– Está fazendo isso só para me torturar – resmungou ela.

– Pode ficar à vontade para olhar a qualquer momento – retrucou Benedict, com a voz divertida. – Garanto-lhe que pedi que se virasse por causa das *suas* sensibilidades, não das minhas.

– Estou muito bem dessa forma – respondeu Sophie.

Depois do que lhe pareceu uma hora, mas deviam ter sido apenas três minutos, ela o ouviu:

– Pode se virar agora.

Sophie quase sentiu medo de obedecer. Benedict tinha o tipo de senso de humor malicioso que o faria mandar-lhe se virar antes de terminar de se vestir.

Mas ela decidiu confiar nele – não que tivesse muita escolha, foi forçada a admitir – e então fez o que ele disse. Para seu alívio e, se ela fosse sincera consigo mesma, um pouco de decepção, Benedict estava decentemente vestido, exceto por alguns pontos molhados nos quais a água de sua pele atravessara o tecido das roupas.

– Por que não me deixou voltar logo para casa? – perguntou ela.

– Eu queria você aqui – retrucou ele, com simplicidade.

– Mas por quê? – insistiu ela.

Ele deu de ombros.

– Não sei. Castigo, talvez, por me espionar.

– Eu não estava...

A negação de Sophie foi automática, mas ela parou no meio, porque era claro que estava fazendo isso.

– Menina esperta – murmurou ele.

Ela fez uma careta. Gostaria de ter dito algo espirituoso e inteligente, mas, como teve a sensação de que qualquer coisa que saísse de sua boca naquele instante seria exatamente o oposto, segurou a língua. Melhor uma tola calada do que uma falante.

– É muito feio espionar o próprio anfitrião – comentou ele, pondo as mãos nos quadris e conseguindo parecer autoritário e relaxado ao mesmo tempo.

– Foi sem querer – ela resmungou.

– Ah, nisso eu acredito em você – retrucou Benedict. – Mas, mesmo que não tivesse a intenção de me espionar, o fato é que, quando a oportunidade surgiu, você a aproveitou.

– Está me culpando?

Ele sorriu.

– De forma alguma. Eu teria feito o mesmo.

Ela ficou boquiaberta.

– Ora, não finja estar ofendida – disse ele.

– Não estou fingindo.

Ele se inclinou um pouco mais para perto dela.

– Para dizer a verdade, estou bastante lisonjeado.

– Era curiosidade acadêmica – afirmou ela. – Posso garantir.

O sorriso dele se abriu ainda mais.

– Então está me dizendo que teria espiado qualquer homem nu com quem cruzasse?

– Claro que não!

– Como eu falei – continuou ele devagar, se encostando numa árvore –, estou lisonjeado.

– Bem, agora que já esclarecemos tudo – retrucou Sophie, torcendo o nariz –, vou voltar para a casa.

Ela deu apenas dois passos antes que ele agarrasse um pedaço do tecido de seu vestido.

– Não vai, não – falou Benedict.

Sophie se virou novamente com um suspiro cansado.

– Já me constrangeu além do razoável. O que mais poderia desejar fazer comigo?

Bem devagar, ele a puxou para si.

– Que pergunta interessante – murmurou.

Sophie tentou firmar os pés no chão, mas não podia competir com o puxão implacável da mão de Benedict. Desequilibrou-se de leve e então se viu a poucos centímetros dele. O ar de repente ficou quente, muito quente, e Sophie teve a estranha sensação de que não sabia mais como mexer as mãos e os pés. Sentiu a pele formigar e o coração acelerar, e isso porque o sujeito estava apenas olhando para ela – não movera um músculo, não a puxara os centímetros que faltavam na direção dele.

Estava apenas olhando para ela.

– Benedict? – sussurrou Sophie, se esquecendo de que ainda o chamava de Sr. Bridgerton.

Ele sorriu. Foi um sorriso pequeno e astuto, que fez um arrepio percorrer a espinha dela até outra parte de seu corpo.

– Eu gosto quando você diz meu nome – falou Benedict.

– Não tive a intenção – admitiu Sophie.

Ele levou um dedo aos lábios dela.

– Shhh. Não diga isso. Não sabe que não é o que um homem deseja ouvir?

– Eu não tenho muita experiência com homens – retrucou ela.

– Agora *isso* é o que um homem deseja ouvir.

– É mesmo? – retrucou ela, desconfiada.

Sabia que homens queriam esposas inocentes, mas Benedict não iria se casar com uma garota como ela.

Ele tocou o rosto dela com a ponta de um dedo.

– É o que eu quero ouvir de você.

Sophie sentiu uma leve lufada de ar nos lábios ao arfar. Ele ia beijá-la.

Ele ia beijá-la. Era a coisa mais maravilhosa e terrível que poderia acontecer. Mas, ah, como ela queria isso.

Sophie sabia que iria se arrepender no dia seguinte. Deu uma risada abafada e engasgada. A quem estava enganando? Ela se arrependeria daquilo em dez minutos. Mas passara os últimos dois anos se lembrando da sensação de estar nos braços dele, e não tinha certeza se conseguiria atravessar o resto dos dias sem ao menos mais uma lembrança para continuar.

Benedict levou o dedo à têmpora dela e depois contornou o desenho de sua sobrancelha, desgrenhando os pelos macios antes de seguir na direção do nariz.

– Tão bonita... – sussurrou ele. – Parece uma fada de um livro de histórias. Às vezes acho que você não pode ser real.

A única resposta de Sophie foi uma respiração mais acelerada.

– Acho que vou beijá-la – murmurou ele.

– Acha?

– Acho que *preciso* beijá-la – acrescentou Benedict, parecendo não acreditar direito nas próprias palavras. – É como respirar. Não há muita escolha.

O beijo de Benedict foi dolorosamente suave. Ele passou os lábios pelos dela numa carícia leve como uma pluma, de um lado a outro, com o mínimo de pressão. Foi um gesto maravilhoso, mas havia algo mais, algo que a deixou zonza e fraca. Sophie segurou os ombros dele, perguntando-se por que se sentia tão estranha e sem equilíbrio, e de repente lhe veio à cabeça...

Estava sendo como da outra vez.

A forma como os lábios dele roçavam os dela com tanta suavidade e doçura, o modo como ele começou com delicadeza, em vez de forçar a entrada... tudo isso foi exatamente o que fizera no baile de máscaras. Depois de dois anos de sonhos, Sophie enfim revivia o momento mais perfeito de sua vida.

– Você está chorando – disse Benedict, tocando o rosto dela.

Sophie piscou e então secou as lágrimas que sequer notara que caíam.

– Quer que eu pare? – sussurrou ele.

Ela balançou a cabeça. Não, não queria que ele parasse. Gostaria que a beijasse como no baile de máscaras, a carícia suave dando lugar a uma união mais apaixonada. E então queria que a beijasse um pouco mais, porque desta vez ela não precisaria sair correndo à meia-noite.

Queria que ele soubesse que ela era a mulher do baile de máscaras. Ao mesmo tempo, torceu desesperadamente para que ele nunca a reconhecesse. Estava tão confusa, e...

E ele a beijou.

Beijou de verdade, com os lábios ardentes e a língua exploradora, e toda a paixão e o desejo que uma mulher poderia querer. Benedict fez com que ela se sentisse linda, preciosa, inestimável. Tratou-a como uma mulher, não como uma criada qualquer, e, até aquele exato instante, ela não se dera conta de quanto sentia falta de ser tratada como uma pessoa. Os bem-nascidos e aristocratas não enxergavam seus criados, tentavam não ouvi-los, e, quando precisavam falar com eles, mantinham a conversa o mais curta e superficial possível.

Mas, quando Benedict a beijou, ela se sentiu real.

E, quando a beijou, o fez com o corpo inteiro. Os lábios, que haviam começado a intimidade com tanta gentileza, agora estavam ardentemente colados aos dela. As mãos, tão grandes e fortes que pareciam cobrir metade de suas costas, a seguravam com uma força que a deixava sem fôlego. E o corpo dele... por Deus, devia ser contra a lei a forma como estava pressionado contra o dela, com o calor atravessando suas roupas e entrando em sua alma.

Ele a fazia estremecer. Derreter.

Fazia com que ela quisesse se entregar a ele, algo que jurara jamais fazer fora do matrimônio.

– Ah, Sophie – murmurou ele, com a voz rouca. – Eu nunca senti...

Ela ficou tensa, porque teve quase certeza de que ele pretendia dizer que nunca se sentira daquele jeito, e ela não fazia ideia do que fazer a respeito disso. Por um lado, era emocionante ser a mulher que conseguia deixá-lo daquela forma, tonto de desejo. Por outro lado, ele já a beijara antes. Não havia sentido o mesmo na ocasião?

Por Deus, estava com ciúme dela mesma?

Ele recuou um centímetro.

– Qual é o problema?

Ela balançou a cabeça de leve.

– Nenhum.

Benedict levou os dedos à ponta do queixo dela e levantou seu rosto.

– Não minta para mim, Sophie. Qual é o problema?

– Eu... só estou nervosa – gaguejou ela. – Só isso.

Benedict estreitou os olhos, preocupado.

– Tem certeza?

– Absoluta.

Ela se soltou do abraço dele, se virou e se afastou alguns passos, cruzando os braços na altura do peito.

– Eu não faço esse tipo de coisa, sabe?

Benedict a viu se distanciar e avaliou a postura triste das costas dela.

– Eu sei – disse ele baixinho. – Você não é o tipo de moça que faria isso.

Ela deu uma risadinha e, embora não pudesse ver seu rosto, ele pôde imaginar perfeitamente sua expressão.

– Como sabe disso? – perguntou Sophie.

– Está evidente em tudo o que você faz.

Ela não se virou. Não disse nada.

E então, antes que ele se desse conta do que estava dizendo, fez uma pergunta muito esquisita:

– Quem é você, Sophie? Quem é você de verdade?

Ela continuou sem se virar e, quando falou, sua voz era pouco mais do que um sussurro.

– O que quer dizer?

– Algo não está muito certo em relação a você – retrucou ele. – Você fala bem demais para ser uma criada.

Sophie remexia as pregas do vestido com nervosismo quando respondeu:

– É um crime desejar falar bem? Não se pode chegar muito longe neste país com um sotaque de classe baixa.

– Pode-se dizer que você não chegou muito longe – observou ele com delicadeza.

Os braços de Sophie ficaram tensos e ela cerrou os punhos. Depois, enquanto ele ainda esperava alguma explicação, ela começou a se afastar.

– Espere! – chamou Benedict. Alcançou-a em menos de três passos, segurou-a pela cintura e a puxou até que ela se viu forçada a se virar. – Não vá – pediu ele.

– Não tenho o hábito de permanecer na companhia de pessoas que me insultam.

Benedict quase se encolheu e soube que seria assombrado para sempre pelo sofrimento que vira nos olhos dela.

– Eu não a estava insultando – garantiu ele –, e você sabe disso. Só falei a verdade. Você não nasceu para ser uma arrumadeira, Sophie. Está claro para mim, e deveria estar para você também.

Ela riu – um som duro e alquebrado que ele nunca imaginou que ouviria dela.

– E o que sugere que eu faça, Sr. Bridgerton? – perguntou. – Consiga um emprego como tutora?

Benedict pensou que era uma ótima ideia e começou a dizer isso a ela, mas Sophie o interrompeu:

– E quem acha que irá me contratar?

– Bem...

– Ninguém! – explodiu ela. – Ninguém irá me contratar. Eu não tenho referências e pareço jovem demais.

– E é bonita – completou ele com uma careta.

Nunca havia pensado muito na contratação de tutoras, mas sabia que em geral era feita pela dona da casa, e o bom senso lhe dizia que nenhuma mulher iria querer levar uma jovem tão bonita para dentro do próprio lar. Bastava ver o que Sophie passara nas mãos de Phillip Cavender.

– Você poderia ser camareira – sugeriu ele. – Pelo menos não precisaria limpar urinóis.

– O senhor é que acha que não – murmurou ela.

– Acompanhante de uma senhora idosa?

Ela suspirou. Foi um som triste e cansado que quase partiu o coração dele.

– É muito gentil por tentar me ajudar – falou –, mas já tentei tudo isso. Além disso, o senhor não é responsável por mim.

– Poderia ser.

Ela olhou para ele, surpresa.

Naquele momento, Benedict soube que precisava tê-la. Havia uma ligação entre eles, um laço estranho e inexplicável que sentira apenas outra vez na vida, com a dama misteriosa do baile de máscaras. Enquanto ela desaparecera, Sophie era muito real. Estava cansado de miragens. Queria alguém que pudesse ver, alguém que pudesse tocar.

E ela precisava dele. Podia não perceber isso ainda, mas era verdade. Benedict segurou a mão dela e puxou, fazendo-a se desequilibrar e abraçando-a quando ela caiu sobre o corpo dele.

– Sr. Bridgerton! – gritou Sophie.

– Benedict – corrigiu ele, com os lábios no ouvido dela.

– Deixe-me...

– Diga meu nome – pediu ele.

Podia ser muito teimoso quando queria algo, e não iria soltá-la enquanto não ouvisse seu nome ser pronunciado por ela.

E talvez nem quando isso acontecesse.

– Benedict – cedeu ela por fim. – Eu...

– Shh...

Ele a silenciou com a própria boca, mordiscando o canto dos lábios dela. Quando Sophie relaxou em seus braços, ele recuou apenas o suficiente para conseguir fitá-la nos olhos, que estavam incrivelmente verdes à luz do fim da tarde, profundos o bastante para que se afogasse neles.

– Quero que você volte para Londres comigo – sussurrou ele, antes que tivesse a chance de pensar. – Volte e vá morar comigo.

Ela o encarou, surpresa.

– Seja minha – pediu Benedict, com a voz densa e urgente. – Seja minha agora. Para sempre. Eu lhe darei tudo o que desejar. Tudo o que quero em troca é você.

CAPÍTULO 12

As especulações sobre o desaparecimento de Benedict Bridgerton continuam. De acordo com Eloise, que, como irmã dele, deveria saber, ele era esperado de volta à cidade há vários dias.

Mas, como a própria Eloise precisa ser a primeira a admitir, um homem da idade e da posição do Sr. Bridgerton não é obrigado a informar seu paradeiro à irmã mais nova.

CRÔNICAS DA SOCIEDADE DE LADY WHISTLEDOWN,
9 DE MAIO DE 1817

– Quer que eu seja sua amante – disse ela.

Benedict a encarou com ar confuso, embora ela não soubesse ao certo se porque a declaração era muito óbvia ou porque discordava das palavras que ela escolhera.

– Eu quero que você fique comigo – insistiu ele.

O momento era incrivelmente doloroso, mas ainda assim ela quase sorriu.

– E qual é a diferença entre isso e ser sua amante?

– Sophie...

– Qual é a diferença? – repetiu ela, com a voz ficando mais estridente.

– Não sei, Sophie. – Ele pareceu impaciente. – Isso tem alguma importância?

– Para mim, tem.

– Tudo bem – falou ele. – Tudo bem. Seja minha amante e tenha *isto*.

Sophie mal teve tempo de arfar antes que os lábios dele tomassem os dela com uma ferocidade que fez seus joelhos perderem a firmeza. Foi diferente de qualquer outro beijo que tivessem dado, cheio de sofreguidão e permeado por uma estranha agressividade.

Ele devorou a boca de Sophie com a sua numa primitiva dança da paixão. As mãos dele pareciam estar em todo lugar: nos seios, na cintura e até mesmo embaixo da saia dela. Benedict a tocava e apertava, acariciava e alisava. E, o tempo todo, ele a manteve tão apertada contra seu corpo que Sophie teve certeza de que se fundiria a ele.

– Eu quero você – disse ele em tom rude, beijando o pescoço dela. – Agora. Aqui.

– Benedict...

– Eu quero você na minha cama – murmurou ele. – Quero amanhã, e também no dia seguinte.

A carne de Sophie era fraca e ela cedeu ao momento, arqueando o pescoço para que Benedict tivesse mais acesso a ele. Era muito bom ter os lábios dele em sua pele, causando-lhe arrepios até o seu âmago. Ele a fazia desejá-lo, assim como a todas as coisas que não podia ter, e amaldiçoar o que podia.

E então de repente ela estava deitada no chão, com metade do corpo dele sobre o seu. Ele parecia tão grande, tão forte e, naquele momento, tão dela... Uma pequena parte da mente de Sophie ainda funcionava, e ela sabia que precisava dizer não, que tinha que interromper aquela loucura, mas por Deus, não podia. Ainda não.

Passara tanto tempo sonhando com ele, tentando de todas as formas se lembrar do cheiro da pele dele, do som de sua voz... Houve muitas noites em que fantasiar com ele foi sua única companhia.

Ela vinha vivendo de sonhos, e não era uma mulher para quem muitos deles haviam se tornado realidade. Por isso não queria perder aquele ainda.

– Benedict – murmurou ela, tocando os cabelos macios dele e fingindo... fingindo que ele não acabara de pedir que ela fosse sua amante, fingindo ser outra pessoa... qualquer outra pessoa.

Qualquer uma que não a filha bastarda de um conde morto, sem meios para se sustentar a não ser servindo aos outros.

Seus murmúrios pareceram incentivá-lo e a mão dele, que estava tocando o joelho dela fazia muito tempo, começou a subir, pressionando a pele macia de sua coxa. Anos de trabalho duro a tinham deixado magra, sem curvas elegantes, mas ele não pareceu se importar. Na verdade, ela pôde sentir o coração dele bater ainda mais rápido e a respiração começar a sair em arfadas roucas.

– Sophie, Sophie, Sophie – suspirou ele, movimentando os lábios de forma frenética pelo rosto dela até chegar à sua boca mais uma vez. – Eu preciso de você. – Ele apertou o quadril com força contra o dela. – Está sentindo quanto eu preciso de você?

– Eu também preciso de você – sussurrou ela.

E era verdade. Havia um fogo dentro dela que queimava lentamente fazia anos. A simples imagem dele acendera tudo de novo, e seu toque funcionou como querosene, provocando um incêndio.

Benedict lutava com os botões grandes e mal-acabados das costas do vestido dela.

– Vou queimar isto aqui – resmungou ele, com a outra mão acariciando a pele macia da parte de trás do joelho dela. – Vou vesti-la de seda e cetim. – Começou a mordiscar o lóbulo de sua orelha e depois a lamber a pele macia que o unia ao rosto dela. – Vou vesti-la de nada.

Sophie ficou rígida nos braços dele. Benedict conseguira dizer a única coisa que poderia lembrá-la de por que estava ali e por que ele a estava beijando. Não era por amor ou por qualquer uma das delicadas emoções com que ela havia sonhado, mas por desejo. Ele queria transformá-la numa concubina.

Assim como a mãe dela fora.

Ah, Deus, era tão tentador... Ele estava lhe oferecendo uma vida de facilidades e luxo, uma vida com *ele*.

Pelo preço de sua alma.

Não, isso não era inteiramente verdade, ou inteiramente um problema. Ela podia ser capaz de viver como amante de um homem. Os benefícios – e não tinha como pensar na existência com Benedict como nada menos que um benefício – poderiam ser maiores do que as desvantagens. Mas, embora estivesse quase disposta a tomar essa decisão, colocando a própria reputação em risco, não seria capaz de fazer o mesmo em relação a um filho. E como seria possível não haver um filho? Todas as amantes acabavam engravidando.

Com um grito de sofrimento, ela o empurrou e se soltou, depois rolou para o lado até ficar de quatro, fez uma pausa para recuperar o fôlego e se levantou.

– Eu não posso fazer isto, Benedict – falou, mal conseguindo olhar para ele.

– Não vejo por que não – murmurou ele.

– Não posso ser sua amante.

Ele se levantou.

– Por quê?

Algo na pergunta dele a feriu. Talvez tenha sido a arrogância, talvez a insolência.

– Porque não quero – disparou ela.

Ele estreitou os olhos, não com desconfiança, mas com raiva.

– Há poucos segundos, você queria.

– Você não está sendo justo – retrucou ela em voz baixa. – Eu não estava pensando direito.

Ele empinou o queixo de modo hostil.

– O objetivo era justamente esse.

Ela ficou vermelha enquanto fechava os botões da roupa. Benedict se saíra muito bem na tarefa de não deixá-la pensar direito. Ela quase jogara fora uma vida de promessas e moral, tudo por causa de um beijo malicioso.

– Bem, eu não vou ser sua amante – afirmou ela.

Talvez, se dissesse isso vezes suficientes, se sentisse mais confiante de que ele não conseguiria vencer suas defesas.

– E vai fazer o quê em vez disso? – sibilou ele. – Trabalhar como arrumadeira?

– Se for preciso.

– Você prefere servir a outras pessoas, polindo pratarias e limpando seus malditos urinóis, a ir morar comigo.

Ela disse apenas uma palavra, mas foi sincera:

– Prefiro.

Os olhos dele queimaram de fúria.

– Eu não acredito em você. Ninguém faria essa escolha.

– Eu fiz.

– Você é uma tola.

Ela não respondeu.

– Você compreende do que está abrindo mão? – insistiu ele, agitando os braços de maneira frenética enquanto falava.

Sophie se deu conta de que o magoara. Havia ferido o seu orgulho, e agora ele a atacava como um urso machucado.

Ela assentiu, embora Benedict não estivesse olhando para ela.

– Eu poderia lhe dar o que você quisesse – disparou ele. – Roupas, joias... Ora, esqueça as roupas e as joias. Eu lhe daria um teto, que é mais do que tem agora.

– Isso é verdade – concordou ela baixinho.

Ele se inclinou para a frente, fuzilando-a com os olhos.

– Eu poderia lhe dar tudo.

De alguma forma ela foi capaz de se endireitar e conseguir não chorar. E de alguma forma conseguiu manter a voz baixa ao dizer:

– Se acha que isso é tudo, então jamais entenderia por que eu tenho que recusar.

Deu um passo para trás, pretendendo voltar para a casa e fazer sua pequena mala, mas ele obviamente ainda não encerrara o assunto, porque a fez parar com um estridente:

– Aonde você vai?

– Vou voltar para a casa – informou ela. – Para arrumar minha mala.

– E aonde pensa que vai com essa mala?

Ela ficou boquiaberta. Não era possível que ele esperasse que ela *ficasse*.

– Você tem um emprego? – perguntou ele. – Tem para onde ir?

– Não – respondeu ela –, mas...

Benedict pôs as mãos nos quadris e a fuzilou com os olhos.

– E você acha que eu vou deixar você ir embora sem dinheiro ou perspectivas?

Sophie ficou tão surpresa que começou a piscar sem parar.

– B-bem – gaguejou –, eu não pensei...

– Não, você *não* pensou – reagiu ele.

Ela ficou apenas fitando-o, com os olhos arregalados e a boca entreaberta, sem poder acreditar no que ouvia.

– Sua tonta – praguejou ele. – Faz alguma ideia de como este mundo é perigoso para uma mulher sozinha?

– Hã, sim – conseguiu retrucar Sophie. – Na verdade, faço, sim.

Se Benedict a escutou, não deu nenhuma indicação disso, só continuou falando sobre "homens que se aproveitam", "mulheres indefesas" e "destinos piores do que a morte". Sophie não tinha certeza, mas achava que o ouvira dizer até algo sobre "rosbife e sobremesa". Mais ou menos na metade do discurso de Benedict, ela perdeu totalmente a capacidade de se concentrar e limitou-se a olhar para a boca dele e ouvir o tom de sua voz, sempre tentando compreender o fato de que ele parecia muito preocupado com o bem-estar dela, considerando que ela acabara de rejeitá-lo.

– Você está ao menos prestando atenção a alguma coisa que estou dizendo? – perguntou Benedict.

Sophie não assentiu nem balançou a cabeça, mas fez uma estranha combinação das duas coisas.

Benedict praguejou baixinho.

– Está decidido – anunciou. – Você vai voltar para Londres comigo.

Isso pareceu despertá-la.

– Eu acabei de dizer que não vou!

– Você não precisa ser minha maldita amante – disparou ele. – Mas não vou deixá-la à própria sorte.

– Eu estava muito bem antes de conhecê-lo.

– Muito bem? – esbravejou ele. – Na casa dos Cavenders? Você chama aquilo de muito bem?

– Você não está sendo justo!

– E você não está sendo inteligente.

Benedict achou que seus argumentos eram bastante razoáveis, ainda que um pouco arrogantes, mas ficou claro que Sophie não concordava, porque, para sua surpresa, ele se viu caindo de costas no chão, derrubado por um gancho de direita impressionantemente rápido.

– Nunca mais me chame de burra – sibilou ela.

Benedict piscou, tentando recuperar a visão até o ponto de conseguir ver apenas uma Sophie.

– Eu não chamei...

– Chamou, sim – respondeu ela num tom de voz baixo e furioso.

Então deu meia-volta e, na fração de segundo antes que ela saísse, Benedict se deu conta de que havia apenas uma forma de fazê-la parar. Como não conseguiria se levantar rápido o suficiente para ir atrás dela, dado seu estado de perplexidade, ele estendeu os braços e agarrou um dos tornozelos de Sophie com as duas mãos, derrubando-a no chão, a seu lado.

Não foi um gesto de um cavalheiro, mas quem recebe esmola não tem direito de reclamar, e, além disso, ela dera o primeiro golpe.

– Você não vai a lugar algum – rosnou ele.

Sophie levantou a cabeça devagar, cuspindo poeira e olhando furiosa para ele.

– Eu não acredito que você acabou de fazer isso – disse ela severamente.

Benedict soltou o pé de Sophie e se colocou de cócoras.

– Pois acredite.

– Seu...

Ele levantou uma mão.

– Não diga nada agora. Eu imploro.

Ela arregalou os olhos.

– Você está me implorando?

– Ainda estou ouvindo a sua voz, o que significa que você continua falando – retrucou ele.

– Mas...

– E quanto a implorar – continuou Benedict, interrompendo-a mais uma vez –, posso garantir que foi apenas uma figura de linguagem.

Ela abriu a boca para dizer alguma coisa, então pensou melhor e a fechou com o ar petulante de uma criança de 3 anos. Benedict deu um suspiro breve e lhe estendeu a mão. Afinal, ela ainda estava sentada no chão e não parecia muito feliz com isso.

Sophie olhou para a mão dele com uma repulsa impressionante, depois fitou-o com tanta fúria que Benedict se perguntou se havia criado chifres. Ainda sem dizer nada, ela ignorou a oferta de ajuda e se levantou sozinha.

– Como achar melhor – murmurou ele.

– Péssima escolha de palavras – disparou ela e saiu pisando forte.

Como agora já estava de pé, Benedict não sentiu necessidade de fazê-la parar de novo.

Em vez disso, a seguiu, mantendo-se apenas dois passos atrás dela (de uma forma irritante, ele tinha certeza). Por fim, depois de mais ou menos um minuto, Sophie se virou e disse:

– Por favor, me deixe sozinha.

– Infelizmente, não posso – respondeu ele.

– Não pode ou não quer?

Ele pensou por um instante.

– Não posso.

Ela olhou furiosa para ele e continuou caminhando.

– Acho tão difícil acreditar nisso quanto você – comentou Benedict, ainda acompanhando o ritmo dela.

Ela parou e se virou.

– Isso é impossível.

– Não posso evitar – retrucou ele, dando de ombros. – Simplesmente não consigo deixá-la partir.

– Não conseguir é muito diferente de não poder.

– Eu não a salvei de Phillip Cavender para deixá-la jogar sua vida fora.

– Essa escolha não é sua.

Ela estava certa, mas ele não admitiria isso.

– Talvez – falou –, mas vou fazê-la assim mesmo. Você vai comigo para Londres. Não vamos mais discutir.

– Você está tentando me punir porque eu o rejeitei – acusou ela.

– Não – retrucou Benedict devagar, pensando no que Sophie dissera enquanto respondia. – Não, não estou. Eu gostaria de puni-la, e, no meu estado de espírito atual, até chegaria ao ponto de afirmar que você merece ser punida, mas não é por isso que estou agindo assim.

– Então por quê?

– Pelo seu próprio bem.

– Esta é a coisa mais condescendente e arrogante...

– Você tem razão – admitiu ele –, mas, ainda assim, neste caso em particular, neste momento em especial, eu sei o que é melhor para você, e você claramente não sabe, então... *Não* bata em mim de novo – avisou.

Sophie olhou para o próprio punho cerrado, que não percebera que estava posicionado para trás, pronto para desferir um golpe. Ele a estava transformando num monstro. Não havia outra explicação. Achava que nunca havia batido em alguém na vida, e ali estava ela, pronta para fazer isso pela segunda vez no mesmo dia.

Sem tirar os olhos da própria mão, ela a abriu devagar, esticando os dedos como uma estrela-do-mar e os mantendo nessa posição até contar até três.

– Como você pretende me impedir de seguir o meu caminho? – indagou num tom de voz muito baixo.

– Isso importa? – retrucou ele, dando de ombros de forma casual. – Tenho certeza de que pensarei em alguma coisa.

Ela ficou boquiaberta.

– Está dizendo que me amarraria e...

– Eu não falei nada do gênero – interrompeu Benedict com um sorriso malicioso. – Mas a ideia com certeza tem seu apelo.

– Você é desprezível – disparou ela.

– E você parece a heroína de um romance muito ruim – respondeu ele. – Qual era mesmo o livro que estava lendo hoje de manhã?

Sophie sentiu os músculos do rosto latejarem e a mandíbula se tensionar até o ponto em que acreditou que os dentes iriam se despedaçar. Como Benedict conseguia ser ao mesmo tempo o homem mais maravilhoso e o mais terrível do mundo era algo que ela jamais conseguiria compreender. Naquele momento, porém, o lado terrível parecia prevalecer, e ela estava bastante segura – deixando a lógica de lado – de que se passasse mais um segundo ao lado dele, sua cabeça iria explodir.

– Vou embora agora! – afirmou ela de maneira dramática e determinada.

Pelo menos foi o que acreditou.

Mas Benedict limitou-se a dar um meio sorriso e dizer:

– Eu vou atrás.

E o maldito sujeito se manteve dois passos atrás dela durante todo o caminho para casa.

⌒

Benedict não costumava se esforçar para irritar ninguém (com a notável exceção dos irmãos), mas Sophie Beckett conseguira despertar o diabo que vivia dentro dele. Ficou parado na porta do quarto dela, apoiado no batente em uma pose casual, enquanto ela arrumava suas coisas. Manteve os braços cruzados de uma forma que de algum modo sabia que a deixaria enraivecida e a perna direita ligeiramente dobrada, apoiando a ponta da bota no chão.

– Não se esqueça do vestido – disse ele, como se quisesse ajudar.

Ela olhou para ele furiosa.

– O feio – acrescentou Benedict, como se fosse necessário.

– Os dois são feios – disparou ela.

Ah, uma reação.

– Eu sei.

Sophie voltou a enfiar os pertences na bolsa.

Ele fez um gesto amplo com o braço.

– Sinta-se à vontade para levar uma lembrança.

Ela se endireitou, plantando as mãos nos quadris com irritação.

– Isso inclui o serviço de chá de prata? Porque eu poderia viver por vários anos com o que pagariam por ele.

– Claro que você pode levar o serviço de chá – respondeu ele com cordialidade –, já que não ficará sem a minha companhia.

– Eu não serei sua amante – sibilou ela. – Eu já disse que não farei isso. Não *posso*.

Alguma coisa no uso da expressão "não posso" pareceu significativa para Benedict. Ele ficou pensativo por alguns instantes enquanto ela reunia o restante dos pertences e fechava o cordão da sacola.

– Já chega – murmurou ele.

Sophie o ignorou, seguindo na direção da porta e lançando um olhar acintoso para ele.

Benedict sabia que ela queria que ele se afastasse para deixá-la passar. Não mexeu um músculo, exceto pelo dedo que passou pelo maxilar em um gesto de reflexão.

– Você é uma filha ilegítima – falou.

O sangue se esvaiu do rosto de Sophie.

– É, sim – insistiu ele, mais para si mesmo do que para ela.

Estranhamente, sentiu-se aliviado com a revelação. Isso explicava a rejeição de Sophie, que não tinha nada a ver com ele e tudo a ver com ela.

Fez com que sua dor cessasse.

– Eu não me importo com isso – garantiu ele, tentando não sorrir.

Era um momento sério, mas, por Deus, ele queria sorrir, porque agora ela iria para Londres com ele e seria sua amante. Não havia mais obstáculos e...

– Você não entendeu nada – retrucou Sophie, balançando a cabeça. – Não é porque não me acho boa o bastante para ser sua amante.

– Eu cuidaria de quaisquer filhos que viéssemos a ter – disse ele solenemente, afastando-se da porta.

Sophie ficou ainda mais rígida, se é que isso era possível.

– E a sua esposa?

– Eu não sou casado.

– Nunca vai ser?

Ele ficou paralisado. A imagem da dama do baile de máscaras surgiu em sua mente. Ele a visualizava de várias formas. Às vezes, usando o vestido de baile prateado, às vezes sem roupa alguma.

Às vezes ela usava um vestido de noiva.

Sophie estreitou os olhos ao observar o rosto de Benedict, e então bufou com ironia ao passar por ele.

Ele a seguiu.

– Não é uma pergunta justa, Sophie – retrucou ele, colado aos calcanhares dela.

Ela continuou o caminho pelo corredor, sem parar nem mesmo quando chegou à escada.

– Eu acho que é mais do que justa.

Ele correu pela escada até ficar à frente dela, interrompendo sua trajetória.

– Eu preciso me casar um dia.

Sophie parou. Teve que parar, pois ele estava bloqueando a passagem.

– Sim, precisa – disse ela. – Mas eu não preciso me tornar amante de ninguém.

– Quem era seu pai, Sophie?

– Não sei – mentiu ela.

– Quem era sua mãe?

– Ela morreu ao me dar à luz.

– Achei que você tivesse dito que ela era uma governanta.

– Eu claramente distorci a realidade – retrucou ela, sem se importar com o fato de ter sido flagrada numa mentira.

– Onde você foi criada?

– Não interessa – disse ela, tentando passar por ele.

Benedict segurou o braço dela com uma das mãos, mantendo-a parada.

– Eu quero saber.

– Me deixe passar!

O grito dela rompeu o silêncio do corredor, alto o bastante para que os Crabtrees aparecessem para salvá-la. Só que a governanta fora à cidade e o Sr. Crabtree também estava fora da casa, longe demais para escutá-la. Não havia ninguém para ajudá-la: Sophie se encontrava à mercê dele.

– Eu não posso deixá-la ir – sussurrou ele. – Você não nasceu para uma vida de servidão. Isso vai matá-la.

– Se fosse me matar – respondeu ela –, eu já estaria morta há muitos anos.

– Mas você não precisa mais fazer isso – insistiu Benedict.

– Não ouse fingir que isto é para o meu bem – disse ela, quase tremendo. – Você não está fazendo isso porque se preocupa comigo. Só não gosta de ser contrariado.

– Isso é verdade – admitiu ele –, mas eu também não quero vê-la sem rumo.

– Passei a vida inteira dessa forma – sussurrou ela, sentindo a ardência traiçoeira das lágrimas nos olhos.

Por Deus, ela não queria chorar na frente daquele homem. Não agora, não quando estava se sentindo tão fora de prumo e fragilizada.

Ele tocou o queixo dela.

– Deixe-me ser o seu leme.

Sophie fechou os olhos. O toque dele foi dolorosamente suave, e parte dela quis muito aceitar a oferta, deixar a vida que fora obrigada a viver e tentar a sorte com ele, com aquele homem maravilhoso, incrível e irritante que assombrava seus sonhos havia anos.

Mas a dor de sua infância ainda estava nítida demais em suas lembranças. O estigma de sua ilegitimidade parecia uma marca em sua alma. Ela não faria isso com outra criança.

– Não posso – murmurou. – Eu queria...

– O que você queria? – perguntou ele com urgência.

Ela balançou a cabeça. Estava prestes a falar que queria poder aceitar, mas sabia que fazer isso seria imprudente. Ele se agarraria a essa afirmação para retomar a proposta.

E faria com que fosse ainda mais difícil dizer não.

– Então você não me deixa escolha – declarou ele com severidade.

Os olhos dos dois se encontraram.

– Ou você vem comigo para Londres e – ele levantou a mão pedindo silêncio quando ela tentou protestar – eu consigo um emprego para você na casa da minha mãe –acrescentou enfaticamente.

– Ou? – perguntou ela, com a voz taciturna.

– Ou eu terei que informar ao magistrado que você me roubou.

De repente ela sentiu a boca ficar amarga.

– Você não faria isso – murmurou.

– Eu não *quero* fazer.

– Mas faria.

Ele assentiu.

– Faria.

– Eu seria enforcada – disse ela. – Ou enviada para a Austrália.

– Não se eu pedisse outra coisa.

– E o que você pediria?

Os olhos castanhos dele estavam estranhamente indiferentes, e de súbito Sophie se deu conta de que Benedict não estava gostando mais do que ela da conversa.

– Que você fosse libertada sob minha custódia – respondeu ele.

– Isso seria muito conveniente para você.

Os dedos dele, que estavam tocando o queixo dela o tempo todo, escorregaram para o ombro.

– Só estou tentando salvá-la de si mesma.

Sophie foi até uma janela próxima e olhou para fora, surpresa por ele não ter tentado impedi-la.

– Você está me fazendo odiá-lo, sabia? – disse ela.

– Eu posso viver com isso.

Ela deu um breve aceno com a cabeça.

– Vou esperá-la na biblioteca, então. Gostaria de partir hoje.

Benedict a viu se afastar e ficou absolutamente imóvel enquanto a porta da biblioteca se fechava atrás dela. Sabia que ela não iria fugir. Não era do tipo que não honra a própria palavra.

Ele não podia deixar Sophie ir embora. *Ela* partira – a maravilhosa e misteriosa "ela", pensou com um sorriso amargo –, a única mulher que tocara seu coração.

A mesma mulher que sequer lhe dissera o próprio nome.

Mas agora havia Sophie, e ela mexia com ele de uma forma que Benedict não sentia desde o baile de máscaras. Estava cansado de se consumir por uma mulher que praticamente não existia. Sophie estava ali, e seria dele.

Além disso, pensou com determinação, Sophie *não* iria deixá-lo.

– Eu posso viver com você me odiando – disse ele em direção à porta fechada. – Só não posso viver sem você.

CAPÍTULO 13

Foi informado anteriormente nesta coluna que esta autora previu um possível casamento entre a Srta. Rosamund Reiling e o Sr. Phillip Cavender. Podemos agora dizer que não é provável que isso vá acontecer.

Dizem que Lady Penwood (mãe da Srta. Reiling) tem afirmado que não se contentará com um simples senhor, embora o pai de sua filha, ainda que com certeza tenha sido bem-nascido, não fosse membro da aristocracia.

Sem mencionar, é claro, o fato de que o Sr. Cavender começou a demonstrar um claro interesse pela Srta. Cressida Cowper.

CRÔNICAS DA SOCIEDADE DE LADY WHISTLEDOWN,
9 DE MAIO 1817

Sophie começou a se sentir mal no instante em que a carruagem deixou o Meu Chalé. Quando pararam para passar a noite numa pousada em Oxfordshire, ela estava inegavelmente enjoada. E ao chegarem aos arredores de Londres... Bem, ela tinha quase certeza de que iria vomitar.

De alguma forma, Sophie conseguiu manter o conteúdo do estômago no devido lugar, mas conforme a carruagem percorria as ruas desordenadas de Londres, ela começou a sentir uma grande apreensão.

Não, não era apreensão. Era uma sensação de condenação.

Estavam no mês de maio, o que significava que a temporada seguia a pleno vapor. E isso queria dizer que Araminta se encontrava na casa da cidade.

O que, por sua vez, significava que a chegada de Sophie era uma péssima ideia.

– Péssima – murmurou ela.

Benedict olhou para ela.

– Você disse alguma coisa?

Ela cruzou os braços com ar de rebeldia.

– Só que você é um homem péssimo.

Ele riu. Ela sabia que ele faria isso, e mesmo assim ficou irritada.

Benedict afastou a cortina da janela e olhou para fora.

– Estamos quase chegando – falou.

Ele dissera que a levaria direto para a casa da mãe. Sophie se lembrava da mansão na Grosvenor Square como se tivesse estado lá na noite anterior. O salão de baile era imenso, com centenas de candeeiros nas paredes, cada um ostentando uma vela de cera de abelha perfeita. Os ambientes menores eram decorados em estilo Adam, com tetos refinadamente trabalhados e paredes claras, em tons pastel.

Era literalmente a casa dos sonhos de Sophie. Em todos os sonhos com Benedict e o futuro fictício dos dois juntos, ela sempre se via ali. Sabia que era uma tolice, já que ele era o segundo filho e, portanto, não herdaria a propriedade. Ainda assim, era a construção mais linda que ela já vira, e de qualquer maneira sonhos não tinham compromisso com a realidade. Se Sophie quisesse sonhar que morava no palácio de Kensington, era uma prerrogativa sua.

É claro, pensou, com um sorriso irônico, que era provável que jamais visse o interior do palácio de Kensington.

– Por que está sorrindo? – perguntou Benedict.

Ela não se deu ao trabalho de olhar para ele ao responder:

– Estou tramando a sua morte.

Ele sorriu – não que ela estivesse olhando, mas conseguia sentir pela respiração dele.

Sophie detestava ser tão sensível a cada nuance de Benedict. Sobretudo por estar cada vez mais desconfiada de que ele tinha a mesma sensibilidade em relação a ela.

– Pelo menos parece divertido – comentou ele.

– O que parece divertido? – indagou ela, desviando enfim o olhar da bainha da cortina, que já encarava havia bastante tempo.

– Tramar minha morte – retrucou Benedict, dando um divertido sorriso de lado. – Se vai me matar, é melhor que se divirta, porque Deus sabe que eu não vou me divertir.

Ela ficou boquiaberta.

– Você é louco – falou.

– Devo ser. – Ele deu de ombros de maneira casual antes de se ajeitar no assento e apoiar os pés no banco à frente. – Afinal de contas, eu praticamente a sequestrei. Talvez seja a coisa mais louca que já fiz.

– Você poderia me deixar ir agora – comentou ela, embora soubesse que ele jamais faria isso.

– Aqui em Londres? Onde você poderia ser atacada por salteadores a qualquer instante? Seria muito irresponsável da minha parte, não acha?

– Não chega nem aos pés de me raptar!

– Na verdade, eu não a raptei – disse ele, examinando as próprias unhas distraidamente. – Eu a chantageei. Há uma grande diferença entre as duas coisas.

O sacolejo que a carruagem deu ao parar a poupou de ter que responder.

Benedict abriu as cortinas uma última vez, então as fechou de novo.

– Ah. Chegamos.

Sophie esperou que ele saltasse e então se dirigiu à porta do veículo. Considerou por um instante ignorar a mão estendida dele e descer sozinha, mas a carruagem era muito alta e ela realmente não queria fazer papel de boba tropeçando e caindo na sarjeta.

Seria ótimo insultá-lo, mas não ao custo de um tornozelo torcido. Dando um suspiro, segurou a mão dele.

– Muito inteligente de sua parte – murmurou Benedict.

Sophie lançou-lhe um olhar rápido. Como ele sabia o que ela estava pensando?

– Eu quase sempre sei o que você está pensando – continuou ele.

Ela tropeçou.

– Opa! – falou Benedict, segurando-a com rapidez antes que ela caísse.

Ele a manteve em suas mãos apenas um instante além do necessário antes de depositá-la na calçada. Sophie teria dito alguma coisa se não estivesse com os dentes cerrados demais.

– Você não morre de rir das ironias da vida? – perguntou Benedict, com um sorriso malicioso.

Ela fez um esforço para abrir a boca.

– Não, mas *você* pode muito bem morrer.

Ele riu, o desgraçado.

– Venha – disse Benedict. – Vou apresentá-la à minha mãe. Tenho certeza de que ela vai encontrar um emprego para você.

– Pode não haver nenhuma vaga disponível – observou Sophie.

Ele deu de ombros.

– Ela me ama. Vai arranjar alguma coisa.

Sophie ficou parada, recusando-se a dar um único passo antes de deixar as coisas muito claras.

– Eu não vou ser sua amante.

Benedict tinha uma expressão extremamente afável quando murmurou:

– Sim, você já falou isso.

– Não, eu estou querendo dizer que o seu plano não vai funcionar.

– Eu tenho um plano? – perguntou ele com ar de completa inocência.

– Ora, por favor – zombou ela. – Você vai tentar me vencer pelo cansaço, até que eu ceda.

– Eu nem sonharia com isso.

– Tenho certeza de que sonha com muito mais – resmungou ela.

Benedict deve tê-la escutado, porque riu. Sophie cruzou os braços, enfurecida, sem se importar em parecer bastante indigna naquela posição, parada na calçada à vista do mundo. De qualquer maneira, ninguém notaria sua presença, vestida naquelas roupas de criada. Pensou que podia ver as coisas de forma mais favorável e pensar em sua nova posição com mais otimismo, mas naquele momento preferiu ficar emburrada.

Francamente, achava que merecia. Se alguém tinha o direito de ficar emburrada e irritada, essa pessoa era ela.

– Podemos ficar parados aqui na calçada o dia inteiro – disse Benedict, com alguma ironia.

Ela estava prestes a lhe lançar um olhar raivoso quando percebeu onde os dois estavam. Não era a Grosvenor Square. Sophie nem sequer tinha certeza de que lugar era aquele. Ficava em Mayfair, sem dúvida, mas a casa diante deles por certo não era aquela a que ela comparecera anos antes, no baile de máscaras.

– Hã, esta é a Casa Bridgerton? – perguntou ela.

Ele levantou uma sobrancelha.

– Como sabia que a casa da minha família se chama Casa Bridgerton?

– Você falou.

O que, ainda bem, era verdade. Ele mencionara tanto a Casa Bridgerton quanto a propriedade rural da família, Aubrey Hall, diversas vezes durante conversas que tiveram.

– Ah. – Ele pareceu aceitar a explicação. – Bem, na verdade não moramos mais lá. Deixamos a Casa Bridgerton há quase dois anos. Minha mãe ofereceu um último baile, um baile de máscaras, na realidade, e então entregou a residência a meu irmão e a esposa dele. Ela sempre disse que sairíamos de lá assim que ele se casasse e começasse a própria família. Acho que o primeiro filho dele nasceu apenas um mês depois que nos mudamos.

– Foi um menino ou uma menina? – perguntou Sophie, embora soubesse a resposta.

Lady Whistledown sempre dava esse tipo de informação.

– Um menino. Edmund. Eles tiveram outro bebê, Miles, no começo deste ano.

– Que felicidade para eles – murmurou Sophie, embora tenha sentido um aperto no peito.

Era provável que não fosse ter seus próprios filhos, e essa foi uma das conclusões mais tristes a que já chegara. Filhos exigiam um marido, e o casamento parecia um sonho impossível. Como não fora educada para ser uma criada, tinha muito pouco em comum com os homens que conhecia na vida cotidiana. Não que os outros criados não fossem pessoas boas e honradas, mas era difícil imaginar dividir a vida com uma pessoa que, por exemplo, não sabia ler.

Sophie não precisava se casar com alguém particularmente bem-nascido, mas até mesmo a classe média estava fora do seu alcance. Nenhum comerciante respeitado desposaria uma arrumadeira.

Benedict fez um sinal para que ela o seguisse e os dois chegaram aos degraus da entrada. Sophie balançou a cabeça.

– Vou usar a porta lateral.

Ele apertou os lábios.

– Você vai usar a porta da frente.

– Vou usar a porta lateral – insistiu ela com firmeza. – Nenhuma mulher de berço contratará uma criada que entra pela porta da frente.

– Você está comigo – resmungou ele. – Usará a entrada da frente.

Ela deixou escapar uma risada.

– Benedict, ontem mesmo você queria que eu me tornasse sua amante. Você ousaria trazer sua amante para conhecer sua mãe pela porta da frente?

Ela o confundiu com esse argumento e sorriu ao vê-lo contorcer o rosto de frustração.

Fazia dias que não se sentia tão bem.

– Você sequer traria a sua amante para conhecê-la – continuou ela, principalmente para torturá-lo ainda mais.

– Você não é minha amante – reagiu ele.

– De fato.

Ele empinou o queixo e a fitou direto nos olhos com uma fúria mal contida.

161

– Você é uma reles arrumadeirazinha – falou em um tom de voz baixo – porque insistiu em ser. E, como arrumadeira, você é, mesmo que num nível baixo da escala social, ainda absolutamente respeitável. Com toda a certeza, respeitável o suficiente para a minha mãe.

O sorriso de Sophie ficou hesitante. Talvez o tivesse provocado demais.

– Muito bem – resmungou Benedict assim que ficou claro que ela não iria mais discutir a questão. – Venha comigo.

Sophie o seguiu degraus acima. Isso poderia, na realidade, funcionar a seu favor. Era claro que a Sra. Bridgerton não contrataria uma criada que tivesse a audácia de usar a porta da frente. E, como ela se recusara de todas formas possíveis em ser amante de Benedict, ele teria que aceitar a derrota e permitir que ela retornasse para o campo.

Ele abriu a porta da frente e segurou-a para que Sophie passasse. O mordomo chegou em segundos.

– Wickham, por favor informe à minha mãe que estou aqui – pediu.

– Farei isso, Sr. Bridgerton – respondeu o mordomo. – E deixe-me tomar a liberdade de lhe dizer que ela esteve bastante curiosa quanto ao seu paradeiro na última semana.

– Eu ficaria impressionado se ela não tivesse ficado – respondeu Benedict.

Wickham fez um aceno com a cabeça na direção de Sophie com uma expressão ao mesmo tempo de curiosidade e desdém.

– Posso informá-la da chegada da sua convidada?

– Por favor.

– Devo informar-lhe a identidade dela?

Sophie olhou para Benedict com grande interesse, imaginando o que ele iria dizer.

– O nome dela é Srta. Beckett – respondeu ele. – Está aqui em busca de emprego.

Wickham levantou uma das sobrancelhas. Sophie ficou surpresa. Ela achava que mordomos não deveriam transparecer quaisquer emoções.

– Como criada? – questionou ele.

– Como qualquer coisa – retrucou Benedict, começando a demonstrar os primeiros traços de impaciência.

– Muito bem, Sr. Bridgerton – disse Wickham, desaparecendo escada acima.

– Acredito que ele não achou que tudo estava bem, não – sussurrou Sophie para Benedict, tendo o cuidado de esconder o sorriso.

– Wickham não está no comando aqui.

Sophie deu um suspiro de desdém.

– Imagino que ele discordaria disso.

Ele olhou para ela com descrença.

– Ele é o mordomo.

– E eu sou uma arrumadeira. Sei tudo sobre mordomos. Mais do que você, ouso dizer.

Ele estreitou os olhos.

– Você age menos como arrumadeira do que qualquer mulher que eu conheça.

Sophie deu de ombros e fingiu observar um quadro de natureza-morta na parede.

– O senhor desperta o pior que há em mim, Sr. Bridgerton.

– Benedict – sibilou ele. – Você já me chamou pelo primeiro nome antes. Use-o agora.

– Sua mãe está prestes a descer – lembrou ela –, e o senhor quer que ela me contrate como arrumadeira. Muitos dos seus criados o chamam pelo primeiro nome?

Benedict olhou furioso para ela, e Sophie viu que ele entendeu que ela tinha razão.

– Não se pode ter tudo, Sr. Bridgerton – concluiu ela, permitindo-se um sorrisinho.

– Eu só queria uma coisa – murmurou ele.

– Benedict!

Sophie ergueu o olhar e viu uma mulher pequena e elegante descendo a escada. Ela tinha a pele mais clara que a de Benedict, mas seus traços não deixavam dúvidas de que era sua mãe.

– Mamãe – disse ele, indo ao encontro dela no pé da escada. – Que bom ver a senhora.

– Seria melhor vê-lo se eu soubesse por onde andou na última semana – retrucou ela. – A última notícia que tive foi de que tinha saído para a festa de Cavender e depois todos retornaram sem você.

– Eu saí da festa mais cedo e fui para o Meu Chalé – respondeu ele.

A mãe suspirou.

– Imagino que eu não possa esperar que me avise de cada movimento seu agora que já está com 30 anos.

Benedict deu um sorriso indulgente.

Ela se virou para Sophie.

– Essa deve ser a Srta. Beckett.

– Exato – confirmou Benedict. – Ela salvou a minha vida durante minha estada no Meu Chalé.

– Eu não... – começou a dizer Sophie.

– Salvou, sim – interrompeu Benedict com delicadeza. – Fiquei doente por causa da chuva e ela cuidou de mim até que eu ficasse bom.

– O senhor teria se recuperado sem mim – insistiu ela.

– Mas não tão rápido ou com tanto conforto – contestou Benedict, dirigindo-se à mãe.

– Os Crabtrees não estavam em casa? – perguntou Violet.

– Não quando chegamos – informou Benedict.

Violet olhou para Sophie com uma curiosidade tão evidente que Benedict enfim se viu forçado a explicar:

– A Srta. Beckett era empregada dos Cavenders, mas certas circunstâncias tornaram sua permanência na casa deles impossível.

– Entendo – disse Violet de maneira pouco convincente.

– O seu filho me salvou de um destino bastante desagradável – comentou Sophie baixinho. – Sou muito grata a ele.

Benedict olhou para ela surpreso. Considerando o nível de hostilidade de Sophie em relação a ele, não esperava que ela se referisse a ele de forma tão elogiosa. Então pensou que devia ter esperado exatamente isso. Sophie era uma jovem de princípios, não era do tipo que deixa a raiva interferir na honestidade.

Era uma das coisas que mais gostava nela.

– Entendo – retrucou Violet mais uma vez, agora com mais convicção.

– Eu estava esperando que a senhora arranjasse um emprego para ela aqui – observou Benedict.

– Só se não for causar nenhum problema – Sophie apressou-se a acrescentar.

– Não – afirmou Violet devagar, olhando para Sophie com uma expressão curiosa. – Não, não será problema algum, mas...

Tanto Benedict quanto Sophie se inclinaram para a frente, à espera do restante da frase.

– Já nos conhecemos? – perguntou Violet de repente.

– Creio que não – disse Sophie, gaguejando um pouco. Como Lady Bridgerton podia achar que a conhecia? Tinha certeza de que seus caminhos não haviam se cruzado no baile de máscaras. – Não posso imaginar como poderíamos ter nos conhecido.

– Você tem razão – falou Violet com um aceno de mão. – Há algo vagamente familiar em você, mas devo ter apenas conhecido alguém com traços parecidos. Acontece o tempo todo.

– Sobretudo comigo – comentou Benedict com um sorriso torto.

Violet olhou para ele com afeição evidente.

– Não é minha culpa se todos os meus filhos são tão parecidos.

– Se a culpa não é sua, de quem é, então? – perguntou Benedict.

– Do seu pai, é claro – retrucou Violet alegremente. Então se virou para Sophie: – Todos são idênticos ao meu finado marido.

Sophie sabia que deveria permanecer em silêncio, mas o momento era tão encantador e confortável que ela comentou:

– Acho que seu filho se parece com a senhora.

– Acha mesmo? – atalhou Violet, juntando as mãos, deliciada. – Que ótimo! E eu que sempre me considerei um receptáculo para a família Bridgerton.

– Mamãe! – ralhou Benedict.

Ela suspirou.

– Estou sendo franca demais? Quanto mais envelheço, mais faço isso.

– A senhora está longe de ser velha, mamãe.

Ela sorriu.

– Benedict, por que não vai ver suas irmãs enquanto eu levo a Srta. Bennett...

– Beckett – corrigiu ele.

– Sim, é claro, Beckett – murmurou ela. – Eu a levarei para cima, para que se instale.

– Basta que me apresente à governanta – atalhou Sophie.

Era muito estranho a própria dona da casa se preocupar com a contratação de uma arrumadeira. É verdade que toda a situação era incomum, com o pedido de Benedict de que ela fosse admitida, mas era muito esquisito que Lady Bridgerton se interessasse pessoalmente por ela.

– Tenho certeza de que a Sra. Watkins está ocupada – retrucou Violet. – Além disso, creio que estejamos precisando de mais uma camareira no andar de cima. Tem alguma experiência nessa área?

Sophie assentiu.

– Ótimo. Imaginei que sim. Você fala muito bem.

– Minha mãe era governanta – comentou Sophie de forma automática. – Ela trabalhava para uma família muito generosa e...

Ela se calou, horrorizada, recordando tarde demais que contara a verdade a Benedict, que sua mãe morrera ao lhe dar à luz. Lançou um olhar nervoso para ele, que respondeu inclinando o queixo com ironia, dando a entender que não iria desmenti-la.

– A família para quem ela trabalhava era muito generosa – continuou Sophie, dando um suspiro de alívio –, e seus patrões permitiram que eu tivesse várias aulas com as filhas deles.

– Entendo – comentou Violet. – Isso explica muita coisa. Acho difícil acreditar que estivesse trabalhando como arrumadeira. Você claramente tem formação suficiente para almejar posições mais altas.

– Ela lê muito bem – disse Benedict.

Sophie olhou para ele surpresa.

Ele a ignorou, preferindo dirigir-se à mãe:

– Ela leu muito para mim durante minha recuperação.

– Sabe escrever também? – perguntou Violet.

Sophie assentiu.

– Minha caligrafia é muito boa.

– Ótimo. É sempre útil ter um par extra de mãos à disposição quando precisamos enviar convites. E temos um baile marcado para o final do verão. Duas de minhas filhas estão debutando este ano – explicou ela a Sophie. – Tenho esperanças de que uma delas escolha um marido antes do final da temporada.

– Não creio que Eloise queira se casar – comentou Benedict.

– Não diga isso – pediu Violet.

– Uma declaração dessas é um sacrilégio por aqui – explicou ele a Sophie.

– Não dê atenção a ele – alertou Violet, a caminho da escada. – Venha comigo, Srta. Beckett. Como disse que é o seu primeiro nome?

– Sophia. Sophie.

– Venha comigo, Sophie. Vou apresentá-la às meninas. E – acrescentou, franzindo a testa em uma expressão de desagrado – vamos encontrar algo novo para você usar. Não podemos ter uma criada se vestindo tão mal. Podem dizer que não lhe pagamos um salário justo.

Como nunca tinha visto membros da sociedade preocupados em pagar salários justos aos criados, Sophie ficou tocada com a generosidade de Lady Bridgerton.

– E você – disse Violet a Benedict –, espere por mim aí embaixo. Temos muito o que conversar.

– Estou morrendo de medo – comentou ele com indiferença.

– Entre ele e o irmão, não sei qual dos dois irá me matar primeiro – murmurou Violet.

– Qual irmão? – Sophie perguntou.

– Qualquer um dos dois. Ambos. Os três. Um bando de patifes.

Mas eram patifes que ela evidentemente amava. Sophie percebeu isso na forma como ela falava deles, pôde ver em seus olhos quando eles se iluminaram ao ver o filho.

Isso fez com que Sophie se sentisse solitária, melancólica e com inveja. Como sua vida poderia ter sido diferente se sua mãe tivesse sobrevivido ao parto... As duas poderiam não ter sido respeitáveis – a Sra. Beckett, uma amante, e Sophie, uma bastarda –, mas Sophie gostava de pensar que a mãe a teria amado.

O que era mais do que ela recebera de qualquer outro adulto, de seu pai inclusive.

– Venha comigo, Sophie – chamou Violet.

Sophie a seguiu escada acima imaginando por que, se estava apenas para começar em um novo emprego, se sentia como se estivesse entrando para uma nova família.

Foi uma sensação... boa.

E fazia muito tempo que ela não sentia algo bom na vida.

CAPÍTULO 14

Rosamund Reiling jura que viu Benedict Bridgerton de volta a Londres. Esta autora está inclinada a acreditar na veracidade da informação. A Srta. Reiling é capaz de localizar qualquer solteiro no meio de uma multidão.

Infelizmente para a Srta. Reiling, ela não parece conseguir conquistar um.

CRÔNICAS DA SOCIEDADE DE LADY WHISTLEDOWN,
12 DE MAIO DE 1817

Benedict mal dera dois passos na direção da sala de estar quando sua irmã Eloise veio em disparada pelo corredor. Como todos os Bridgertons, ela tinha cabelos castanhos espessos e um sorriso largo. Ao contrário de Benedict, no entanto, seus olhos eram verde-escuros – o mesmo tom dos de Colin, outro irmão.

O mesmo tom, ocorreu a ele, dos olhos de Sophie.

– Benedict! – gritou ela, atirando-se num forte abraço ao irmão. – Por onde você andou? Mamãe passou a semana toda reclamando, imaginando aonde você tinha ido.

– Que engraçado... Quando falei com ela, há menos de dois minutos, as reclamações eram sobre você, imaginando quando você enfim planejaria se casar.

Eloise fez uma careta.

167

– Quando conhecer alguém com quem valha a pena casar. Gostaria de conhecer alguém novo. Tenho a impressão de ver sempre as mesmas cem pessoas o tempo todo.

– Você realmente vê as mesmas cem pessoas o tempo todo.

– É isso que estou dizendo – retrucou ela. – Não há mais segredos em Londres. Eu já sei tudo sobre todo mundo.

– É mesmo? – perguntou Benedict, sem disfarçar o sarcasmo.

– Pode debochar à vontade – falou ela, empurrando-o com o dedo de uma forma que a mãe com certeza classificaria como pouco feminina –, mas não estou exagerando.

– Nem um pouquinho? – indagou ele sorrindo.

Ela olhou furiosa para ele.

– Por onde andou esta semana?

Ele entrou na sala de estar e se atirou num sofá. Talvez devesse ter esperado que ela se sentasse primeiro, mas Eloise era apenas sua irmã, afinal, e ele nunca sentia necessidade de fazer cerimônias quando estavam a sós.

– Fui à festa de Cavender – contou ele, apoiando os pés numa mesa baixa. – Foi horrível.

– Mamãe vai matar você se o pegar com os pés para cima – alertou Eloise, sentando-se numa poltrona na diagonal. – E por que a festa foi tão terrível?

– Por causa dos convidados. – Ele olhou para os próprios pés e decidiu deixá-los onde estavam. – O mais insuportável bando de palhaços inúteis que já conheci.

– Não precisa se incomodar em medir as palavras.

Benedict levantou uma sobrancelha diante do sarcasmo da irmã.

– A partir de agora, você está proibida de se casar com qualquer um que estava presente lá.

– Uma proibição que provavelmente não terei dificuldade em cumprir.

Ela bateu as mãos nos braços da poltrona. Benedict teve que sorrir. Eloise sempre fora um poço de energia.

– Mas isso não explica por onde você andou a semana inteira – comentou ela, estreitando os olhos ao fitá-lo.

– Alguém já lhe disse que você é intrometida demais?

– Ah, o tempo todo. Onde você estava?

– E insistente também.

– Não posso evitar. Onde você estava?

– Já mencionei que estou pensando em investir numa empresa que fabrica focinheiras para humanos?

168

Ela jogou uma almofada nele.

– Onde você estava?

– Acontece que a resposta não é nem um pouco interessante – comentou Benedict, atirando a almofada de volta para ela com delicadeza. – Eu estava no Meu Chalé, me recuperando de um resfriado horrível.

– Achei que já tivesse se recuperado.

Ele olhou para a irmã com uma expressão de espanto e contrariedade ao mesmo tempo.

– Como sabe disso?

– Eu sei de tudo. Você já deveria ter entendido isso. – Ela sorriu. – Resfriados podem ser terríveis. Você teve uma recaída?

Ele assentiu.

– Andei de carruagem aberta debaixo de chuva.

– Bem, não foi muito inteligente da sua parte.

– Há algum motivo pelo qual eu deva permitir que a boboca da minha irmã mais nova me insulte? – perguntou ele, olhando ao redor da sala como se dirigisse a questão a outra pessoa que não Eloise.

– Provavelmente pelo fato de eu fazer isso muito bem. – Ela deu um chute no pé dele, tentando tirá-lo da mesa. – Tenho certeza de que mamãe vai chegar a qualquer momento.

– Não, não vai – respondeu ele. – Ela está ocupada.

– Fazendo o quê?

Ele acenou com a mão para cima.

– Orientando a nova criada.

Ela se empertigou na poltrona.

– Nós temos uma nova criada? Ninguém me contou.

– Por Deus – comentou ele –, aconteceu algo que Eloise não sabe.

Ela se recostou de novo na poltrona e chutou o pé dele mais uma vez.

– Arrumadeira? Camareira? Faxineira? – perguntou.

– Qual a importância disso?

– É sempre bom saber o que é o quê.

– Camareira, eu acho.

Eloise levou meio segundo para digerir a informação.

– E como você sabe?

Benedict pensou que poderia muito bem dizer a verdade a ela. Deus sabia que ela estaria por dentro de toda a história até o fim do dia, mesmo que ele não contasse.

– Porque eu a trouxe para cá.

169

– A criada?

– Não, a mamãe. É claro que a criada.

– Desde quando você se ocupa da contratação dos empregados?

– Desde que essa jovem em especial salvou a minha vida ao cuidar de mim enquanto eu estive doente.

Eloise ficou boquiaberta.

– Você ficou tão doente assim?

Era melhor deixá-la acreditar que ele estivera à beira da morte. Um pouco de pena e preocupação poderia ajudá-lo da próxima vez que precisasse convencê-la a fazer alguma coisa.

– Já tinha estado melhor – respondeu ele com delicadeza. – Aonde você vai?

Ela já estava de pé.

– Vou procurar mamãe e conhecer a nova criada. Ela provavelmente irá servir a mim e a Francesca, agora que Marie foi embora.

– Vocês perderam sua camareira?

Eloise fez uma careta.

– Ela nos trocou por aquela detestável Lady Penwood.

Benedict teve que sorrir diante da descrição da irmã. Lembrava-se muito bem do único encontro que tivera com Lady Penwood. Ele também a tinha achado detestável.

– Lady Penwood é famosa por maltratar os criados. Já teve três camareiras este ano. Roubou a da Sra. Featherington bem debaixo do nariz dela, mas a pobre moça durou apenas duas semanas.

Benedict escutou o discurso da irmã com toda a paciência, espantado por simplesmente estar interessado. E, no entanto, por algum estranho motivo, estava.

– Marie voltará de joelhos em uma semana pedindo que a aceitemos de volta, pode escrever o que digo – afirmou Eloise.

– Eu sempre escrevo o que você diz – respondeu ele. – Só que nem sempre eu me importo.

– Você vai se arrepender de ter falado isso – retrucou Eloise, apontando o dedo para ele.

Benedict balançou a cabeça, dando um sorrisinho.

– Duvido.

– Humpf. Vou subir.

– Divirta-se.

Ela lhe mostrou a língua – com certeza um gesto nada adequado para uma moça de 21 anos – e saiu da sala. Benedict conseguiu aproveitar apenas três minutos de solidão antes de ouvir passos no corredor, indo ritmadamente em sua direção. Quando levantou o olhar, viu a mãe na porta da sala.

Ele se levantou de imediato. Certos modos podiam ser ignorados diante da irmã, mas nunca diante da mãe.

– Eu vi os seus pés em cima da mesa – disse Violet antes que ele pudesse sequer abrir a boca.

– Eu estava apenas polindo a madeira com minhas botas.

Violet levantou as sobrancelhas, foi até a poltrona deixada vaga por Eloise e se sentou.

– Muito bem, Benedict – falou. – Quem é ela?

– Está se referindo à Srta. Beckett?

Violet assentiu, com uma expressão séria.

– Não faço ideia – respondeu Benedict –, exceto pelo fato de que ela trabalhava para os Cavenders e, pelo jeito, era maltratada pelo filho deles.

Violet empalideceu.

– Ele...? Ah, minha nossa. Ela foi...?

– Acho que não – retrucou Benedict com ar grave. – Na verdade, tenho certeza de que não. Mas não por falta de tentativas da parte dele.

– Pobrezinha. Que sorte a dela que você estava lá para salvá-la.

Benedict percebeu que não queria reviver aquela noite no gramado dos Cavenders. Embora a fuga tivesse terminado de maneira bastante favorável, ele parecia não conseguir parar de pensar no que poderia ter acontecido. E se não tivesse chegado a tempo? E se Cavender e os amigos estivessem um pouco menos bêbados e um pouco mais obstinados? Sophie poderia ter sido violentada. *Teria sido* violentada.

E agora que ele a conhecia e passara a se importar com ela, essa simples ideia o fazia gelar.

– Bem, ela não é quem diz ser – garantiu Violet. – Disso, tenho certeza.

Benedict se empertigou.

– Por que acha isso?

– Ela é educada demais para ser arrumadeira. Os patrões da mãe podem ter permitido que ela fizesse algumas aulas com as filhas deles, mas todas? Duvido. Benedict, a menina fala francês!

– É mesmo?

– Bem, eu não posso ter certeza – admitiu Violet –, mas a peguei olhando para um livro escrito em francês em cima da escrivaninha de Francesca.

– Olhar não é o mesmo que ler, mamãe.

Ela lançou um olhar irritado para ele.

– Estou lhe falando que vi os olhos dela se movendo. Ela estava lendo.

– Se a senhora diz, deve ter razão.

Violet estreitou os olhos.

– Está sendo sarcástico?

– Em geral eu diria que sim – retrucou Benedict, sorrindo –, mas, neste caso, falei a sério.

– Talvez ela tenha sido rejeitada por uma família aristocrática – sugeriu Violet.

– Rejeitada?

– Por ter tido um filho – explicou ela.

Benedict não estava acostumado com a mãe falando de forma tão aberta.

– Hã, não – falou, pensando na firme recusa de Sophie em se tornar sua amante. – Acho que não.

Mas então pensou: por que não? Talvez ela se recusasse a pôr um filho ilegítimo no mundo porque já dera um à luz e não queria repetir o erro.

De repente ele sentiu um gosto amargo na boca. Se Sophie tivera um filho, então tivera um amante.

– Ou talvez – continuou Violet, gostando do assunto – ela seja filha ilegítima de um nobre.

Isso era bem mais plausível – e mais palatável.

– Seria de imaginar que ele teria deixado recursos suficientes para que ela não precisasse trabalhar como arrumadeira.

– Muitos homens simplesmente ignoram seus filhos ilegítimos – comentou Violet, franzindo o rosto de aversão. – É no mínimo escandaloso.

– Mais escandaloso do que *ter* filhos ilegítimos?

Violet fez uma expressão de mau humor.

– Além disso – continuou Benedict, recostando-se no sofá e apoiando um tornozelo no outro joelho –, se ela fosse a bastarda de um nobre e ele tivesse se preocupado com a educação dela quando criança, por que estaria completamente sem dinheiro agora?

– Hum, isso faz sentido. – Violet ficou tamborilando o indicador no rosto, com os lábios contraídos. – Mas não se preocupe – falou por fim. – Vou descobrir a identidade dela em um mês.

– Recomendo que peça ajuda a Eloise – sugeriu Benedict com a voz áspera.

Violet assentiu, pensativa.

– Boa ideia. Essa menina seria capaz de fazer Napoleão confessar seus segredos.

Benedict se levantou.

– Preciso ir. Estou cansado da estrada e gostaria de ir para casa.

– Você sempre pode se sentir em casa aqui.

Ele lhe deu um meio sorriso. A mãe adorava ter os filhos ao alcance da mão.

– Preciso voltar à minha própria casa – retrucou ele, abaixando-se para dar um beijo no rosto da mãe. – Obrigado por conseguir um emprego para Sophie.

– Quer dizer, para a Srta. Beckett? – perguntou Violet, curvando os lábios com ar travesso.

– Sophie, Srta. Beckett... – falou Benedict, fingindo indiferença. – Como quer que deseje chamá-la.

Quando saiu, ele não viu a mãe abrindo um largo sorriso às suas costas.

Sophie sabia que não devia se sentir muito confortável na Casa Bridgerton – afinal, ela partiria assim que conseguisse acertar tudo –, mas olhou ao redor do quarto, com certeza o melhor que já fora dado a qualquer criado, e pensou no comportamento amistoso e no sorriso simpático de Lady Bridgerton.

Simplesmente não pôde evitar o desejo de ficar ali para sempre.

Mas era impossível. Sabia disso tão bem quanto sabia que seu nome era Sophia Maria Beckett, não Sophia Maria Gunningworth.

Antes de qualquer coisa, havia sempre o perigo de acabar cruzando com Araminta, sobretudo agora que Lady Bridgerton a promovera de arrumadeira para camareira. Uma camareira poderia, por exemplo, ir como acompanhante em passeios fora da casa. Passeios a locais que Araminta e as meninas poderiam frequentar.

E Sophie não tinha dúvidas de que a madrasta encontraria uma maneira de transformar sua vida num inferno. Araminta a odiava de uma forma que desafiava a razão. Se visse Sophie em Londres, não se contentaria em apenas ignorá-la. Iria mentir, enganar e roubar apenas para dificultar a existência de Sophie.

Ela odiava a enteada o suficiente para isso.

Mas, se Sophie fosse honesta consigo mesma, reconheceria que o verdadeiro motivo pelo qual não podia permanecer em Londres não era Araminta. Era Benedict.

Como poderia evitá-lo morando na casa da mãe dele? Estava furiosa com ele naquele momento – mais do que furiosa, na verdade –, mas sabia, no fundo, que a raiva não duraria muito. Como seria capaz de resistir a ele um dia após o outro quando a simples visão dele a deixava fraca de desejo? Algum

173

dia, em breve, ele iria sorrir para ela, um daqueles seus sorrisos enviesados, e ela teria que se agarrar à mobília apenas para não desfalecer de forma patética.

Sophie se apaixonara pelo homem errado. Jamais poderia tê-lo da maneira que queria, e se recusava a ficar com Benedict nas condições que ele oferecia.

Não havia esperança.

Ela foi resgatada de quaisquer novos pensamentos deprimentes por uma batida rápida na porta. Quando disse "Sim?", a porta se abriu e Lady Bridgerton entrou no quarto.

Sophie se levantou no mesmo instante e fez uma reverência.

– Deseja alguma coisa, milady? – perguntou.

– Não, nada – respondeu Violet. – Estou apenas conferindo se você já está instalada. Precisa de alguma coisa?

Sophie piscou. Lady Bridgerton tinha acabado de perguntar se *ela* precisava de alguma coisa? Era o contrário do relacionamento normal entre dama e criada.

– Hã, não, obrigada – retrucou ela. – Mas eu adoraria fazer algo para a senhora.

Violet dispensou a oferta com um aceno de mão.

– Não há necessidade. Não precisa fazer nada hoje. Prefiro que se instale primeiro, para que não se distraia depois de começar.

Sophie olhou para a pequena mala que levara.

– Não tenho muito o que guardar. Com toda a sinceridade, eu adoraria começar a trabalhar agora mesmo.

– Bobagem. Já estamos quase no fim do dia, e de qualquer maneira não planejamos sair esta noite. As meninas e eu ficamos com apenas uma camareira durante a última semana, então com certeza sobreviveremos por mais uma noite.

– Mas...

Violet sorriu.

– Sem discussão, por favor. Um último dia livre é o mínimo que posso fazer depois de você ter salvado meu filho.

– Não fiz nada de mais – afirmou Sophie. – Ele teria ficado ótimo sem mim.

– Mesmo assim, você o ajudou quando ele precisou, e por isso me sinto em dívida.

– Foi um prazer – respondeu Sophie. – Era o mínimo que eu podia fazer depois do que ele fez por mim.

Então, para grande surpresa de Sophie, Violet entrou no quarto e se sentou na cadeira atrás da escrivaninha.

Escrivaninha! Sophie ainda tentava absorver isso. Que criada algum dia fora abençoada com uma escrivaninha?

– Então me diga, Sophie – falou Violet com uma expressão simpática que no mesmo instante a lembrou o sorriso fácil de Benedict. – De onde você é?

– Da Ânglia Oriental – respondeu Sophie, não vendo motivo para mentir. Os Bridgertons eram de Kent. Era pouco provável que Violet conhecesse Norfolk, onde Sophie fora criada. – Não muito longe de Sandringham, caso saiba onde fica.

– Sei, sim – afirmou Violet. – Nunca estive lá, mas ouvi dizer que é uma construção linda.

Sophie assentiu.

– É linda, sim. Claro que eu nunca entrei, mas a parte externa é linda.

– Onde sua mãe trabalhava?

– Em Blackheath Hall – respondeu Sophie, sem qualquer dificuldade para mentir. Já haviam lhe feito a mesma pergunta várias vezes. Fazia tempo que estabelecera um nome para seu lar fictício. – A senhora conhece?

Lady Bridgerton franziu a testa.

– Não, acho que não.

– Fica um pouco ao norte de Swaffham.

Lady Bridgerton balançou a cabeça.

– Não, não conheço.

Sophie deu um sorriso gentil.

– Pouca gente conhece.

– Você tem irmãos?

Sophie não estava acostumada com um patrão desejando saber tanto a respeito de sua origem familiar. Em geral, perguntavam apenas sobre os empregos anteriores e as referências.

– Não. Era só eu.

– Ah, bem, pelo menos você tinha a companhia das meninas com quem frequentava as aulas. Deve ter sido bom para você.

– Era divertido – mentiu Sophie.

Na verdade, estudar com Rosamund e Posy fora uma tortura. Ela gostava muito mais das aulas quando eram apenas ela e a tutora, antes de as duas terem ido morar em Penwood Park.

– Devo dizer que foi muito generoso da parte dos patrões da sua mãe. – Violet fez uma pausa e franziu a testa. – Como você disse que eles se chamavam mesmo?

– Grenville.

Violet franziu a testa mais uma vez.

– Não os conheço.

– Eles não vêm a Londres com frequência.

– Ah, bem, isso explica tudo – comentou Violet. – Mas, como eu estava dizendo, foi muito generoso permitir que você frequentasse as aulas com as filhas deles. O que você estudou?

Sophie ficou paralisada, sem saber se aquilo era um interrogatório ou se Lady Bridgerton estava de fato interessada. Ninguém nunca se dera o trabalho de mergulhar tão profundamente nas origens falsas que ela criara para si mesma.

– Hã, as disciplinas de sempre – desconversou. – Aritmética e literatura. História. Um pouco de mitologia. Francês.

– Francês? – perguntou Violet, parecendo bastante surpresa. – Que interessante. Tutoras francesas podem ser muito caras.

– A tutora falava francês – explicou Sophie –, de modo que não custava nada a mais.

– Como é o seu francês?

Sophie não iria contar a verdade e dizer que era perfeito. Ou quase. Ela ficara sem praticar nos últimos anos e perdera um pouco da fluência.

– É tolerável – falou. – Bom o bastante para me passar por uma criada francesa, se é o que deseja.

– Ah, não – retrucou Violet, rindo animadamente. – Por Deus, não. Sei que é a última moda ter criadas francesas, mas eu jamais pediria que fizesse todas as suas tarefas tentando se lembrar de falar com sotaque francês.

– Isso é muito gentil da sua parte – observou Sophie, tentando não transparecer a desconfiança.

Tinha certeza de que Lady Bridgerton era uma senhora boa. *Precisava* ser, para ter criado uma família tão boa. Mas aquilo era quase bom *demais*.

– Bem, é... hã, bom dia, Eloise. O que a traz aqui?

Sophie olhou para a porta e viu uma jovem que só poderia ser uma Bridgerton. Tinha os cabelos castanhos espessos presos com elegância na altura da nuca e a boca larga e expressiva, exatamente como a de Benedict.

– Benedict me contou que temos uma nova criada – disse ela.

Violet fez um sinal na direção de Sophie.

– Essa é Sophie Beckett. Estávamos só conversando. Acho que vamos nos dar muitíssimo bem.

Eloise encarou a mãe de maneira estranha – pelo menos na opinião de Sophie. Imaginou que talvez fosse possível que a jovem sempre a fitasse com um olhar de lado, meio confuso e desconfiado. Mas achou que não.

176

– Meu irmão me disse que você salvou a vida dele – comentou Eloise, virando-se da mãe para Sophie.

– Ele está exagerando – garantiu Sophie, dando um leve sorriso.

Eloise dirigiu-lhe um olhar estranhamente perspicaz e Sophie teve a clara impressão de que ela analisava seu sorriso, tentando decidir se a nova criada estava ou não sendo irônica a respeito de Benedict e, caso estivesse, se era de brincadeira ou por crueldade.

O instante pareceu durar uma eternidade, então Eloise curvou os lábios de um modo surpreendentemente maroto.

– Acho que minha mãe tem razão – falou. – Vamos nos dar muitíssimo bem.

Sophie achou que acabara de passar em algum tipo de teste fundamental.

– Já conheceu Francesca e Hyacinth? – perguntou Eloise.

Sophie balançou a cabeça ao mesmo tempo que Violet começava a explicar:

– Elas saíram. Francesca foi visitar Daphne e Hyacinth está na casa das Featheringtons. Ela e Felicity parecem ter superado a briga que tiveram e voltaram a ser inseparáveis.

Eloise riu.

– Pobre Penelope. Acho que ela devia estar aproveitando a relativa paz e tranquilidade sem Hyacinth por perto. Só sei que *eu* estava gostando de ter uma folga de Felicity.

Lady Bridgerton se virou para Sophie e contou:

– Minha filha Hyacinth passa mais tempo na casa da melhor amiga, Felicity Featherington, do que aqui. E, quando não está lá, Felicity está aqui.

Sophie sorriu e assentiu, imaginando por que elas estavam compartilhando aquele tipo de informação com ela. As duas a tratavam como parte da família, algo que sua própria família jamais fizera.

Era muito estranho.

Estranho e maravilhoso.

Estranho, maravilhoso e horrível.

Porque não poderia durar.

Mas quem sabe ela pudesse ficar apenas por um tempo. Não muito. Algumas semanas – talvez até mesmo um mês. Só o suficiente para pôr suas coisas e suas ideias em ordem. O suficiente para relaxar e fingir que era mais do que apenas uma criada.

Sabia que jamais seria parte da família Bridgerton, mas talvez tivesse a chance de ser uma amiga.

Fazia muito tempo que não era amiga de ninguém.

– Algum problema, Sophie? – perguntou Lady Bridgerton. – Está com uma lágrima no olho.

Sophie balançou a cabeça.

– É só um cisco – murmurou, fingindo se ocupar de desfazer sua pequena sacola de pertences.

Sabia que nenhuma das duas acreditara nela, mas não se importava muito.

E, embora não fizesse ideia de para onde iria quando saísse dali, teve a estranha sensação de que sua vida acabara de começar.

CAPÍTULO 15

Esta autora tem certeza de que a metade masculina da população não se interessará pela próxima parte da coluna. Assim, os homens estão liberados para passar direto por ela. No entanto, para as damas, esta autora será a primeira a informar que a família Bridgerton acabou sendo atraída para a batalha das criadas que vem sendo travada durante toda a temporada entre Lady Penwood e a Sra. Featherington. Pelo jeito, a camareira das meninas Bridgerton desertou para a casa das Penwoods, substituindo a criada que voltara para a casa das Featheringtons depois que Lady Penwood a obrigou a limpar trezentos pares de sapatos.

Ainda sobre os Bridgertons, Benedict está definitivamente de volta a Londres. Parece que ele adoeceu quando estava no campo e estendeu sua permanência. Seria de se desejar uma explicação mais interessante (sobretudo quando se trata de alguém como esta autora, que depende de histórias interessantes para ganhar a vida), mas, infelizmente, a história é apenas essa.

CRÔNICAS DA SOCIEDADE DE LADY WHISTLEDOWN,
14 DE MAIO DE 1817

N a manhã seguinte, Sophie havia conhecido cinco dos sete irmãos de Benedict. Eloise, Francesca e Hyacinth ainda moravam com a mãe, Anthony havia passado com o filho mais novo para tomar o café da manhã e Daphne – que agora era a duquesa de Hastings – fora chamada para ajudar Lady Bridgerton a planejar o baile do fim da temporada. Os únicos membros da família a que

Sophie ainda não fora apresentada eram Gregory, que estudava em Eton, e Colin, que estava, nas palavras de Anthony, sabe Deus onde.

No entanto, tecnicamente, Sophie já conhecera Colin – dois anos antes, no baile de máscaras. Ela ficou bastante aliviada por ele estar fora da cidade. Duvidava que a reconhecesse, afinal Benedict não a reconhecera, mas, de alguma forma, a ideia de encontrá-lo de novo era muito estressante e inquietante.

Não que isso devesse importar, ela pensou com pesar. Tudo parecia muito estressante e inquietante nos últimos dias. *Não* foi surpresa para Sophie que Benedict aparecesse na casa da mãe na manhã seguinte para o desjejum. Ela poderia ter conseguido evitá-lo, só que ele estava parado no corredor quando ela tentou descer para a cozinha, onde planejava tomar o café com os demais criados.

– E como foi sua primeira noite na Bruton Street número seis? – perguntou ele, dando um preguiçoso sorriso tipicamente masculino.

– Esplêndida – respondeu Sophie, dando um passo para o lado a fim de desviar dele.

Mas ele fez o mesmo movimento, bloqueando o caminho dela com eficiência.

– Que bom que está gostando – falou Benedict baixinho.

Sophie deu um passo para o outro lado.

– Eu *estava* – retrucou de forma enfática.

Benedict era cortês demais para dar outro passo para o outro lado, porém de alguma forma conseguiu se virar e se apoiar numa mesa de tal modo que mais uma vez impediu a passagem de Sophie.

– Alguém já fez um tour pela casa com você? – quis saber ele.

– A governanta.

– E pelos jardins?

– Não há jardins.

Ele sorriu, com o olhar caloroso e sedutor.

– Há um jardim, pelo menos.

– Do tamanho de uma nota de uma libra – retrucou ela.

– Mesmo assim...

– Mesmo assim – interrompeu Sophie –, eu preciso tomar o café da manhã.

Ele deu um passo galante para o lado.

– Até a próxima vez – murmurou.

Sophie teve a nítida sensação de que a próxima vez seria muito em breve.

Trinta minutos depois, ela saiu devagar da cozinha, meio que esperando que Benedict saltasse diante dela saído de algum canto. Bem, talvez não estivesse meio que esperando. A julgar pela forma como mal conseguia respirar, estava esperando por inteiro.

Mas ele não apareceu.

Sophie seguiu em frente devagar. Com certeza ele desceria a escada a qualquer momento, encurralando-a.

Mais uma vez, nenhum sinal dele.

Sophie abriu a boca, então mordeu a língua quando se deu conta de que estava prestes a dizer o nome dele.

– Garota burra – murmurou.

– Quem é burra? – perguntou Benedict. – Com certeza, não *você*.

Sophie deu um salto de quase meio metro.

– De onde você surgiu? – indagou ela assim que recuperou o fôlego.

Ele apontou para uma porta aberta.

– Dali – falou, com a voz inocente.

– Então agora você está surgindo de dentro de *armários*?

– É claro que não. – Ele fez ar de ofendido. – Ali é uma escada.

Sophie espiou ao redor dele. Era a escada lateral. A usada pelos *criados*. Com certeza não era um lugar pelo qual um membro da família costumava circular.

– E você costuma descer furtivamente pela escada lateral? – perguntou ela, cruzando os braços.

Ele se inclinou para a frente, apenas o suficiente para deixá-la ligeiramente desconfortável e, embora Sophie jamais fosse admitir isso a ninguém – nem a si mesma –, ligeiramente excitada.

– Só quando quero surpreender alguém.

Ela tentou passar por ele.

– Preciso trabalhar.

– Agora?

Sophie rangeu os dentes.

– Sim, agora.

– Mas Hyacinth está tomando o café da manhã. Vai ser difícil conseguir vesti-la enquanto ela estiver comendo.

– Eu também cuido de Francesca e Eloise.

Benedict deu de ombros e deu um sorriso inocente.

– Elas estão tomando o café da manhã também. Na verdade, você não tem nada para fazer.

– O que mostra como você sabe pouco sobre trabalhar para viver – retrucou ela. – Eu preciso passar, costurar, polir...

– Eles a fazem polir a prataria?

– Sapatos! – exclamou Sophie, quase gritando. – Eu preciso polir os sapatos.

– Ah. – Ele se inclinou para trás, apoiando um ombro na parede e cruzando os braços. – Não parece nada interessante.

– E *não é* interessante – resmungou ela, tentando ignorar as lágrimas que de repente ardiam em seus olhos.

Sabia que sua vida era desinteressante, mas era doloroso ouvir alguém fazer essa observação.

Benedict ergueu um canto da boca num sorriso sedutor.

– Sua vida não *precisa* ser desinteressante, sabia?

Ela tentou passar por ele.

– Prefiro que seja.

Ele fez um aceno grandioso com o braço para o lado, abrindo caminho para Sophie.

– Se é o que deseja...

– É, sim. – Mas as palavras saíram sem qualquer firmeza. – *É*, sim – repetiu ela.

Ora, não fazia sentido mentir para si mesma. Ela não preferia. Não completamente. Mas era assim que devia ser.

– Você está tentando convencer a si mesma ou a mim? – indagou ele baixinho.

– Essa pergunta não é nem digna de resposta – retrucou ela.

Mas não o encarou nos olhos ao dizer isso.

– Então é melhor subir – observou Benedict, levantando uma sobrancelha quando ela não se mexeu. – Imagino que tenha muitos sapatos para polir.

Sophie saiu correndo pela escada – a usada pelos criados – e não olhou para trás.

$\backsim$

Depois, ele a encontrou no jardim – aquela minúscula faixa de grama a que ela se referira com tanta ironia (e precisão) pouco tempo antes como sendo do tamanho de uma nota de uma libra. As irmãs Bridgertons tinham ido visitar as irmãs Featheringtons, e Lady Bridgerton tirava um cochilo. Sophie passara todos os vestidos para a festa daquela noite, escolhera as fitas de cabelo para combinarem com cada modelo e polira sapatos suficientes para uma semana.

Com todo o trabalho pronto, Sophie decidiu fazer um intervalo e ler no jardim. Como Violet a autorizara a pegar quaisquer livros de sua pequena biblioteca, Sophie escolheu um romance publicado recentemente e se instalou numa cadeira de ferro forjado no pequeno pátio. Havia lido apenas um capítulo quando ouviu passos vindos da casa. De alguma forma, conseguiu não olhar até que uma sombra pairou sobre ela. Benedict, como era de se esperar.

– Você *mora* aqui? – perguntou Sophie com frieza.

– Não – respondeu ele, se atirando na cadeira ao lado da dela –, embora minha mãe sempre diga para eu me sentir em casa aqui.

Como não conseguiu pensar numa réplica inteligente, Sophie se limitou a soltar um "humpf" e enfiou o nariz de volta no livro.

Ele pôs os pés em cima da mesinha em frente.

– E o que você está lendo hoje?

– Essa pergunta pressupõe que eu esteja de fato lendo, o que com certeza não consigo fazer enquanto você está sentado aqui – retrucou Sophie, fechando o livro de repente, mas marcando a página com o dedo.

– Minha presença é tão irresistível assim, é?

– É tão *perturbadora* assim.

– Melhor do que desinteressante – observou ele.

– Eu gosto da minha vida desinteressante.

– Isso só pode querer dizer que você não compreende a natureza da animação.

A condescendência no tom dele era espantosa. Sophie agarrou o livro com tanta força que os nós dos dedos embranqueceram.

– Já tive animação suficiente na minha vida – garantiu ela, com os dentes cerrados. – Posso lhe garantir.

– Eu adoraria me aprofundar nesta conversa – observou Benedict com a fala arrastada –, mas você não demonstrou interesse *algum* em dividir comigo detalhe da sua vida.

– De fato, não demonstrei.

Ele estalou os lábios em desaprovação.

– Quanta hostilidade.

Sophie arregalou os olhos.

– Você me raptou...

– Convenci você a vir comigo – lembrou ele.

– Quer que eu bata em você?

– Eu não me importaria – disse ele com a voz suave. – E, além disso, agora que está aqui, foi tão terrível assim que eu a tenha coagido? Você gostou da minha família, não gostou?

– Gostei, mas...

– E todos lhe tratam bem, não tratam?

– Sim, mas...

– Então qual é o problema? – quis saber Benedict, em um tom bastante atrevido.

Sophie quase perdeu a paciência. Por um triz não saltou da cadeira, agarrou-o pelos ombros e o sacudiu, mas, no último instante, percebeu que era isso que ele queria que ela fizesse. Então, preferiu simplesmente empinar o nariz e dizer:

– Se não consegue reconhecer o problema, eu não teria como explicá-lo a você.

Ele riu, o desgraçado.

– Minha nossa – comentou –, que bela evasiva.

Ela abriu o livro.

– Eu estou lendo.

– Tentando, pelo menos – murmurou Benedict.

Ela virou uma página, embora não tivesse lido os dois últimos parágrafos. Na realidade, tentava apenas demonstrar que o estava ignorando. Além disso, poderia voltar e ler os dois parágrafos mais tarde, depois que ele fosse embora.

– Seu livro está de cabeça para baixo – observou ele.

Sophie arfou e olhou para baixo.

– Não está, não!

Ele sorriu com ar astuto.

– Mas você precisou checar para ter certeza, não foi?

Sophie se levantou e anunciou:

– Vou entrar.

Ele se levantou no mesmo instante.

– E deixar o esplêndido ar da primavera?

– E deixar *você* – retrucou ela, embora o gesto respeitoso dele não tenha passado despercebido.

Cavalheiros não costumavam se levantar para simples criadas.

– Uma pena – murmurou ele. – Eu estava me divertindo tanto...

Sophie imaginou quanto conseguiria machucar Benedict se atirasse o livro nele. Era provável que não o bastante para compensar a perda de sua dignidade.

Ela se espantava com a capacidade dele de enfurecê-la. Ela o amava desesperadamente – já desistira de mentir para si mesma quanto a isso – e, no entanto, Benedict era capaz de fazer todo o seu corpo tremer de raiva com apenas um gracejo.

– Adeus, Sr. Bridgerton.

Ele acenou para ela.

– Até mais tarde, tenho certeza.

Sophie parou por um instante, sem saber se gostava da atitude indiferente dele.

– Pensei que fosse entrar – disse ele, parecendo se divertir.

– E vou – afirmou ela.

Ele inclinou a cabeça para o lado, mas não falou nada. Não precisava. A ironia nos olhos dele foi o suficiente.

Sophie se virou e se dirigiu para a porta da casa, mas quando estava mais ou menos na metade do caminho o ouviu dizer:

– Seu vestido novo é muito bonito.

Ela parou e suspirou. Podia ter passado de falsa pupila de um conde a uma simples camareira, mas continuava tendo bons modos, logo não poderia ignorar um elogio. Voltou-se para Benedict e disse:

– Obrigada. Foi presente da sua mãe. Creio que tenha pertencido a Francesca.

Ele se apoiou na cerca, numa postura falsamente indolente.

– Dividir as roupas com as criadas é bastante comum, certo?

Sophie assentiu.

– Quando elas não estão mais sendo usadas, é claro. Ninguém daria um vestido novo a uma camareira.

– Entendo.

Sophie olhou para ele com desconfiança, imaginando por que ele se importava com as condições do vestido dela.

– Você não ia entrar? – perguntou Benedict.

– O que está tramando? – devolveu ela.

– Por que acha que estou tramando algo?

Ela contraiu os lábios antes de retrucar:

– Não seria você se não estivesse tramando algo.

Ele sorriu.

– Vou considerar isso um elogio.

– Talvez não tenha sido minha intenção.

– Mesmo assim, é como prefiro considerar – disse ele com delicadeza.

Como não soube ao certo como responder, Sophie ficou em silêncio. Também não continuou seu caminho em direção à porta. Não sabia por que, já que fora bem clara quanto ao desejo de ficar sozinha. Mas o que ela dizia e o que sentia nem sempre coincidiam. Seu coração desejava aquele homem, sonhava com uma vida que jamais poderia acontecer.

Ela não devia ficar com tanta raiva dele. Era verdade que Benedict não deveria tê-la forçado a ir para Londres contra a vontade, mas não podia culpá-lo por lhe oferecer a posição de amante dele. Ele fizera o que qualquer homem teria feito em sua situação. Sophie não tinha ilusões quanto ao seu lugar na sociedade de Londres. Ela era uma camareira. Uma criada. E a única coisa que a separava das outras camareiras e dos demais criados era que ela experimentara o luxo quando criança. Fora educada com carinho, ainda que sem amor, e a experiência moldara seus ideais e valores. Agora, ela ficaria eternamente presa entre dois mundos, sem lugar definido em nenhum deles.

– Você está muito séria – comentou ele baixinho.

Sophie o escutou, mas não conseguiu se desligar por completo dos próprios pensamentos.

Benedict deu um passo à frente. Estendeu a mão para tocar o queixo dela e então se controlou. Sophie tinha algo de intocável naquele instante, algo inalcançável.

– Não suporto quando fica com esse ar tão triste... – observou Benedict, surpreso com o que dissera.

Não pretendia falar nada, as palavras simplesmente saíram.

Ela olhou para ele.

– Não estou triste.

Ele balançou a cabeça bem de leve.

– Existe uma tristeza no fundo dos seus olhos. Quase sempre está lá.

Ela levou a mão ao rosto, como se essa tristeza fosse algo palpável, que pudesse ser tirada com a mão.

Benedict segurou a mão dela e a levou aos lábios.

– Gostaria que dividisse seus segredos comigo.

– Eu não tenho...

– Não minta – interrompeu ele, num tom mais severo do que o pretendido. – Você tem mais segredos do que qualquer mulher que... – Benedict parou de falar, com uma imagem súbita da mulher do baile de máscaras lhe passando pela cabeça. – Mais do que praticamente qualquer mulher que conheci – concluiu.

Ela o encarou por um instante, depois desviou o olhar.

– Não há nada de errado com segredos. Se eu preferir...

– Os seus segredos a estão comendo viva – disse ele de forma enfática. Não queria ficar ali parado ouvindo as desculpas dela, e sua frustração acabava com sua paciência. – Você tem a oportunidade de mudar de vida, de agarrar a felicidade, mas não faz isso.

– Eu não posso – afirmou ela, e a dor em sua voz quase o abateu.

– Bobagem – retrucou Benedict. – Você pode fazer o que desejar. Só não quer.

– Não torne as coisas mais difíceis do que já são – sussurrou ela.

Quando Sophie disse isso, algo se rompeu dentro dele. Benedict pôde sentir o fluxo de sangue se tornando mais intenso e alimentando a raiva frustrada que fervia dentro dele havia dias.

– Você acha que não são difíceis? – indagou. – Acha que não é *difícil*?

– Eu não falei isso!

Ele agarrou a mão dela e puxou-a para si, para que ela visse por si mesma a dificuldade dele.

– Meu corpo arde por você – confessou Benedict, encostando os lábios na orelha dela. – Todas as noites, eu durmo pensando em você, me perguntando por que é que você está aqui com a minha mãe, dentre todas as pessoas do mundo, e não comigo.

– Eu não queria...

– Eu não sei o que você quer – interrompeu ele.

Foi uma declaração cruel, condescendente ao extremo, mas ele não se importava mais. Ela o ferira de uma forma que ele sequer imaginava ser possível, com uma força que jamais sonhara que ela possuía. Preferira uma vida de trabalho árduo a uma existência com ele, e agora Benedict estava condenado a vê-la quase todos os dias, a vê-la e senti-la o suficiente para manter seu desejo aceso e forte.

A culpa era dele mesmo, é claro. Ele poderia tê-la deixado no campo, poupando-se daquela tortura. Mas surpreendera até a si mesmo ao insistir que ela fosse para Londres. Era estranho, e ele quase temia analisar o que significava, mas sua necessidade de saber que ela estava a salvo e protegida era maior que sua necessidade de tê-la para si.

Sophie disse o nome dele, e a urgência contida em sua voz deixou claro que ela não era indiferente à sua presença. Ela podia não compreender completamente o que significava querer um homem, mas o desejava mesmo assim.

Benedict capturou a boca de Sophie com a sua, jurando a si mesmo que, se ela dissesse não, se desse qualquer indicação de que não queria aquilo, ele pararia. Seria a coisa mais difícil da sua vida, mas a obedeceria.

Mas ela não disse não, não o empurrou ou tentou se desvencilhar. Em vez disso, se entregou aos braços dele e acariciou seus cabelos ao abrir os lábios. Ele não sabia por que ela de repente decidira deixar que a beijasse – não, por que decidira *beijá-lo* –, mas não pretendia afastar-se de sua boca para questionar.

Benedict aproveitou o momento. Ele a saboreou, sorveu, *respirou*. Não estava mais tão confiante de que conseguiria convencê-la a se tornar sua amante, e de repente se tornou fundamental que aquele beijo fosse mais do que apenas um beijo. Talvez precisasse durar uma vida inteira.

Ele a beijou com energia renovada, afastando a voz mesquinha que lhe dizia que ele já tinha passado por aquilo antes. Dois anos antes, Benedict dançara com uma mulher e a beijara, e ela lhe dissera que ele teria que fazer toda uma vida caber num único beijo.

Na ocasião, ele experimentara um excesso de confiança. Não acreditara nela. E então a perdera. Talvez tivesse perdido tudo. Certamente não havia conhecido ninguém desde então com quem podia imaginar construir uma vida.

Até Sophie.

Ao contrário da dama de prateado, ela não era alguém com quem ele pudesse esperar se casar, mas também ao contrário da dama de prateado, ela estava *ali*.

E ele não a deixaria escapar.

Ela estava ali, com ele, e era o paraíso. O perfume suave dos cabelos dela, o leve gosto salgado de sua pele – ele pensou que ela nascera para repousar na proteção de seus braços. E ele nascera para abraçá-la.

– Venha para casa comigo – sussurrou no ouvido dela.

Sophie não disse nada, mas ele sentiu que ela ficou tensa.

– Venha para casa comigo – repetiu ele.

– Não posso – retrucou, com o ar de cada palavra sussurrada atravessando a pele dele.

– *Pode*, sim.

Ela balançou a cabeça, mas não se afastou. Então, ele aproveitou o momento e colou os lábios aos dela mais uma vez. Projetou a língua e explorou os recessos da boca de Sophie, saboreando a essência dela. Sua mão encontrou a curva do seio dela e o comprimiu com delicadeza, prendendo a respiração ao senti-la se contrair a seu toque. Mas aquilo não era o bastante. Ele queria sentir a pele dela, não o tecido do seu vestido.

No entanto, aquele não era o local adequado. Os dois estavam no jardim da mãe dele, pelo amor de Deus. Alguém poderia surpreendê-los e, para ser sincero, se ele não a tivesse puxado para dentro da alcova ao lado da porta, qualquer um teria conseguido vê-los. Era o tipo de coisa que faria Sophie perder o emprego.

Talvez ele devesse levá-la para fora, onde todos os veriam, porque então ela estaria sozinha mais uma vez e não teria escolha além de ser sua amante.

O que era, lembrou a si mesmo, o que ele desejava.

Mas lhe ocorreu – e, com toda a sinceridade, ele ficou bastante surpreso de ter presença de espírito num momento daqueles para que qualquer coisa lhe ocorresse – que parte do motivo pelo qual gostava tanto dela era a percepção impressionantemente sólida e resoluta que Sophie tinha de si mesma. Ela sabia quem era. E – o que era uma pena para ele – a pessoa que ela era não se afastava dos limites impostos pela sociedade respeitável.

Se ele arruinasse sua reputação diante de pessoas que ela admirava e respeitava, também despedaçaria seu espírito. E isso seria um crime imperdoável.

Bem devagar, Benedict se afastou. Ainda a desejava, e ainda queria que ela fosse sua amante, mas não iria se impor e comprometê-la na casa de sua mãe. Quando Sophie o procurasse – e ele jurou que ela o procuraria –, seria de livre e espontânea vontade.

No meio-tempo, ele a cortejaria, venceria a resistência dela. No meio-tempo, ele...

– Você parou – sussurrou ela, parecendo surpresa.

– Aqui não é o lugar para isto – respondeu ele.

Por um instante, o rosto dela não demonstrou qualquer mudança de expressão. Então, quase como se uma sombra tivesse surgido sobre ele, o horror dominou-o. Começou pelos olhos, que se arregalaram e de algum modo ficaram ainda mais verdes do que o habitual, e depois chegou à boca, fazendo com que os lábios dela se entreabrissem num arfar.

– Eu não estava pensando – murmurou Sophie, mais para si mesma do que para ele.

– Eu sei. – Ele sorriu. – Eu sei. Detesto quando você pensa. Sempre termina mal para mim.

– Não podemos fazer isso de novo.

– Com certeza não podemos fazer isso *aqui*.

– Não, eu quis dizer...

– Você está estragando tudo.

– Mas...

– Faça-me um favor – disse ele – e me deixe acreditar que a tarde terminou sem você me dizer que isto nunca voltará a acontecer.

– Mas...

Ele pressionou um dedo nos lábios dela.

– Você não está me atendendo.

– Mas...

– Eu não mereço esta mísera fantasia?

Enfim, fez um progresso: ela sorriu.

– Que bom – disse ele. – Assim é melhor.

Os lábios dela estremeceram e então, incrivelmente, seu sorriso ficou mais largo.

– Ótimo – murmurou Benedict. – Agora eu vou embora. E você tem apenas uma tarefa enquanto isso: vai ficar bem aqui e continuar sorrindo. Porque me parte o coração ver qualquer outra expressão em seu rosto.

– Você não vai conseguir me ver – observou Sophie.

Ele a tocou no queixo.

– Eu saberei.

E então, antes que a expressão dela pudesse deixar de ser aquela encantadora combinação de perplexidade e adoração, Benedict foi embora.

CAPÍTULO 16

As Featheringtons ofereceram um pequeno jantar ontem à noite e, embora esta autora não tenha tido o privilégio de comparecer, dizem que a noite foi considerada um verdadeiro sucesso. Três Bridgertons compareceram, mas, infelizmente para as anfitriãs, nenhum era do sexo masculino. O sempre amável Nigel Berbrooke estava lá, muito atento à Srta. Philippa.

Esta autora foi informada de que Benedict e Colin Bridgerton foram convidados, mas não puderam estar presentes.

CRÔNICAS DA SOCIEDADE DE LADY WHISTLEDOWN,
19 DE MAIO DE 1817

Os dias se transformaram em uma semana e Sophie descobriu que ser camareira dos Bridgertons era capaz de manter uma moça realmente muito ocupada. Seu trabalho era cuidar das três meninas solteiras, e ela ficava hora após hora fazendo penteados, costurando, passando vestidos, polindo sapatos... Não havia saído da casa em nenhuma ocasião – a não ser por aquela única vez no jardim.

Mas, enquanto a vida semelhante que levava sob o jugo de Araminta era sombria e degradante, a Casa Bridgerton era cheia de risadas e alegria.

189

As meninas implicavam umas com as outras e se provocavam, mas nunca com a maldade que Sophie vira Rosamund demonstrar em relação a Posy. E quando o chá era informal – no andar de cima, apenas com Lady Bridgerton e as filhas –, Sophie sempre era convidada a participar. Ela em geral levava sua cesta de costuras e cerzia ou pregava botões enquanto as mulheres da família conversavam, mas era muito bom poder sentar e tomar uma boa xícara de chá, com leite fresco e bolinhos quentes. Depois de alguns dias, Sophie passou até a se sentir confortável para às vezes participar da conversa.

Havia se tornado a hora preferida do dia de Sophie.

– Onde vocês acham que está Benedict? – perguntou Eloise, numa tarde cerca de uma semana depois do que Sophie agora chamava de "o grande beijo".

– Ai!

Quatro rostos se viraram para Sophie.

– Você está bem? – perguntou Violet, segurando a xícara no caminho entre o pires e a boca.

Sophie fez uma careta.

– Espetei o dedo.

Violet curvou os lábios num sorrisinho.

– Mamãe já falou pelo menos *mil* vezes... – disse Hyacinth, de 14 anos.

– Mil vezes? – retrucou Francesca, com as sobrancelhas arqueadas.

– Cem vezes – corrigiu Hyacinth, olhando com irritação para a irmã mais velha – que você não precisa trazer suas costuras para o chá.

Agora foi a vez de Sophie conter um sorriso.

– Eu me sentiria muito ociosa se não trouxesse.

– Bem, eu não vou trazer meu bordado – anunciou Hyacinth, não que alguém tivesse pedido.

– Está se sentindo ociosa? – quis saber Francesca.

– Nem um pouco – respondeu Hyacinth.

Francesca se virou para Sophie.

– Você está fazendo Hyacinth se sentir ociosa.

– Não estou ociosa! – protestou Hyacinth.

Violet tomou um gole do chá.

– Você está trabalhando no mesmo bordado há um bom tempo, Hyacinth. Desde fevereiro, se não me falha a memória.

– A memória dela nunca falha – disse Francesca a Sophie.

Hyacinth olhou para Francesca, que sorriu ao levar a xícara aos lábios.

Sophie tossiu para esconder o próprio sorriso. Francesca, que aos 20 anos era apenas um ano mais jovem do que Eloise, tinha um senso de humor mordaz e apurado. Algum dia, Hyacinth seria como ela, mas não ainda.

– Ninguém respondeu à minha pergunta – lembrou Eloise, pousando a xícara no pires ruidosamente. – Onde está Benedict? Eu não o vejo há décadas.

– Faz uma semana – observou Violet.

– Ai!

– Precisa de um dedal? – perguntou Hyacinth a Sophie.

– Em geral não sou tão atrapalhada – murmurou Sophie.

Violet levou a xícara aos lábios e a manteve ali pelo que pareceu um tempo bastante longo.

Sophie cerrou os dentes e retomou a costura com fúria. Para sua surpresa, Benedict não fizera nem uma pequena aparição desde o grande beijo, na semana anterior. Ela se flagrou olhando pelas janelas, espiando pelos corredores, sempre esperando vê-lo de repente.

E, no entanto, ele nunca estava lá.

Sophie não conseguia decidir se estava arrasada ou aliviada. Ou as duas coisas. Suspirou. Definitivamente, as duas coisas.

– Disse alguma coisa, Sophie? – quis saber Eloise.

Sophie balançou a cabeça e murmurou "não", recusando-se a levantar o olhar do pobre indicador ferido. Fazendo algumas caretas, ela apertou a pele e assistiu o sangue escorrer devagar até a ponta do dedo.

– Onde ele está? – insistiu Eloise.

– Benedict tem 30 anos – retrucou Violet com delicadeza. – Ele não precisa nos informar de todas as suas atividades.

Eloise riu alto.

– Que bela mudança em relação à semana passada, mamãe.

– O que quer dizer?

– "Onde ele está?" – brincou Eloise, fazendo uma imitação bastante precisa da mãe. – "Como ele ousa viajar sem avisar? Parece que desapareceu da face da terra."

– Era diferente – garantiu Violet.

– Diferente como? – quis saber Francesca, com o sorriso de sempre nos lábios.

– Ele tinha dito que ia à festa daquele jovem terrível, Phillip Cavender, e depois não deu sinal de vida, enquanto desta vez... – Ela parou e contraiu os lábios. – *Por que* estou me explicando para vocês?

– Não posso nem imaginar – murmurou Sophie.

Eloise, que estava sentada mais perto de Sophie, se engasgou com o chá.

Francesca bateu nas costas da irmã enquanto se inclinava para a frente a fim de perguntar:

– Falou alguma coisa, Sophie?

Sophie balançou a cabeça e enfiou a agulha no vestido que consertava, passando longe da costura. Eloise olhou para ela com desconfiança.

Violet pigarreou.

– Bem, eu acho que... – Parou e inclinou a cabeça para o lado. – Esperem, tem alguém no corredor?

Sophie abafou um gemido e olhou para a porta, esperando que o mordomo entrasse. Wickham sempre lhe dirigia uma expressão de desaprovação antes de transmitir qualquer notícia que trouxesse. Ele não achava adequado que a camareira tomasse chá com as damas da casa, e embora nunca dissesse o que pensava sobre o assunto na frente delas, raramente se dava ao trabalho de evitar que o rosto transparecesse suas opiniões.

Mas, em vez de Wickham, foi Benedict quem apareceu.

– Benedict! – exclamou Eloise, se levantando. – Estávamos falando em você agora mesmo.

Ele olhou para Sophie.

– É mesmo?

– Eu não – murmurou Sophie.

– Disse algo, Sophie? – inquiriu Hyacinth.

– Ai!

– Eu vou ter que tirar essas costuras de você – comentou Violet com um sorriso divertido. – Vai acabar perdendo um litro de sangue até o fim do dia.

Sophie se levantou num salto.

– Vou pegar um dedal.

– Você não está com um dedal? – quis saber Hyacinth. – Eu jamais *sonharia* em costurar sem um dedal.

– E alguma vez você já sonhou em costurar? – sorriu Francesca.

Hyacinth lhe deu um chute, quase derrubando o serviço de chá.

– Hyacinth! – ralhou Violet.

Sophie olhou fixamente para a porta, tentando com todas as forças se concentrar em qualquer coisa que não fosse Benedict. Passara a semana toda esperando vê-lo, mesmo que de relance, mas agora que ele estava ali, tudo o que queria fazer era fugir. Se o fitasse, seus olhos com certeza recairiam sobre os lábios dele. E, se isso acontecesse, seus pensamentos iriam no mesmo instante para o beijo dos dois. E, se ela pensasse no beijo...

– Preciso do dedal – afirmou ela de repente.

Havia certas coisas que simplesmente não se podia pensar em público.

– Foi o que você disse – observou Benedict, levantando uma das sobrancelhas num arco perfeito e arrogante.

– Está lá embaixo – murmurou ela. – No meu quarto.

– Mas o seu quarto é aqui em cima – atalhou Hyacinth.

Sophie poderia ter matado a menina.

– Foi o que eu disse – resmungou ela.

– Não – retrucou Hyacinth –, não foi.

– Sim, foi o que ela disse – garantiu Violet. – Eu escutei.

Sophie virou a cabeça rapidamente a fim de olhar para Violet e soube no mesmo instante que ela estava mentindo.

– Preciso pegar o dedal – falou ela pelo que pareceu ser a trigésima vez.

E se apressou na direção da porta, engolindo em seco ao se aproximar de Benedict.

– Não é bom se machucar – comentou Benedict, dando um passo para o lado a fim de lhe dar passagem. Mas, quando ela passou, ele se inclinou para a frente e sussurrou: – Covarde.

Sophie sentiu o rosto queimar, e estava na metade da escada quando se deu conta de que deveria estar indo para o seu quarto. Azar, não queria subir a escada de novo e ter que passar por Benedict mais uma vez.

Era provável que ele ainda se encontrasse parado na porta, e iria curvar os cantos dos lábios para cima quando ela passasse – um daqueles sorrisos meio irônicos, meio sedutores que sempre a deixavam sem fôlego.

Aquilo era uma tragédia. Não havia como Sophie ficar lá. Como poderia permanecer no mesmo ambiente que Lady Bridgerton se cada vez que olhasse para Benedict suas pernas ficassem bambas? Ela simplesmente não era forte o bastante. Ele iria vencê-la pelo cansaço, iria fazer com que deixasse de lado todos os seus princípios, todas as suas promessas. Ela teria que ir embora. Não havia alternativa.

E isso era mesmo muito ruim, porque ela gostava muito de trabalhar para as irmãs de Benedict. Elas a tratavam como um ser humano, não como um burro de carga. Faziam-lhe perguntas e pareciam se importar com as respostas.

Sophie sabia que não era uma delas, jamais seria, mas elas tornavam tão fácil fingir... E, na realidade, tudo o que Sophie sempre quisera na vida fora uma família.

Com os Bridgertons, quase podia fazer de conta que tinha uma.

– Está perdida?

Sophie levantou a cabeça e viu Benedict no topo da escada, encostado na parede. Ela olhou para baixo e se deu conta de que ainda estava parada nos degraus.

– Vou sair – falou.

– Para comprar um dedal?

– Isso – assentiu ela em tom de desafio.

– Não precisa de dinheiro?

Ela podia mentir e dizer que tinha dinheiro no bolso ou podia contar a verdade e deixar claro a criatura patética que de fato era. Ou podia simplesmente descer a escada correndo e sair da casa. Era a atitude mais covarde a tomar, mas...

– Eu preciso ir – murmurou, saindo tão rápido que esqueceu por completo que deveria usar a porta de serviço.

Atravessou o saguão, empurrou a porta pesada e desceu os degraus da entrada aos tropeços. Quando chegou à calçada, ela se virou para o norte por nenhum motivo em especial, apenas porque precisava ir para algum lugar, e então ouviu uma voz.

Uma voz terrível, horrível, medonha.

Por Deus, era Araminta.

Sophie sentiu o coração parar e se encostou na parede. A madrasta estava de frente para a rua e, a menos que se virasse, jamais veria Sophie.

Pelo menos era fácil permanecer em silêncio quando não se conseguia sequer respirar.

O que ela estava fazendo ali? A Casa Penwood ficava a pelo menos oito quarteirões de distância, mais perto de...

Então Sophie se lembrou. Havia lido no *Whistledown* no ano anterior, num dos exemplares que conseguira pegar no período em que trabalhara para os Cavenders. O novo conde de Penwood enfim decidira se mudar para Londres. Araminta, Rosamund e Posy tinham sido obrigadas a encontrar novas acomodações.

Como vizinhas dos Bridgertons? Sophie não podia imaginar um pesadelo pior nem se tentasse.

– Onde está aquela menina insuportável? – ouviu Araminta perguntar.

Sophie no mesmo instante sentiu pena da menina em questão. Na posição de "ex-menina insuportável" de Araminta, sabia que a função tinha poucos benefícios.

– Posy! – gritou a mulher, depois entrou numa carruagem que estava à espera.

Sophie mordeu o lábio inferior, sentindo um peso no coração. Naquele momento, soube o que devia ter acontecido quando ela partira. Araminta devia ter contratado uma nova camareira e ter feito da vida da pobre moça um inferno, mas não teria sido capaz de degradá-la e humilhá-la da mesma forma que fazia com Sophie. Era preciso conhecer a pessoa e odiá-la de verdade para ser tão cruel. Um criado qualquer não iria servir.

E como Araminta precisava rebaixar alguém – não sabia ser feliz sem fazer outra pessoa se sentir mal –, ela obviamente escolhera Posy com seu novo bode expiatório.

Posy saiu correndo pela porta com o rosto aflito e tenso. Parecia infeliz e talvez um pouco mais pesada do que dois anos antes. Araminta não devia gostar disso, Sophie pensou com tristeza. Nunca conseguira aceitar que a filha caçula não fosse pequena, loura e linda como Rosamund e ela própria. Se Sophie era a nêmesis de Araminta, Posy sempre fora sua decepção.

Sophie observou quando a menina parou no degrau de cima e se abaixou para ajeitar os cadarços das botas de cano curto. Rosamund enfiou a cabeça pela janela da carruagem e gritou o nome da irmã num tom de voz que Sophie considerou bastante desagradável.

Sophie se encolheu e virou a cabeça para o outro lado. Estava bem na linha de visão de Rosamund.

– Já vou! – gritou a garota.

– Rápido! – disparou Rosamund.

Posy acabou de amarrar as botas e se apressou para sair, mas seu pé escorregou no último degrau e no instante seguinte ela estava estirada na calçada. Sophie se atirou para a frente, instintivamente querendo ajudar, mas logo voltou a se encostar contra a parede. Posy não se machucou, e não havia nada que Sophie quisesse menos na vida do que Araminta saber que ela estava em Londres, quase ao lado da sua casa.

Posy se levantou, parou para esticar o pescoço, primeiro para a direita, depois para a esquerda, em seguida...

Em seguida ela a viu. Sophie teve certeza disso. Posy arregalou os olhos e entreabriu a boca. Então juntou os lábios para formar o "S" e começar a dizer "Sophie".

Sophie balançou a cabeça de forma frenética.

– Posy! – berrou Araminta, furiosa.

Sophie balançou a cabeça de novo, implorando com o olhar, pedindo que Posy não a denunciasse.

– Estou indo, mamãe! – gritou a garota.

Deu a Sophie um único aceno de cabeça e depois subiu na carruagem, que felizmente saiu na direção oposta.

Sophie continuou grudada à parede e permaneceu imóvel por um minuto inteiro.

E depois por mais cinco.

Benedict não queria descontar na mãe e nas irmãs, mas depois que Sophie saiu correndo da sala de estar do andar de cima, ele perdeu o interesse por chá e bolinhos.

– Eu estava imaginando por onde você andava – dizia Eloise.

– Hum? – retrucou ele, entortando a cabeça ligeiramente para a direita e pensando em quanto mais da rua conseguiria ver pela janela daquele ângulo.

– Eu falei que estava imaginando... – repetiu Eloise, quase berrando.

– Eloise, fale mais baixo – interrompeu Violet.

– Mas ele não está escutando.

– Se ele não está escutando, gritar não vai chamar sua atenção – ponderou Violet.

– Atirar um bolinho pode funcionar – sugeriu Hyacinth.

– Hyacinth, não se at...

Mas a menina já tinha colocado a ideia em prática. Benedict desviou meio segundo antes que o bolinho o atingisse na cabeça. Ele olhou primeiro para a parede, que agora exibia uma leve mancha onde a iguaria batera, e depois para o chão, onde havia pousado, impressionantemente inteira.

– Creio que esta seja a deixa para eu ir embora – murmurou Benedict, dando um sorriso insolente para a irmã mais nova.

O bolinho voador dela fora a desculpa de que ele precisava para sair da sala e ver se conseguia seguir Sophie aonde quer que ela achasse que estava indo.

– Mas você acabou de chegar – comentou Violet..

Benedict olhou para a mãe com desconfiança. Ao contrário dos gemidos de sempre de "Mas você acabou de chegar", ela não pareceu nem um pouco incomodada por ele sair.

O que significava que ela estava tramando alguma coisa.

– Eu posso ficar – falou, apenas para testá-la.

– Ah, não – retrucou Violet, levando a xícara de chá aos lábios, embora ele tivesse quase certeza de que estava vazia. – Se está ocupado, não deixe que o atrapalhemos.

Benedict se esforçou para manter uma expressão impassível, ou pelo menos esconder a perplexidade. Da última vez que dissera à mãe que estava "ocupado", ela respondera com um "Ocupado demais para a sua mãe?".

Seu primeiro impulso foi falar que ia ficar e sentar numa cadeira, mas teve presença de espírito suficiente para perceber que fazer isso só para contrariar a mãe seria bastante ridículo, quando o que ele queria mesmo era ir embora.

– Então eu vou – retrucou devagar, recuando em direção à porta.

– Vá – reforçou Violet, despachando-o. – Divirta-se.

Benedict decidiu sair dali antes que a mãe conseguisse confundi-lo ainda mais. Ele se abaixou, pegou o bolinho e atirou-o gentilmente de volta para Hyacinth, que o apanhou com um sorriso. Então fez um aceno de cabeça para Violet e as irmãs e seguiu para o corredor, chegando à escada justo quando ela dizia:

– Achei que ele não fosse mais embora.

Muito estranho mesmo.

Com passos longos e rápidos, ele desceu a escada e saiu pela porta da frente. Duvidava que Sophie ainda estivesse perto da casa, mas, se tinha ido fazer compras, havia apenas uma direção em que poderia ter seguido. Ele virou à direita, pretendendo chegar até a pequena fileira de lojas, mas não deu três passos e viu Sophie, grudada à fachada de tijolos da casa da mãe, parecendo mal saber como respirar.

– Sophie? – chamou Benedict, correndo até ela. – O que aconteceu? Você está bem?

Ela se assustou quando o viu e então assentiu.

Ele não acreditou, é claro, mas não parecia fazer sentido dizer isso.

– Você está tremendo – observou, olhando para as mãos dela. – Diga o que aconteceu. Alguém a incomodou?

– Não – garantiu Sophie, com a voz estranhamente trêmula. – Eu só... eu, hã... – Olhou para a escada ao lado deles. – Eu tropecei ao descer e me assustei. – Ela deu um sorrisinho. – Com certeza você sabe o que quero dizer. Quando temos a sensação de que nosso estômago deu uma cambalhota.

Benedict assentiu, porque é claro que sabia o que ela queria dizer. Mas isso não significava que acreditava nela.

– Venha comigo – chamou.

Ela olhou para cima e algo na profundeza verde de seus olhos partiu o coração dele.

– Para onde? – sussurrou.

– Para qualquer lugar que não seja aqui.

– Eu...

– Eu moro a cinco casas daqui – falou Benedict.

– É mesmo? – Ela arregalou os olhos, então murmurou: – Ninguém me disse.

– Prometo que sua honra estará a salvo – atalhou ele. Depois acrescentou, porque não conseguiu evitar: – A menos que *você* não queira isso.

Benedict teve a sensação de que ela teria protestado se não estivesse tão abalada, mas Sophie permitiu que ele a levasse pela rua.

– Vamos apenas ficar sentados na sala até que você se sinta melhor – garantiu ele.

Ela assentiu e ele a conduziu para sua casa, um modesto sobrado ao sul da residência da mãe.

Quando os dois estavam confortavelmente instalados e Benedict havia fechado a porta para que não fossem perturbados por nenhum dos criados, ele se virou para ela pronto para dizer "Agora, por que não me diz o que aconteceu de verdade?", mas, no último instante, algo o impediu. Podia fazer a pergunta, mas sabia que ela não iria responder. Ficaria na defensiva, e isso não o ajudaria em nada.

Então, em vez disso, ele assumiu uma máscara de neutralidade e perguntou:

– O que está achando de trabalhar para a minha família?

– São todos muito gentis – retrucou ela.

– Gentis? – repetiu Benedict, certo de que a descrença estava estampada em seu rosto. – Enlouquecedores, talvez. Talvez até mesmo exaustivos, mas gentis?

– Eu acho que eles são muito gentis – disse Sophie com firmeza.

Benedict começou a sorrir, porque amava muito sua família e adorava o fato de Sophie estar começando a gostar dela, mas então se deu conta de que isso era um tiro no próprio pé, porque quanto mais vínculo ela tivesse com seus entes queridos, menor seria a probabilidade de que ela se submetesse à vergonha de concordar em ser sua amante.

Droga. Ele cometera um sério erro de cálculo na semana anterior. Mas ficara muito focado em fazê-la vir para Londres, e um emprego na casa da mãe parecera a única forma de convencê-la.

Isso combinado com uma boa dose de coação.

Droga. Droga. Droga. Por que não a coagira a fazer algo que a levasse com um pouco mais de facilidade para seus braços?

– Você deveria agradecer aos céus por sua família – afirmou Sophie, de forma enfática. – Eu daria qualquer coisa para...

Mas ela não terminou a frase.

– Você daria qualquer coisa para o quê? – perguntou Benedict, surpreso por quanto queria ouvir a resposta.

Sophie olhou emocionada pela janela ao responder:

– Para ter uma família como a sua.

– Você não tem ninguém – falou ele.

Era uma afirmação, não uma pergunta.

– Nunca tive ninguém.

– Nem mesmo a sua... – Então ele se lembrou de que ela deixara escapar que a mãe morrera ao lhe dar à luz. – Às vezes não é fácil ser um Bridgerton – garantiu, com a voz propositalmente suave e gentil.

Ela virou a cabeça para ele.

– Não consigo imaginar nada melhor.

– Não há nada melhor – confirmou ele –, mas isso não quer dizer que seja sempre fácil.

– Como assim?

Nesse momento, Benedict começou a verbalizar sentimentos que nunca compartilhara com ninguém, nem mesmo... não, *sobretudo* com sua família.

– Para a maioria das pessoas – falou –, eu sou apenas um Bridgerton. Não Benedict, ou Ben, ou mesmo um cavalheiro de posses e talvez um pouco de inteligência. Sou apenas – completou, com um sorriso triste – um Bridgerton. Especificamente, o número dois.

Os lábios dela estremeceram e em seguida se abriram num sorriso.

– Você é muito mais do que isso! – exclamou.

– Eu gostaria de acreditar nisso, mas a maioria das pessoas não vê as coisas assim.

– A maioria das pessoas é tola.

Ele riu. Não havia nada mais atraente do que Sophie de cara feia.

– Não vou discordar de você desta vez – falou ele.

Mas então, quando ele achou que a conversa havia terminado, ela o surpreendeu ao dizer:

– Você é bem diferente do resto da sua família.

– Como assim? – perguntou Benedict, sem olhar direito para ela.

Não queria que Sophie soubesse quanto aquela resposta era importante para ele.

– Bem, o seu irmão Anthony... – disse ela, franzindo o rosto, pensativa. – Toda a vida dele foi modificada pelo fato de ser o mais velho. É evidente que ele sente em relação à família uma grande responsabilidade que você não sente.

– Espere um...

– Não me interrompa – pediu Sophie, pousando uma mão tranquilizadora no peito dele. – Eu não falei que você não ama a sua família ou que não daria a vida por qualquer um deles. Mas com o seu irmão é diferente. Ele se sente responsável, e eu acredito que ele se consideraria um fracassado se algum dos irmãos fosse infeliz.

– Quantas vezes você viu Anthony? – murmurou ele.

– Só uma. – Ela contraiu os lábios como se contivesse um sorriso. – Mas foi o que bastou. Quanto ao seu irmão mais novo, Colin... Bem, eu não o conheci, mas já ouvi muitas histórias...

– De quem?

– De todo mundo – retrucou ela. – Sem falar que ele é sempre mencionado no *Whistledown*, que leio há anos, devo confessar.

– Então você sabia a meu respeito antes de me conhecer – sugeriu ele.

Ela assentiu.

– Mas eu não o *conhecia*. Você é muito mais do que Lady Whistledown imagina.

– Diga-me: o que você vê? – pediu Benedict, pondo uma das mãos sobre a dela.

Sophie o fitou nos olhos, encarando aquela profundeza cor de chocolate, e viu algo que sequer sonhara existir. Uma minúscula faísca de vulnerabilidade, de necessidade.

Ele precisava saber o que ela pensava dele, que ele tinha importância para ela. Aquele homem tão seguro e confiante precisava da sua aprovação.

Talvez precisasse *dela*.

Ela virou a mão até encostar a palma na palma de Benedict e, com o indicador da outra mão, começou a traçar círculos e redemoinhos na pelica da luva dele.

– Você... – começou, pensando bem porque sabia a importância de cada palavra num momento tão intenso como aquele. – Você não é exatamente o homem que mostra ser para o mundo. Gostaria de ser visto como atraente, irônico e bem-humorado, e de fato é todas essas coisas, mas, no fundo, é muito mais que isso.

Sophie fez uma pausa e continuou, ciente de que tinha ficado com a voz rouca de emoção:

– Você se importa. Se importa com a família, e se importa até mesmo comigo, embora Deus saiba que nem sempre eu o mereça.

– Sempre – interrompeu ele, levando a mão dela aos lábios e a beijando com tal intensidade que a deixou sem ar. – Sempre.

– E... e...

Era difícil continuar com os olhos dele presos aos dela com tamanha emoção.

– E o quê? – sussurrou Benedict.

– Muito do que você é vem da sua família – afirmou ela, com as palavras saindo num sopro. – Isso é verdade. Não se pode crescer em meio a tanto amor e lealdade e não se tornar uma boa pessoa. Mas, no fundo, no seu coração, na sua alma, está o homem que você nasceu para ser. *Você*, não o filho de alguém, não o irmão de alguém. Apenas você.

Benedict olhava para ela com atenção. Abriu a boca para responder, mas descobriu que estava sem fala. Não havia o que dizer num momento como aquele.

– No fundo – murmurou Sophie –, você tem a alma de um artista.

– Não – afirmou ele, balançando a cabeça.

– Sim – insistiu ela. – Eu vi os seus desenhos. Você é incrível. Acho que eu não sabia quanto você era fabuloso até conhecer sua família. Você retratou todos eles à perfeição, do sorriso maroto de Francesca à postura audaciosa dos ombros de Hyacinth.

– Ninguém jamais viu meus desenhos – admitiu Benedict.

Ela virou a cabeça de repente.

– Não pode estar falando a sério.

Ele balançou a cabeça.

– Nunca os mostrei a ninguém.

– Mas eles são brilhantes. *Você* é brilhante. Tenho certeza de que sua mãe adoraria vê-los.

– Não sei por quê, mas eu nunca quis dividi-los com ninguém – disse ele, sentindo-se encabulado.

– Eu os vi – retrucou Sophie baixinho.

– De alguma forma, isso não me incomoda – observou Benedict, levando os dedos ao queixo dela.

Nesse momento, ele sentiu o coração dar um pulo, porque de repente *tudo* parecia certo.

Ele a amava. Não sabia como acontecera, só que era verdade.

Não se tratava de ser conveniente. Ele já se relacionara com várias mulheres por conveniência. Sophie era diferente. Ela o fazia rir. E o fazia querer *fazê-la* rir. Quando estava com ela... bem, ele a desejava com toda a força, mas durante aqueles poucos instantes em que seu corpo conseguiu se manter sob controle...

Ele estava satisfeito.

Era estranho encontrar uma mulher que podia fazê-lo feliz apenas com sua presença. Ele não precisava sequer vê-la ou ouvir sua voz, ou mesmo sentir seu perfume. Só precisava saber que ela estava lá.

Se isso não era amor, Benedict não sabia o que era.

Ele a encarou, tentando prolongar o momento, querendo agarrar-se àqueles instantes de perfeição absoluta. Algo se suavizara nos olhos dela, e a cor deles pareceu se transformar de um cintilante tom de esmeralda em um suave verde-musgo. Sophie entreabriu e relaxou os lábios e Benedict soube que precisava beijá-la. Não era só que quisesse, mas precisava.

Precisava dela a seu lado, embaixo dele, em cima dele.

Precisava dela nele, ao redor dele, como parte dele.

Precisava dela como precisava de oxigênio.

E, ele pensou naquele último instante racional antes de seus lábios encontrarem os dela, precisava dela imediatamente.

CAPÍTULO 17

Esta autora soube de fonte segura que, há dois dias, enquanto tomava chá no Gunter's, Lady Penwood foi atingida na lateral da cabeça por um biscoito voador.

Esta autora não sabe determinar quem atirou a iguaria, mas todas as suspeitas recaem sobre as freguesas mais jovens do estabelecimento, a Srta. Felicity Featherington e a Srta. Hyacinth Bridgerton.

CRÔNICAS DA SOCIEDADE DE LADY WHISTLEDOWN,
21 DE MAIO DE 1817

Sophie já fora beijada antes – por Benedict –, mas nada, nem um instante de qualquer beijo, a preparara para aquilo.

Não foi um beijo. Foi o paraíso.

Ele a beijou com uma intensidade que Sophie mal conseguiu compreender, atiçando seus lábios, afagando, mordiscando, acariciando. Ele acendeu um fogo dentro dela, um desejo de ser amada, uma necessidade de amar em troca. E, que Deus a perdoasse, quando ele a beijava, tudo o que ela queria fazer era retribuir.

Ela mal o escutou murmurar seu nome, por causa do zumbido em seus ouvidos. Era desejo. Necessidade. Que tolice a dela pensar que seria capaz de negar aquilo. Que presunçoso achar que poderia ser mais forte do que a paixão.

– Sophie, Sophie – dizia ele sem parar, com os lábios percorrendo seu rosto, seu pescoço, sua orelha.

Ele pronunciou o nome dela tantas vezes que pareceu ficar gravado em sua pele.

Sentiu as mãos de Benedict nos botões do vestido, enquanto o tecido se soltava conforme cada um deles ia passando pela casa. Era tudo o que ela jurara que jamais faria, mas quando seu corpete caiu até a cintura, deixando-a despudoradamente exposta, ela gemeu o nome dele e arqueou o corpo para trás, oferecendo-se a ele como uma fruta proibida.

Benedict parou de respirar quando a viu. Havia imaginado aquele momento muitas vezes – todas as noites, ao se deitar, e em todos os sonhos quando conseguia de fato dormir. Mas aquilo – a realidade – era muito melhor do que um sonho, e muito mais sensual.

Fez a mão que acariciava a pele quente das costas de Sophie escorregar bem devagar para as costelas dela.

– Você é tão linda... – sussurrou, sabendo que palavras eram inadequadas ao momento.

Como se meras palavras pudessem descrever o que ele sentia. E então, quando sua mão enfim chegou ao seio dela, Benedict soltou um gemido e estremeceu. Falar era impossível. A necessidade que ele tinha dela era muito intensa, muito primitiva, a ponto de lhe roubar a capacidade de se expressar. Droga, ele mal conseguia pensar.

Não sabia ao certo como aquela mulher tinha passado a ser tão importante para ele. Parecia que num dia era uma estranha e, no dia seguinte, indispensável como o ar. E, no entanto, isso não acontecera de uma hora para outra. Fora um processo lento e sorrateiro, que despertara aos poucos suas emoções até que ele se desse conta de que, sem Sophie, sua vida não tinha qualquer significado.

Ele a tocou no queixo e levantou seu rosto até conseguir fitá-la nos olhos. As pupilas dela pareciam cintilar, reluzindo lágrimas represadas. Também tinha os lábios trêmulos, e Benedict soube que estava tão afetada pelo momento quanto ele.

Ele se inclinou para a frente... bem, bem devagar. Queria dar-lhe a chance de dizer não. Morreria se ela dissesse, mas seria muito pior ver seu arrependimento na manhã seguinte.

Mas Sophie não fez isso, e quando ele estava a poucos centímetros de distância, ela fechou os olhos e virou a cabeça um pouco para o lado, convidando-o silenciosamente a beijá-la.

Era impressionante, mas, toda vez que ele a beijava, os lábios dela pareciam mais doces e seu perfume, mais encantador. E o desejo dele também crescia.

Sentia-o correr nas veias. Estava sendo obrigado a usar todo o autocontrole que lhe restava para não empurrá-la para o sofá e arrancar suas roupas.

Isso viria depois, ele pensou, sorrindo por dentro. Mas aquela com certeza seria a primeira vez dela, e seria lenta, suave, tudo com o que uma moça sonhava.

Bem, talvez não. O sorriso contido dele se transformou num sorriso largo. Sophie sequer sonhara com metade das coisas que ele faria com ela.

– Por que está sorrindo? – perguntou ela, de olhos fechados.

Benedict recuou um pouco e segurou o rosto dela com as duas mãos.

– Como sabia que eu estava sorrindo?

– Senti nos meus lábios.

Ele levou um dedo à boca de Sophie, traçou seu contorno e passou a ponta da unha pela pele macia.

– Você me faz sorrir – sussurrou. – Quando não me faz querer gritar, você me faz sorrir.

Os lábios dela estremeceram e Benedict sentiu a respiração quente e úmida em seu dedo. Pegou a mão de Sophie, levou-a à boca e passou um dedo dela em seu lábio da mesma forma que fizera com ela. Enquanto a via arregalar os olhos, mergulhou o dedo dela na própria boca e chupou a ponta com delicadeza, tocando a pele com os dentes e a língua.

Ela arfou, e o som foi doce e sensual ao mesmo tempo.

Havia milhares de coisas que Benedict queria saber. Como ela estava se sentindo? O que estava sentindo? Mas morria de medo de que ela mudasse de ideia se lhe desse a oportunidade de verbalizar seus pensamentos. Assim, em vez de fazer perguntas, ele a beijou, tomando os lábios dela numa dança de desejo intensa e que mal conseguia controlar.

Murmurou o nome dela como uma oração enquanto a deitava no sofá, com as costas nuas no estofado.

– Eu quero você – sussurrou. – Você não sabe quanto. Não sabe.

A única reação de Sophie foi um suave gemido profundo. Por algum motivo, aquilo funcionou como combustível no fogo que havia dentro dele, e Benedict a apertou ainda mais, pressionando sua pele enquanto os lábios passeavam pela elegante curva do pescoço dela.

Ele a deitou mais e mais, deixando uma trilha de calor na sua pele, parando apenas por um instante ao chegar à suave curva do seio. Ela estava totalmente embaixo dele agora, com os olhos vidrados de desejo, e era muito melhor do que qualquer um dos seus sonhos.

E como ele havia sonhado com ela...

Com um gemido baixo e possessivo, Benedict abocanhou o mamilo de Sophie. Quando ela soltou um gritinho suave, ele não conseguiu suprimir seu próprio ruído de satisfação.

– Shhh – sussurrou. – Só me deixe...

– Mas...

Ele pressionou um dedo nos lábios dela, talvez com um pouco de força demais, mas estava ficando cada vez mais difícil controlar os movimentos.

– Não pense – murmurou. – Apenas se deite e me deixe lhe dar prazer.

Sophie pareceu hesitante, mas quando ele tomou o outro seio com a boca, renovando a onda de sensualidade, ela fez uma expressão de perplexidade, entreabriu os lábios e afundou a cabeça nas almofadas.

– Você gosta disto? – perguntou ele baixinho, percorrendo o bico do seio dela com a língua.

Sophie não conseguiu abrir os olhos direito, mas assentiu com a cabeça.

– E disto?

Agora a língua dele seguiu para a parte de baixo do seio de Sophie, e ele mordiscou a pele sensível acima das costelas.

Com a respiração rápida e superficial, ela assentiu mais uma vez.

– E que tal isto?

Ele abaixou ainda mais o vestido dela e foi mordiscando a pele dela até chegar ao umbigo.

Desta vez, Sophie não conseguiu sequer assentir. Por Deus, ela estava quase nua diante dele e tudo o que conseguia fazer era gemer, suspirar e implorar por mais.

– Eu preciso de você – disse ela com um arquejo.

Ele murmurou a resposta por cima da pele macia da barriga dela:

– Eu sei.

Sophie se contorceu embaixo dele, desconcertada com aquela necessidade primitiva de se mexer. Havia algo muito estranho dentro dela, algo quente e vibrante. Era como se ela estivesse crescendo, prestes a explodir. Era como se, depois de 22 anos de vida, ela enfim se sentisse viva.

Queria desesperadamente sentir a pele dele, então agarrou o tecido fino da camisa e puxou até que ela se soltasse das calças. Passou as mãos pelas costas dele e ficou surpresa e deliciada ao perceber que os músculos estremeceram sob seus dedos.

– Ah, Sophie – sussurrou ele.

A reação de Benedict a encorajou e ela o acariciou ainda mais, subindo até chegar aos ombros, largos e musculosos.

Ele gemeu de novo, e então praguejou baixinho enquanto saía de cima dela.

– Esta coisa está atrapalhando – murmurou, arrancando a camisa e a atirando do outro lado da sala.

Sophie teve apenas um instante para olhar seu peito nu antes que ele estivesse em cima dela mais uma vez.

A pele dele na sua foi a sensação mais deliciosa que ela poderia imaginar.

O corpo de Benedict estava muito quente, e embora ele tivesse os músculos rijos e fortes, sua pele era sedutoramente macia. Seu cheiro também era maravilhoso, uma gostosa mistura masculina de sândalo e sabonete.

Sophie tocou nos cabelos dele quando ele aninhou o rosto em seu pescoço. Eram fios espessos e macios que faziam cócegas em seu queixo enquanto ele esfregava a cabeça em sua pele.

– Ah, Benedict – suspirou ela. – Isto é tão perfeito... Não consigo imaginar nada melhor.

Ele olhou para cima, com os olhos escuros tão maliciosos quanto o sorriso.

– Eu posso.

Sophie sentiu os lábios se abrirem e soube que devia parecer uma grande tola, simplesmente deitada ali olhando para ele feito uma idiota.

– Só espere – disse ele. – Só espere.

– Mas... Ah!

Ela deu um gritinho quando ele tirou seus sapatos. Benedict passou a mão pelo tornozelo dela e subiu pela perna de forma provocativa.

– Você imaginava isto? – perguntou ele, percorrendo a dobra atrás do joelho.

Ela balançou a cabeça de maneira frenética, tentando não se contorcer.

– É mesmo? – murmurou ele. – Então tenho certeza de que também não imaginou *isto*.

Ele abriu suas ligas.

– Ah, Benedict, você não deveria...

– Ah, não, eu *devo*. – Ele abaixou as meias dela com uma lentidão agonizante. – Eu realmente devo fazer isso.

Sophie assistiu, deliciada e boquiaberta, Benedict atirar as meias por cima da cabeça. Não eram meias de alta qualidade, mas ainda assim eram bem leves, e flutuaram no ar como tufos de dentes-de-leão até pousarem, uma sobre um abajur, outra no chão.

Então, enquanto ela ainda ria, olhando para a meia pendurada no abajur, ele se aproximou dela, deslizando as mãos por suas pernas até chegar às coxas.

– E também ouso dizer que você nunca imaginou isto – disse Benedict com uma expressão maliciosa.

Sophie balançou a cabeça.

– E ouso dizer que você nunca imaginou isto, também.

Ela balançou a cabeça de novo.

– Se não imaginou isto – ele apertou as coxas dela, fazendo-a dar um gritinho e se arquear no sofá –, então tenho certeza de que não imaginou *isto* – continuou, levando a mão ainda mais para cima enquanto falava, com as curvas arredondadas das unhas raspando a pele dela de leve até atingir os pelos macios de sua feminilidade.

– Ah, não – retrucou Sophie, mais por reflexo do que qualquer outra coisa. – Você não pode...

– Ah, posso. Garanto que posso.

– Mas... Aaaaaaah.

Foi como se ela tivesse perdido a habilidade de raciocinar, porque era quase impossível pensar em qualquer coisa com os dedos dele provocando-a. Bem, quase qualquer coisa. Sophie ainda conseguia pensar em quão impróprio era aquilo e em quanto ela não queria que ele parasse.

– O que você está fazendo comigo? – arfou, com todos os músculos se enrijecendo conforme ele mexia os dedos de um modo particularmente malicioso.

– Tudo – respondeu ele, capturando os lábios dela com os seus. – Tudo o que você quiser.

– Eu quero... Ah!

– Isto, você quer? – murmurou ele.

– Eu não sei o que quero – falou Sophie com um suspiro.

– Eu sei. – Ele mordiscou o lóbulo da orelha dela com delicadeza. – Eu sei exatamente o que você quer. Confie em mim.

E foi fácil assim. Ela se entregou a ele por inteiro – não que já não estivesse quase nesse ponto. Mas quando ele disse "Confie em mim" e ela percebeu que confiava, algo se alterou dentro dela. Estava pronta para aquilo. Ainda era errado, mas estava pronta e queria, e pela primeira vez na vida iria fazer algo maluco, ousado e inadequado de todas as formas possíveis.

Simplesmente porque queria.

Como se lesse seus pensamentos, Benedict se afastou um pouco e segurou o rosto dela com uma das mãos.

– Se quiser que eu pare – falou, a voz rouca –, precisa me dizer agora. Não daqui a dez minutos, nem em um minuto. Precisa ser agora.

Comovida por ele se preocupar em perguntar, ela tocou o rosto dele da mesma forma que ele tocava o seu. Mas, quando abriu a boca para falar, a única coisa que conseguiu dizer foi:

– Por favor.

Os olhos dele queimaram de desejo, e então, como se algo tivesse sido ligado dentro dele, Benedict mudou num instante. O amante gentil e lânguido não existia mais. No lugar dele havia um homem dominado pelo desejo. Suas mãos estavam em todos os lugares – em suas pernas, ao redor da cintura, em seu rosto. E antes que Sophie se desse conta, o vestido tinha sido tirado de seu corpo e agora jazia no chão ao lado da meia. Ela estava nua, e era algo que parecia muito estranho e ao mesmo tempo muito certo, desde que ele a estivesse tocando.

O sofá era estreito, mas isso não pareceu ter importância quando Benedict arrancou as botas e as calças. Ele se posicionou ao lado dela enquanto tirava os calçados, sem conseguir parar de tocá-la, mesmo ao se desvencilhar das próprias roupas. Levou mais tempo para se despir, mas tinha a estranha sensação de que poderia morrer ali mesmo caso se afastasse de Sophie.

Ele achava que já havia desejado mulheres antes. Mas aquilo... aquilo ia além de tudo. Era espiritual. Estava na sua alma.

Finalmente sem as roupas, ele se deitou em cima dela, fazendo uma pausa e estremecendo ao saborear a sensação do corpo de Sophie sob o seu, pele com pele, da cabeça aos pés. Ele estava firme como uma pedra, mais rijo do que se lembrava de ter ficado, mas lutou contra os impulsos e tentou se movimentar devagar.

Era a primeira vez dela. Precisava ser perfeita.

Ou, se não perfeita, ao menos muito boa.

Deslizou uma mão por entre os dois e a tocou. Ela estava pronta – mais do que pronta – para ele. Benedict pôs um dedo dentro dela e sorriu de satisfação ao sentir todo o corpo de Sophie retesado e se contorcendo.

– Isto é muito... – a voz dela estava rouca e a respiração, forçada. – Muito...

– Estranho? – sugeriu ele.

Ela assentiu.

Ele sorriu. Lentamente, como um gato.

– Você vai se acostumar com isso – prometeu. – Meus planos são deixá-la muito acostumada com isso.

Sophie arqueou a cabeça para trás. Aquilo era uma loucura. Uma febre. Sentia algo crescendo dentro de si, nas entranhas, se enrolando, pulsando, deixando-a rígida. Era algo que precisava ser liberado, algo que se agarrava a ela e, no entanto, mesmo com toda aquela pressão, era maravilhoso, como se ela tivesse nascido naquele exato instante.

– Ah, Benedict – suspirou. – Ah, meu amor.

Ele ficou paralisado – apenas por uma fração de segundo, mas o bastante para que Sophie soubesse que ele a escutara. Mas Benedict não disse nada, apenas lhe beijou o pescoço e apertou a perna dela ao se posicionar entre suas coxas e alcançar sua entrada.

Ela abriu os lábios com o choque.

– Não se preocupe – falou Benedict, com a voz divertida, lendo seus pensamentos como sempre. – Vai dar certo.

– Mas...

– Confie em mim – murmurou ele contra os lábios dela.

Bem devagar, Sophie o sentiu entrando em seu corpo. Ela estava sendo invadida, e, no entanto, não diria que era algo ruim. Era... era... ele a tocou no rosto.

– Você está séria.

– Estou tentando decidir o que estou achando disto – admitiu ela.

– Se está conseguindo pensar nisso, então com certeza não estou fazendo direito.

Espantada, ela olhou para cima. Ele sorria, aquele sorriso enviesado que sempre a deixava toda derretida.

– Pare de pensar tanto – sussurrou ele.

– Mas é difícil não... Ah!

Nesse momento ela revirou os olhos enquanto se arqueava embaixo dele.

Benedict afundou a cabeça no pescoço de Sophie para que ela não visse sua expressão divertida. Parecia que a melhor forma de evitar que ela pensasse demais sobre um instante que deveria apenas sentir era manter-se em movimento.

E foi o que ele fez. Avançou de forma implacável, entrando e saindo até atingir a frágil barreira da virgindade.

Estremeceu. Nunca estivera com uma virgem antes. Ouvira dizer que doía, que não havia nada que um homem pudesse fazer para eliminar a dor para a mulher, mas tinha certeza de que, se fosse gentil, seria mais fácil para ela.

Olhou para baixo. Sophie tinha o rosto vermelho e sua respiração tinha se acelerado. Estava com os olhos vidrados, deslumbrados, claramente arrebatados de paixão.

Isso alimentou seu próprio fogo. Deus, ele a desejava tanto que chegava a doer.

– Isto pode doer – mentiu.

Iria doer. Mas ficou indeciso entre falar a verdade para que ela se preparasse e lhe dizer a versão mais suave para que ela não ficasse nervosa.

– Eu não me importo – afirmou Sophie. – Por favor, eu preciso de você.

Benedict se abaixou para um último e intenso beijo antes de empurrar os quadris para a frente. Sentiu-a se retesar ligeiramente ao redor dele quando seu membro entrou completamente e teve que morder a própria mão para não chegar ao ápice no mesmo instante.

Era como se ele fosse um rapazinho inexperiente de 16 anos, não um homem feito de 30.

Ela fazia isso com ele. Apenas ela. Experimentou uma sensação de humildade.

Cerrando os dentes para combater suas vontades mais primitivas, Benedict começou a se remexer dentro dela bem devagar, quando o que queria mesmo era se soltar por completo.

– Sophie, Sophie – gemeu, repetindo o nome dela, tentando lembrar a si mesmo que aquele momento era *dela*.

Estava ali para satisfazer as necessidades *dela*, não as suas.

Seria perfeito. Tinha que ser. Ele precisava que ela amasse aquilo. Precisava que *o* amasse.

Ela estava tomada pelo desejo embaixo dele, e cada movimento, cada contorção aumentava seu próprio frenesi. Ele continuava se esforçando para ser gentil, mas ela estava tornando isso muito difícil. As mãos de Sophie estavam em todo lugar – nos quadris, nas costas, nos ombros dele.

– Sophie – gemeu Benedict de novo.

Não conseguiria se segurar por muito mais tempo. Não era forte o bastante. Não era nobre o bastante. Não era....

– Ahhhhhhhhhhhh!

Ela convulsionou sob ele, arqueando o corpo para trás com um grito. Agarrou suas costas e o arranhou com as unhas afiadas, mas ele não se importou. Tudo o que sabia era que ela conseguira chegar ao clímax, e que tinha sido bom, e, pelo amor de Deus, ele podia enfim...

– Ahhhhhhhhhhhh!

Benedict explodiu. Não havia outra palavra para descrever o que aconteceu.

Não conseguia parar de se mexer, não conseguia parar de tremer, e então, num instante, desmoronou, vagamente ciente de que devia estar esmagando-a, mas incapaz de mover um único músculo.

Deveria dizer algo, falar sobre como havia sido maravilhoso. Mas não era capaz de formar as palavras e, além de tudo, mal conseguia abrir os olhos. As frases bonitas teriam que esperar, porque ele precisava recuperar o fôlego.

– Benedict? – sussurrou ela.

Ele soltou a mão de leve em cima dela. Foi a única coisa que conseguiu fazer para indicar que a ouvira.

– É sempre assim?

Ele balançou a cabeça, esperando que ela sentisse o movimento e soubesse o que queria dizer.

Sophie suspirou e pareceu afundar ainda mais nas almofadas.

– Imaginei que não.

Benedict deu um beijo na lateral da cabeça dela, o máximo que foi capaz de fazer. Não, não era sempre assim. Ele sonhara com ela tantas vezes, mas aquilo... aquilo...

Aquilo foi melhor do que qualquer sonho.

Sophie não acreditava que seria possível, mas ela deve ter apagado, mesmo com o peso de Benedict sobre seu corpo, tornando difícil respirar. Ele devia ter caído no sono também, e ela acordou ao mesmo tempo que ele, despertada pela repentina lufada de ar frio quando ele se levantou.

Benedict cobriu-a com um cobertor antes mesmo que ela tivesse tempo de ficar constrangida com a própria nudez. Sophie sorriu e ficou ruborizada, porque não havia muito o que pudesse ser feito para diminuir seu embaraço. Não que se arrependesse de seus atos. Mas uma mulher não perdia a virgindade num sofá sem se sentir ao menos um pouco constrangida. Simplesmente não era possível.

Mesmo assim, o cobertor fora um gesto atencioso. Ainda que não surpreendente. Benedict era um homem atencioso.

No entanto, estava claro que ele não compartilhava de seu recato, porque não fez qualquer tentativa de se cobrir ao atravessar o cômodo para recolher as roupas espalhadas. Sophie olhou sem qualquer pudor enquanto ele vestia as calças. Benedict endireitou a postura, e o sorriso que deu quando a pegou fitando-o foi carinhoso e sincero.

Deus, como amava aquele homem.

– Como está se sentindo? – perguntou ele.

– Bem – respondeu ela. – Ótima. – Deu um sorriso tímido. – Excelente.

Ele pegou a camisa e enfiou um braço na manga.

– Vou mandar alguém para buscar as suas coisas.

Sophie piscou.

– Como assim?

– Não se preocupe, vou garantir que seja discreto. Sei que pode ser constrangedor para você agora que conhece a minha família.

Sophie apertou o cobertor junto ao corpo, desejando que seu vestido não estivesse fora do alcance. Porque, de repente, sentiu-se envergonhada. Ela fizera a única coisa que jurara jamais fazer, e agora Benedict deduzira que seria amante dele. E por que ele não pensaria assim? Era uma suposição bastante natural.

– Por favor, não mande ninguém lá – pediu ela.

Ele olhou para ela, surpreso.

– Prefere ir você mesma?

– Prefiro que minhas coisas fiquem onde estão – respondeu ela baixinho.

Era muito mais fácil dizer isso do que falar diretamente que não iria se tornar sua amante.

Uma vez, ela poderia perdoar. Uma vez, poderia até mesmo apreciar. Mas uma vida inteira com um homem que não era seu marido – isso ela sabia que não poderia fazer.

Sophie olhou para a própria barriga, rezando para que já não houvesse ali um filho ilegítimo para vir ao mundo.

– O que está me dizendo? – perguntou ele, olhando para ela com atenção.

Droga! Ele não iria permitir que ela usasse a saída mais fácil.

– Estou dizendo – retrucou ela, engolindo em seco – que não posso ser sua amante.

– Do que chama isto? – questionou ele com a voz tensa, acenando com um braço na direção dela.

– De um deslize – falou Sophie, sem encará-lo.

– Ah, então eu sou um deslize? – disse ele, simulando um tom de voz agradável. – Que ótimo. Acho que nunca fui o deslize de alguém antes.

– Sabe que não foi isso que eu quis dizer.

– Sei? – Ele agarrou uma das botas e a apoiou no braço de uma cadeira para poder calçá-la. – Com toda a sinceridade, minha cara, eu não faço mais ideia do que você quer dizer.

– Eu não devia ter feito isso...

Ele virou a cabeça rapidamente para encará-la, com os olhos em chamas contrastando com o sorriso suave.

– Agora eu sou algo que você "não devia" ter feito? Ótimo. Ainda melhor do que um deslize. "Não devia" parece muito mais impróprio, não acha? Um deslize é apenas um erro.

– Não há necessidade de ser tão desagradável.

Ele inclinou a cabeça para o lado como se estivesse mesmo considerando o que ela dissera.

– É isso que estou sendo? Pensei que estivesse sendo o mais amigável e compreensivo possível. Veja só, nada de gritos, nada de drama...

– Eu preferiria gritos e drama a *isto*.

Ele recolheu o vestido e o atirou para ela, sem qualquer delicadeza.

– Bem, nem sempre conseguimos o que queremos, não é, Srta. Beckett? Eu certamente posso garantir isso.

Ela pegou sua roupa e a enfiou embaixo da coberta, esperando conseguir encontrar uma forma de vesti-la sem se mostrar.

– Vai ser impressionante se descobrir como fazer isso – comentou ele, lançando-lhe um olhar condescendente.

Ela o fitou com raiva.

– Não estou pedindo que se desculpe.

– Nossa, que alívio. Duvido que eu conseguisse encontrar as palavras para isso.

– Por favor, não seja tão sarcástico.

O sorriso de Benedict era pura ironia quando ele disse:

– Você não está exatamente em condições de me pedir qualquer coisa.

– Benedict...

Ele se aproximou dela com fúria nos olhos.

– A não ser, é claro, que peça que me junte a você de novo, o que farei de bom grado.

Sophie não respondeu.

– Você compreende qual é a sensação de ser desprezado? Quantas vezes acha que pode me rejeitar antes que eu pare de tentar? – perguntou ele, agora com o olhar um pouco mais suave.

– Não é que eu queir...

– Ah, pare com essa velha desculpa. Já cansou. Se quisesse ficar comigo, ficaria. Quando diz não, é porque quer dizer não.

– Você não entende – retrucou Sophie em voz baixa. – Você sempre esteve numa posição em que podia fazer o que queria. Alguns de nós não podem se dar a esse luxo.

– Como sou tolo! Achei que estivesse lhe oferecendo exatamente esse luxo.

– O luxo de ser sua amante – falou ela com amargura.

Ele cruzou os braços e retorceu os lábios ao dizer:

– Você não terá que fazer nada que já não tenha feito.

– Eu me deixei levar – observou Sophie devagar, tentando ignorar o insulto. Ela merecia. Dormira com ele. Por que ele não deveria acreditar que ela seria sua amante? – Eu cometi um erro – continuou. – Mas isso não quer dizer que eu deva cometê-lo de novo.

– Eu posso lhe oferecer uma vida melhor – comentou ele em voz baixa.

Ela balançou a cabeça.

– Eu não vou ser sua amante. Não vou ser amante de homem algum.

Benedict entreabriu os lábios, em choque, quando entendeu o que ela estava dizendo.

– Sophie – falou. – Você sabe que eu não posso me *casar* com você.

– Claro que sei – explodiu ela. – Eu sou uma criada, não uma idiota.

Benedict tentou se colocar no lugar dela por um instante. Tinha consciência de que Sophie queria uma imagem respeitável, mas ela precisava saber que ele não podia lhe dar isso.

– Seria difícil para você também – continuou ele baixinho. – Mesmo que eu me casasse com você, você não seria aceita. A sociedade sabe ser cruel.

Sophie deu uma risada sem humor.

– Eu sei. Acredite, eu sei.

– Então por quê...

– Faça-me um favor – interrompeu ela, virando o rosto para evitar o olhar dele. – Encontre alguém para se casar. Ache alguém aceitável, que vá fazê-lo feliz. E então me deixe em paz.

As palavras dela provocaram um estalo em sua mente e Benedict de repente se lembrou da dama do baile de máscaras. Ela era do mundo dele, da classe dele. Ela teria sido aceitável. Então ele se deu conta, enquanto estava ali parado fitando Sophie – ainda encolhida no sofá, tentando não encará-lo –, que era *ela* que ele sempre imaginava quando pensava no futuro. Quando se imaginava com uma esposa e filhos.

Benedict passara os dois últimos anos esperando que sua dama de prateado entrasse pela porta a qualquer momento em todos os lugares onde estava. Sentia-se tolo às vezes, até mesmo estúpido, mas nunca conseguira apagá-la de seus pensamentos.

Ou de expurgar o sonho – aquele em que ele jurava fidelidade eterna a ela e os dois viviam felizes para sempre.

Era uma fantasia tola para um homem com a sua reputação, equivocadamente doce e sentimental, mas ele não conseguira evitá-la. É o que acontece quando se cresce numa família grande e amorosa – a pessoa tende a querer o mesmo para si.

Mas a mulher do baile de máscaras se tornara apenas uma miragem. Mas que droga, ele não sabia nem mesmo o nome dela. E Sophie estava *ali*.

Não podia se casar com ela, mas isso não significava que os dois não podiam ficar juntos. Seria preciso muita concessão, sobretudo da parte dele, ele admitia. Mas eles poderiam fazer isso. E com certeza seriam mais felizes do que se permanecessem separados.

– Sophie – começou ele –, eu sei que a situação não é ideal...

– Não – interrompeu ela, com a voz baixa, quase inaudível.

– Se não me escutar...

– *Por favor*. Não.

– Mas você não está...

– Pare! – exclamou ela, levantando perigosamente o volume da voz.

Ela segurava os próprios ombros com tanta força que estava quase se machucando, mas Benedict continuou mesmo assim. Ele a amava. Precisava dela. Tinha que fazê-la pensar de forma racional.

– Sophie, sei que você irá concordar se...

– Eu não vou ter um filho ilegítimo! – ela gritou, por fim, se esforçando para manter o cobertor ao redor do corpo quando se levantou. – Não vou fazer isso! Eu amo você, mas não tanto. Não amo ninguém tanto assim.

Benedict olhou para a barriga dela.

– Pode ser tarde demais para isso, Sophie.

– Eu sei – assentiu ela baixinho. – E isso já está me consumindo.

– O arrependimento é capaz de fazer isso.

Ela afastou o olhar.

– Não me arrependo do que fizemos. Gostaria de estar arrependida. Sei que deveria estar arrependida. Mas não consigo.

Benedict apenas olhou para ela. Queria compreendê-la, mas simplesmente não conseguia entender como ela podia ser tão inflexível na decisão de não ser sua amante e ter um filho seu e, ao mesmo tempo, não se arrepender de terem feito amor.

Como Sophie podia dizer que o amava? Isso tornava a dor ainda mais intensa.

– Se não tivermos um filho, então me considerarei muito sortuda – murmurou ela. – E não brincarei mais com o destino.

– Não, brincará apenas *comigo* – disse ele, ouvindo o desprezo na voz e odiando o que ouviu.

Ela o ignorou, apertando mais o cobertor contra seu corpo enquanto olhava para o nada.

– Guardarei para sempre a lembrança do que fizemos. Acho que é por isso que não consigo me arrepender.

– Essa lembrança não vai aquecer seu corpo à noite.

– Não – concordou ela, com tristeza. – Mas vai aquecer meus sonhos.

– Você é uma covarde – acusou ele. – Uma covarde por não ir atrás desses sonhos.

Ela se virou.

– Não – falou, com a voz impressionantemente tranquila, considerando o olhar furioso que ele lhe dirigia. – Eu sou é uma bastarda. E antes que diga que não se importa, posso lhe garantir que eu me importo. Assim como todo mundo. Não há um dia que passe que eu não seja de alguma forma lembrada da baixeza do meu nascimento.

– Sophie...

– Se eu tivesse um filho – prosseguiu ela, com a voz começando a ficar embargada –, sabe quanto eu o amaria? Mais do que a vida, do que o ar, do que qualquer coisa. Como eu poderia magoar meu próprio filho da mesma forma que fui magoada? Como seria capaz de sujeitá-lo ao mesmo tipo de sofrimento?

– Você rejeitaria o seu filho?

– É claro que não!

– Então ele não teria o mesmo tipo de sofrimento – retrucou Benedict dando de ombros. – Porque eu não o rejeitaria também.

– Você não entende – disse ela, com as palavras terminando numa lamúria.

Ele fingiu que não a escutou.

– Estou correto ao deduzir que *você* foi rejeitada pelos seus pais?

Sophie deu um sorriso tenso e irônico.

– Não exatamente. Ignorada seria mais adequado.

– Sophie – chamou Benedict, aproximando-se dela e segurando-a pelos braços –, você não precisa repetir os erros dos seus pais.

– Eu sei – falou ela com tristeza, sem resistir ao abraço dele, mas também sem corresponder. – E é por isso que não posso ser sua amante. Não vou ter a mesma vida da minha mãe.

– Você não teria a mesma...

– Dizem que uma pessoa inteligente aprende com os próprios erros – interrompeu Sophie, encerrando o protesto dele. – Mas uma pessoa inteligente de verdade aprende com os erros dos outros. – Ela se afastou e então o encarou. – Eu gostaria de acreditar que sou do segundo tipo. Por favor, não tire isso de mim.

Havia um desespero quase palpável nos olhos dela. Uma dor que o atingiu no peito e o fez dar um passo para trás.

– Eu gostaria de me vestir – pediu ela, virando-se de costas para ele. – Acho que é melhor você sair.

Benedict olhou fixamente para as costas dela antes de dizer:

– Eu poderia fazê-la mudar de ideia. Poderia beijá-la, e você...

– Você não faria isso – retrucou ela, sem mover um músculo. – Não é do seu feitio.

– *É*, sim.

– Você me beijaria e depois odiaria a si mesmo. Levaria apenas um segundo.

Ele saiu sem pronunciar mais uma palavra sequer, deixando que o clique da porta fosse o sinal de sua partida.

Dentro da sala, Sophie soltou o cobertor das mãos trêmulas e se enroscou no sofá, manchando para sempre o delicado tecido com suas lágrimas.

CAPÍTULO 18

A colheita não foi muito boa na última quinzena para as moças casadoiras e suas mães. A safra de solteiros está fraca nesta temporada, já que dois dos mais cobiçados de 1816, o duque de Ashbourne e o conde de Macclesfield, foram fisgados no ano passado.

Para piorar as coisas, os dois irmãos Bridgertons disponíveis (sem contar Gregory, que tem apenas 16 anos e não está em posição de ajudar nenhuma pobre moça quando o assunto é casamento) quase não estão aparecendo. Esta autora soube que Colin está fora da cidade, possivelmente no País de Gales ou na Escócia (embora ninguém pareça saber por que ele iria a qualquer desses lugares no meio da temporada). A história de Benedict é mais intrigante. Pelo jeito, ele está em Londres, mas evita todas as reuniões sociais em troca de ambientes menos refinados.

Ainda que, verdade seja dita, esta autora não deva dar a entender que o supracitado Sr. Bridgerton esteja passando cada hora acordado na devassidão. Se os relatos estiverem corretos, ele ficou a maior parte dos últimos quinze dias em sua casa, na Bruton Street.

Como não há boatos de que esteja doente, esta autora só pode deduzir que ele enfim chegou à conclusão de que a temporada de Londres está absolutamente desinteressante e não merece seu tempo.

Homem inteligente, de fato.

CRÔNICAS DA SOCIEDADE DE LADY WHISTLEDOWN,
9 DE JUNHO DE 1817

Sophie não viu Benedict por duas semanas inteiras. Não sabia se devia ficar satisfeita, surpresa ou decepcionada. Não sabia se *estava* satisfeita, surpresa ou decepcionada.

Não sabia de nada nos últimos dias. Passava metade do tempo sem saber nem mesmo quem ela era.

Tinha certeza de que tomara a decisão correta ao recusar mais uma vez a oferta de Benedict. Sabia disso racionalmente e, embora quisesse muito o homem que amava, emocionalmente também. Tinha sofrido demais por ser bastarda para algum dia se arriscar a impor o mesmo sofrimento a uma criança, sobretudo um filho seu.

Não, isso não era verdade. Correra esse risco uma vez. E não conseguia se arrepender. A lembrança era preciosa demais. Mas isso não significava que faria aquilo de novo.

No entanto, se estava tão segura de ter agido certo, por que doía tanto? Era como se seu coração não parasse de se despedaçar. Todos os dias, se partia um pouco mais, e todos os dias Sophie dizia a si mesma que não poderia ficar pior, que não havia como sofrer mais. Mesmo assim, todas as noites ela chorava até dormir, querendo Benedict.

E todos os dias se sentia ainda pior.

A tensão foi intensificada pelo fato de que ela estava apavorada de pôr os pés para fora da casa. Posy devia estar procurando por ela, e Sophie achava melhor que não a encontrasse.

Não que achasse que a menina revelaria a Araminta que ela se encontrava em Londres. Sophie a conhecia o suficiente para confiar que ela jamais quebraria uma promessa de livre e espontânea vontade. E o aceno de cabeça que Posy lhe dera quando Sophie balançara a cabeça de forma frenética pedindo-lhe que ficasse em silêncio podia ser considerado uma promessa.

Mas, por mais verdadeiro que fosse o coração de Posy quando se tratava de manter promessas, o mesmo não se podia dizer, infelizmente, de seus lábios. E Sophie podia muito bem imaginar um cenário – muitos cenários, na realidade – em que a garota deixaria escapar, sem querer, que a vira. Logo, a grande vantagem de Sophie era que Posy não tinha conhecimento de onde ela estava. Pelo que sabia, Sophie podia ter saído apenas para dar uma volta. Ou talvez tivesse ido espionar Araminta.

De fato, as duas coisas pareciam muito mais plausíveis do que a verdade, que era o fato de Sophie ter sido chantageada para aceitar um emprego de camareira na mesma rua que elas moravam.

Assim, as emoções de Sophie se alternavam entre a melancolia e o nervosismo, entre o coração partido e a simples apreensão.

Ela conseguira guardar a maior parte de seus sentimentos para si mesma, mas tinha consciência de que se tornara distraída e quieta, e também sabia que

Lady Bridgerton e as filhas haviam percebido. Olhavam para ela com preocupação, falando com ainda mais gentileza. E não paravam de perguntar por que não fora tomar chá com elas.

– Sophie! Aí está você!

Sophie dirigia-se apressadamente para o quarto, onde uma pequena pilha de costuras a esperava, mas Violet a interceptou no corredor.

Ela parou e tentou dar um sorriso ao fazer uma reverência.

– Boa tarde, Lady Bridgerton.

– Boa tarde, Sophie. Estive procurando por você por toda parte.

Sophie a encarou com o rosto inexpressivo. Nos últimos tempos parecia não parar de fazer isso. Era difícil se concentrar em qualquer coisa.

– É mesmo? – perguntou.

– Sim. Estava imaginando por que você não tomou chá conosco a semana toda. Sabe que é sempre bem-vinda quando estamos tomando o chá informalmente.

Sophie sentiu o rosto enrubescer. Vinha evitando esses encontros porque era difícil demais ficar no mesmo ambiente com todas aquelas Bridgertons de uma só vez sem pensar em Benedict. Eram todos muito parecidos, e, sempre que se reuniam, eram uma grande família.

Isso forçava Sophie a se lembrar de tudo o que não tinha, a se lembrar do que jamais teria: sua própria família.

Alguém para amar. Alguém que a amasse. Tudo dentro dos limites da respeitabilidade e do casamento.

Imaginava que havia mulheres capazes de abrir mão disso por paixão e amor. Parte dela desejava ser uma dessas mulheres. Mas não era. O amor não podia vencer tudo. Pelo menos não para ela.

– Andei muito ocupada – disse ela, por fim, a Violet.

A matriarca apenas sorriu – um sorriso discreto, vagamente inquiridor, que impôs um silêncio que obrigou Sophie a falar algo mais.

– Com as costuras – acrescentou.

– Que terrível para você. Eu não sabia que furávamos tantas meias.

– Ah, não, não furam! – retrucou Sophie, mordendo a língua no mesmo instante. Lá se fora sua desculpa. – Tenho algumas costuras próprias para fazer – improvisou, engolindo em seco ao perceber como aquilo soara mal.

Violet sabia muito bem que Sophie não tinha quaisquer roupas além das que lhe dera, e era desnecessário dizer que estavam todas em perfeitas condições. Além disso, era muito errado da parte de Sophie fazer as próprias costuras durante o dia, quando deveria cuidar das meninas. Violet era uma patroa compreensiva e era provável que não se importasse, mas era algo que contrariava o próprio senso de ética de Sophie. Ela fora contratada para um emprego – um bom emprego, ainda que envolvesse ter o coração partido todos os dias – e se orgulhava do trabalho que fazia.

– Sei – comentou Violet, ainda com o sorriso enigmático no rosto. – Você pode, é claro, levar suas costuras para o chá.

– Ah, eu não faria isso.

– Mas eu estou lhe dizendo que *pode*.

Sophie percebeu pelo tom de voz de Violet que o que ela queria dizer era que *devia* levar.

– É claro – murmurou Sophie, seguindo-a para a sala de estar do andar de cima.

As meninas já estavam lá, nos lugares de sempre, implicando umas com as outras, rindo e brincando (felizmente sem arremessar nenhum bolinho). A filha mais velha, Daphne – agora a duquesa de Hastings – também se encontrava presente, com a filha mais nova, Caroline, nos braços.

– Sophie! – exclamou Hyacinth, radiante. – Achei que tivesse ficado doente.

– Mas você me viu hoje de manhã – lembrou Sophie –, quando arrumei os seus cabelos.

– Sim, mas não parecia muito bem.

Sophie não tinha uma resposta adequada, já que de fato não estava muito bem. Como não podia negar, apenas se sentou numa cadeira e assentiu com a cabeça quando Francesca perguntou se ela queria chá.

– Penelope Featherington disse que passaria aqui hoje – informou Eloise à mãe assim que Sophie tomou o primeiro gole.

Sophie não conhecia Penelope, mas seu nome estava sempre no *Whistledown*. Assim, ela sabia que a menina e Eloise eram grandes amigas.

– Alguém mais percebeu que Benedict não nos visita faz tempo? – perguntou Hyacinth.

Sophie espetou o dedo, mas felizmente conseguiu segurar o grito de dor.

– Ele também não tem aparecido lá em casa – comentou Daphne.

– Bem, ele disse que me ajudaria com minhas lições de aritmética e não cumpriu a promessa – reclamou Hyacinth.

– Tenho certeza de que ele só se esqueceu – garantiu Violet, com diplomacia. – Por que não manda um bilhete para ele?

– Ou vá à casa dele – sugeriu Francesca, revirando um pouco os olhos. – Ele não mora longe daqui.

– Eu sou uma moça solteira – retrucou Hyacinth, bufando. – Não posso visitar a casa de um homem solteiro.

Sophie tossiu.

– Você tem 14 anos – lembrou Francesca com desdém.

– Mesmo assim!

– Peça ajuda a Simon, então – falou Daphne. – Ele é muito melhor com números do que Benedict.

– Sabe, ela tem razão – concordou Hyacinth, fitando a mãe depois de lançar um último olhar furioso para Francesca. – Azar de Benedict. Ele é totalmente inútil para mim agora.

Todas deram risada, porque sabiam que ela estava brincando. Exceto por Sophie, que achava que não era mais capaz de rir.

– Mas, falando sério – continuou Hyacinth –, no que ele é bom? Simon é melhor com números e Anthony sabe mais de história. Colin é o mais engraçado, é claro, e...

– Arte – interrompeu Sophie num tom categórico, um pouco irritada pelo fato de a própria família de Benedict não perceber sua individualidade e suas qualidades.

Hyacinth olhou para ela surpresa.

– O quê?

– Ele é bom com arte – repetiu Sophie. – Bem melhor do que qualquer um de vocês, imagino.

Isso atraiu a atenção de todas, porque, embora tivesse deixado transparecer seu humor naturalmente sarcástico, Sophie em geral era afável e jamais dissera uma palavra ríspida a qualquer uma delas.

– Eu nem sabia que ele desenhava – comentou Daphne, demonstrando interesse. – Ou ele pinta?

Sophie olhou para ela. Das mulheres da família, Daphne era a que menos conhecia, mas seria impossível deixar de notar o olhar sagaz dela. Daphne estava curiosa a respeito do talento oculto do irmão, queria saber por que não sabia sobre ele e, sobretudo, queria saber por que *Sophie* sabia.

Em menos de um segundo, Sophie viu tudo isso nos olhos da jovem duquesa. E, em menos de um segundo, percebeu que havia cometido um erro. Se Benedict não contara à família sobre seu dom, não cabia a ela fazê-lo.

– Ele desenha – disse ela, afinal, numa voz que esperava ser ríspida o bastante para evitar mais perguntas.

E foi. Ninguém deu mais um pio, embora os cinco pares de olhos tenham permanecido cravados nela.

– Ele desenha – murmurou Sophie.

Ela olhou de uma para outra. Eloise piscava rápido, enquanto Violet simplesmente não piscava.

– Ele é muito bom – continuou Sophie, repreendendo a si mesma assim que pronunciou as palavras.

Havia algo naquele silêncio que a compelia a preenchê-lo.

Por fim, depois de um instante sem que ninguém dissesse nada, Violet pigarreou e falou:

– Eu gostaria de ver os desenhos dele. – Levou um guardanapo aos lábios, embora não tivesse tomado um gole sequer de chá. – Desde, é claro, que ele quisesse dividi-los comigo.

Sophie se levantou.

– Acho melhor eu ir.

Violet lançou-lhe um olhar que a incitou a parar.

– Por favor, fique – pediu, numa voz suave e firme ao mesmo tempo.

Sophie voltou a se sentar.

Eloise deu um salto.

– Acho que ouvi Penelope.

– Não ouviu, não – retrucou Hyacinth.

– Por que eu mentiria?

– Não faço ideia, mas...

O mordomo apareceu na porta.

– A Srta. Penelope Featherington está aqui – entoou.

– *Está vendo?* – disse Eloise para Hyacinth.

– Cheguei num mau momento? – perguntou Penelope.

– Não – respondeu Daphne com um sorriso ligeiramente divertido. – Apenas um momento estranho.

– Ah. Bem, acho que posso voltar mais tarde.

– Claro que não – falou Violet. – Por favor, sente-se e tome um chá.

Sophie observou a moça se acomodar no sofá ao lado de Francesca. Penelope não tinha uma beleza sofisticada, mas era bastante atraente em seu jeito particular e descomplicado. Tinha os cabelos castanho-avermelhados e o rosto levemente salpicado de sardas. Sua pele era um pouco pálida, embora Sophie suspeitasse que isso tinha mais a ver com a roupa amarela esquisita que usava do que com qualquer outra coisa.

Pensando bem, achou até que lera algo na coluna de Lady Whistledown sobre as roupas terríveis dela. Pena que a pobre não tinha liberdade para pedir à mãe que lhe deixasse vestir azul.

Mas, enquanto avaliava Penelope com discrição, Sophie percebeu que Penelope também a avaliava, só que não tão discretamente.

– Já nos conhecemos? – perguntou a garota de repente.

Sophie foi invadida por uma terrível premonição. Ou talvez fosse um déjà-vu.

– Acho que não – afirmou ela bem rápido.

Penelope não desviou o olhar de seu rosto.

– Tem certeza?

– Eu... eu não sei como poderíamos ter nos conhecido.

Penelope suspirou e balançou a cabeça, pensativa.

– Imagino que tenha razão. Mas há algo muito familiar em você.

– Sophie é nossa nova camareira – informou Hyacinth, como se isso explicasse alguma coisa. – Ela costuma tomar o chá conosco quando estamos apenas em família.

Sophie observou Penelope murmurar alguma resposta e então de repente se lembrou. Ela *havia* visto Penelope antes! Fora no baile de máscaras, provavelmente dez segundos antes de conhecer Benedict.

Sophie acabara de entrar no salão e os jovens que a cercaram ainda estavam se aproximando. Penelope encontrava-se parada lá, com uma fantasia verde muito estranha e um chapéu também esquisito. Por algum motivo, não usava máscara. Sophie a encarara por um instante, tentando adivinhar do que era sua fantasia, quando um jovem cavalheiro deu um encontrão em Penelope, quase a derrubando no chão.

Sophie fora até ela e a ajudara a se levantar. Dissera algo como "Pronto" e logo vários outros cavalheiros se aproximaram, separando as duas.

Então Benedict chegara e Sophie não tivera olhos para mais ninguém além dele. Penelope – e a forma abominável como ela fora tratada pelos rapazes do baile de máscaras – havia ficado esquecida até aquele exato momento.

E tudo indicava que o evento igualmente permanecera na memória de Penelope.

– Devo estar enganada – disse a jovem ao aceitar uma xícara de chá de Francesca. – Não é tanto sua aparência, mas sua postura, se é que isso faz algum sentido.

Sophie decidiu que era necessário fazer uma suave intervenção, então deu seu melhor sorriso sociável e disse:

– Vou considerar isso um elogio, já que com certeza as damas de suas relações são muito graciosas e gentis.

No instante em que fechou a boca, no entanto, Sophie percebeu que tinha exagerado. Francesca a fitava como se de repente ela tivesse criado chifres, enquanto Violet comentava:

– Ora, Sophie, posso jurar que essa foi a frase mais longa que você pronunciou em duas semanas.

Sophie levou a xícara à boca e murmurou:

– Não ando me sentindo muito bem.

– Ah! – explodiu Hyacinth de repente. – Espero que não esteja se sentindo muito mal, porque gostaria que me ajudasse hoje à noite.

– É claro – disse Sophie, ansiosa por uma desculpa para desviar o rosto de Penelope, que ainda a estudava como se ela fosse um quebra-cabeça humano. – Do que precisa?

– Eu prometi receber meus primos hoje.

– Ah, é mesmo – retrucou Lady Bridgerton, pousando o pires em cima da mesa. – Quase me esqueci.

Hyacinth assentiu.

– Você poderia nos ajudar. São quatro crianças, e eu não conseguirei dar conta delas sozinha.

– Claro – falou Sophie. – Qual é a idade deles?

Hyacinth deu de ombros.

– Entre 6 e 10 anos – informou Violet com um ar de desaprovação. – Você deveria saber disso, Hyacinth. – Virou-se para Sophie e acrescentou: – São filhos da minha irmã mais nova.

– Então me chame quando eles chegarem – pediu Sophie a Hyacinth. – Adoro crianças e ficarei feliz em ajudar.

– Ótimo – comemorou Hyacinth, juntando as mãos. – Eles são muito novos e agitados. Iriam me exaurir.

– Hyacinth, você não é exatamente uma velha decrépita – observou Francesca.

– Quando foi a última vez que você passou duas horas com quatro crianças de menos de 10 anos?

– Parem – disse Sophie, rindo pela primeira vez em duas semanas. – Eu ajudarei. Ninguém vai ficar exaurida. E você deveria aparecer também, Francesca. Tenho certeza de que será muito divertido.

– Você é... – Penelope começou a falar alguma coisa e então parou. – Deixe para lá.

Mas quando Sophie olhou para ela, a jovem ainda a encarava com uma expressão de perplexidade. Penelope abriu a boca, fechou, depois abriu de novo e afirmou:

– Eu *sei* que a conheço.

– Acho que ela tem razão – observou Eloise com um sorriso alegre. – Penelope nunca se esquece de um rosto.

Sophie empalideceu.

– Você está bem? – perguntou Violet, inclinando-se para a frente. – Não parece estar se sentindo bem.

– Acho que alguma coisa me fez mal – mentiu Sophie apressadamente, segurando a barriga para maior efeito. – Talvez o leite não estivesse bom.

– Ah, puxa – lamentou Daphne franzindo a testa de preocupação ao olhar para a bebê. – Dei um pouco a Caroline.

– Achei o gosto bom – opinou Hyacinth.

– Pode ter sido algo que comi de manhã – sugeriu Sophie, sem querer deixar Daphne preocupada. – Mas, mesmo assim, acho que é melhor eu me deitar um pouco. – Ela se levantou e deu um passo na direção da porta. – Se estiver de acordo, Lady Bridgerton.

– É claro – respondeu ela. – Espero que melhore logo.

– Tenho certeza que sim – disse Sophie, com bastante sinceridade.

Ela se sentiria melhor assim que deixasse o campo de visão de Penelope Featherington.

– Irei chamá-la quando meus primos chegarem – falou Hyacinth.

– Se você estiver se sentindo melhor – acrescentou Violet.

Sophie assentiu e deixou a sala apressadamente, mas, enquanto saía, viu Penelope Featherington observando-a com muita atenção, o que a deixou com uma terrível sensação de medo.

⁓

Benedict estava mal-humorado havia duas semanas. E seu humor estava prestes a piorar, pensou enquanto percorria a calçada que levava à casa da mãe. Vinha evitando visitá-la porque não queria ver Sophie. Também não queria ver a mãe, que com certeza perceberia seu estado de espírito e o questionaria a respeito. Além disso, não queria ver Eloise, que sem dúvida notaria o interesse de Violet e tentaria interrogá-lo. E não queria ver...

Droga, ele não queria ver ninguém. E levando em conta a forma como vinha arrancando o couro dos criados (verbalmente, é claro, embora às vezes literalmente em seus sonhos), o resto do mundo ficaria melhor se não quisesse vê-lo também.

Mas, por acaso, no instante em que pôs o pé no primeiro degrau da entrada, ouviu alguém chamar seu nome. Quando se virou, avistou Anthony e Colin vindo em sua direção.

Benedict gemeu. Ninguém o conhecia melhor do que os dois, e era bastante improvável que deixassem uma coisinha como um coração partido passar despercebida.

– Não o vejo há décadas – começou Anthony. – Por onde andou?

– Ah, por aí – retrucou Benedict de forma evasiva. – Em casa na maior parte do tempo. – Virou-se para Colin. – Por onde *você* andou?

– Pelo País de Gales.

– País de Gales? Por quê?

Colin deu de ombros.

– Senti vontade. Nunca tinha ido lá.

– A maioria das pessoas precisa de um motivo um pouco mais convincente para viajar no meio da temporada – comentou Benedict.

– Não eu.

Benedict o encarou. Anthony também.

– Ah, está bem – disse Colin com uma careta. – Eu precisava sumir. Mamãe tinha começado a vir para cima de mim com essa dolorosa conversa de casamento.

– "Dolorosa conversa de casamento"? – repetiu Anthony com um sorriso divertido. – Posso garantir que o defloramento da esposa não é tão doloroso assim.

Benedict manteve a expressão impassível. Havia encontrado uma manchinha de sangue no sofá depois de fazer amor com Sophie. Atirara uma almofada por cima da marca, na esperança de que quando algum dos criados a percebesse, todos já tivessem esquecido que ele estivera ali com uma mulher. Gostava de pensar que nenhum dos empregados ouvia atrás da porta ou fazia fofocas a seu respeito, mas a própria Sophie lhe dissera um dia que em geral os criados sabem tudo o que acontece numa casa, e ele tendia a achar que ela tinha razão.

Mas se ele tinha corado – e seu rosto de fato estava um pouco quente –, nenhum dos irmãos percebeu, porque não comentaram nada. E se havia alguma coisa certa na vida, como o fato de o sol nascer no leste, era que um Bridgerton jamais deixava passar uma oportunidade de provocar e atormentar outro Bridgerton.

– Ela não para de falar em Penelope Featherington – contou Colin com uma careta. – Vejam bem, eu conheço Penelope desde que usávamos calças curtas. Hã, desde que eu usava calças curtas, pelo menos. Ela usava... – Franziu ainda mais a testa, porque os dois irmãos estavam rindo dele. – Ela usava o que quer que meninas pequenas usem.

– Vestidos? – sugeriu Anthony.

– Anáguas? – tentou Benedict.

– A questão é que eu a conheço desde sempre, e posso garantir que vai ser muito difícil que eu me apaixone por ela – disse Colin em um tom de voz enfático.

Anthony se virou para Benedict e comentou:

– Os dois estarão casados dentro de um ano. Escreva o que estou dizendo.

Colin cruzou os braços.

– Anthony!

– Talvez dois – continuou Benedict. – Ele é jovem ainda.

– Ao contrário de *você* – retrucou Colin. – Por que será que mamãe está no meu pé? Por Deus, você está com 31 anos...

– Trinta – disparou Benedict.

– Não importa. O certo seria *você* estar sendo importunado.

Benedict franziu a testa. A mãe andava sendo estranhamente reservada nas últimas semanas quanto a seu desejo de que Benedict se casasse logo. Claro que ele vinha fugindo de Violet como o diabo foge da cruz, mas, mesmo antes disso, ela não andava falando nada sobre o assunto.

Era muito estranho.

– De qualquer forma – resmungava Colin, ainda –, eu não vou me casar tão cedo, e muito menos com Penelope Featherington!

– Ah!

Foi um "ah" feminino. Benedict não precisou nem olhar para saber que estava prestes a presenciar um dos momentos mais constrangedores da vida de alguém. Com o coração na mão, levantou a cabeça e se virou para a porta da frente. Ali, perfeitamente emoldurada pelo batente da porta de entrada, estava Penelope Featherington, com os lábios entreabertos de perplexidade e os olhos refletindo o coração partido.

Naquele momento, Benedict se deu conta de algo que fora burro demais (como qualquer homem) para perceber antes: Penelope Featherington estava apaixonada por seu irmão.

Colin pigarreou.

– Penelope – chamou com a voz estridente, dando a impressão de ter voltado à puberdade. – Hã... que bom ver você.

Ele olhou para os irmãos com um pedido silencioso de que o salvassem, mas nenhum quis intervir.

Benedict se encolheu. Era um daqueles momentos que simplesmente não têm salvação.

– Eu não sabia que você estava aqui – comentou Colin, sem jeito.

– Evidente que não – disse Penelope, mas faltou rispidez às suas palavras.

Colin engoliu dolorosamente em seco.

– Você veio visitar Eloise?

Ela fez que sim com a cabeça.

– Fui convidada.

– Claro que foi! – exclamou ele, rápido. – Claro que foi. Você é uma das melhores amigas da família.

Silêncio. Um terrível silêncio constrangedor.

– Como se você fosse aparecer sem ser convidada... – murmurou Colin.

Penelope não disse nada. Tentou sorrir, mas sem sucesso. Por fim, justo quando Benedict achou que ela passaria correndo por eles rua abaixo, ela olhou direto para Colin e falou:

– Eu nunca pedi que se casasse comigo.

O rosto de Colin atingiu um tom de vermelho tão escuro que Benedict não achava ser possível a qualquer ser humano. O rapaz abriu a boca, mas não conseguiu emitir som algum. Foi o primeiro – e era bem provável que fosse o único – momento em que Benedict lembrava de ter visto o irmão mais novo completamente sem ter o que dizer.

– E eu nunca... – acrescentou Penelope, engolindo em seco sem parar, com as palavras saindo um pouco angustiadas e entrecortadas. – Eu nunca falei a ninguém que queria que você me pedisse em casamento.

– Penelope – Colin enfim conseguiu dizer –, eu sinto muito.

– Não tem do que se desculpar – retrucou ela.

– Não – insistiu Colin. – Tenho, sim. Eu a magoei, e...

– Você não sabia que eu estava aqui.

– Mesmo assim...

– Você não vai se casar comigo – prosseguiu ela em um tom inexpressivo. – Não há nada de errado com isso. Eu não vou me casar com o seu irmão Benedict.

Benedict estava tentando não olhar, mas virou a cabeça assim que ouviu isso.

– Ele não fica magoado quando eu digo que não vou me casar com ele. – Penelope se virou para Benedict e fixou os olhos castanhos nos dele. – Fica, Sr. Bridgerton?

– Claro que não – respondeu Benedict rapidamente.

– Então está resolvido – decretou ela. – Ninguém ficou magoado. Agora, se me derem licença, cavalheiros, preciso ir para casa.

Benedict, Anthony e Colin abriram caminho como se fossem o mar Vermelho quando ela desceu a escada.

– Não tem uma acompanhante? – indagou Colin.

Ela balançou a cabeça.

– Eu moro logo depois da esquina.

– Eu sei, mas...

– Eu a acompanho – disse Anthony baixinho.

– Realmente não é necessário, milorde.

– Permita-me – insistiu ele.

Ela assentiu e os dois saíram caminhando pela rua.

Benedict e Colin os observaram se afastar em silêncio por uns bons trinta segundos antes de Benedict se virar para o irmão e dizer:

– Muito bonito da sua parte.

– Eu não sabia que ela estava ali!

– Óbvio que não – atalhou Benedict.

– Não faça isso. Já estou me sentindo péssimo.

– E deveria mesmo.

– Ah, e você nunca magoou uma mulher sem querer?

Colin estava na defensiva, o que bastava para que Benedict soubesse que o irmão estava se sentindo um perfeito idiota.

Benedict foi salvo de responder à pergunta pela chegada da mãe, que parou no primeiro degrau, emoldurada pela porta da mesma forma que Penelope poucos minutos antes.

– O irmão de vocês já chegou? – quis saber ela.

Benedict fez um gesto com a cabeça para a esquina.

– Ele está acompanhando a Srta. Featherington até em casa.

– Ah. Bem, muito atencioso da parte dele. Eu... aonde você vai, Colin?

O rapaz fez uma pequena pausa, mas nem virou a cabeça ao resmungar:

– Preciso de uma bebida.

– Está um pouco cedo para... – Ela parou no meio da frase quando Benedict pousou uma mão no braço dela.

– Deixe-o ir – falou Benedict.

Ela abriu a boca como para protestar, mas mudou de ideia e apenas fez que sim com a cabeça.

– Eu esperava conseguir reunir a família para fazer um anúncio – comentou ela com um suspiro. – Mas acho que posso deixar para depois. Enquanto isso, por que não toma o chá comigo?

Benedict olhou para o relógio no saguão.

– Não é um pouco tarde para o chá?

– Vamos pular o chá, então – retrucou Violet, dando de ombros. – Eu estava apenas procurando uma desculpa para falar com você.

Benedict deu um sorriso amarelo. Não estava com ânimo para conversar com a mãe. Para ser sincero, não estava com ânimo para falar com ninguém,

229

fato que seria confirmado por qualquer pessoa que tivesse cruzado seu caminho nos últimos tempos.

– Não é nada sério – garantiu Violet. – Por Deus, parece que você está indo para a forca.

Provavelmente seria grosseiro observar que era assim mesmo que se sentia, então ele apenas se inclinou e a beijou no rosto.

– Ora, que boa surpresa – disse ela, sorrindo radiante para ele. – Agora venha comigo – acrescentou, seguindo para a sala de estar do andar de baixo. – Quero lhe falar sobre uma pessoa.

– Mãe!

– Apenas me escute. Ela é uma moça encantadora...

A forca, de fato.

CAPÍTULO 19

A Srta. Posy Reiling (enteada mais jovem do finado conde de Penwood) não é assunto frequente desta coluna (nem, esta autora lamenta dizer, alvo frequente de atenção em eventos sociais), mas não foi possível deixar de perceber que ela estava agindo de forma bastante estranha no sarau da mãe na terça-feira à noite. Insistiu em se sentar perto da janela e passou a maior parte da apresentação olhando fixamente para a rua, como se procurasse algo... ou seria alguém?

CRÔNICAS DA SOCIEDADE DE LADY WHISTLEDOWN,
11 DE JUNHO DE 1817

Quarenta e cinco minutos mais tarde, Benedict encontrava-se atirado na poltrona com os olhos vidrados. De vez em quando, precisava parar para se certificar de que não estava com a boca aberta.

Eis quão entediante estava a conversa da mãe.

A jovem sobre quem ela queria lhe falar era, na verdade, *sete* jovens, cada uma das quais melhor do que a outra, segundo Violet.

Benedict achou que fosse enlouquecer. Bem ali, na sala de estar da mãe, ficaria louco de pedra. Saltaria da poltrona de repente e cairia no chão em meio a um ataque, sacudindo braços e pernas e espumando pela boca...

– Benedict, você ao menos está me ouvindo?

Ele olhou para ela e piscou. Droga. Agora teria que se concentrar na lista de possíveis noivas de Violet. A perspectiva de perder a sanidade era muito mais atraente que isso.

– Eu estava lhe falando sobre Mary Edgeware – disse ela, parecendo mais divertida do que frustrada.

Benedict ficou imediatamente desconfiado. Quando se tratava de arrastar os filhos para o altar, a mãe nunca se divertia.

– Mary o quê?

– Edge... ah, deixe para lá. Dá para ver que não posso competir com o que quer que o tenha deixado perturbado assim.

– Mãe – chamou Benedict de repente.

Ela inclinou a cabeça um pouco para o lado, com ar intrigado e talvez um pouco surpreso.

– Sim?

– Quando a senhora conheceu meu pai...

– Tudo aconteceu num instante – disse ela baixinho, de certa forma sabendo o que ele iria perguntar.

– Então a senhora logo soube que ele era o homem da sua vida?

Ela sorriu e o rosto assumiu uma expressão distante e nostálgica.

– Ah, no início eu não admiti isso – contou. – Eu me considerava do tipo prático. Sempre achei a ideia de amor à primeira vista ridícula. – Ela fez uma pequena pausa e Benedict soube que a mãe não estava mais na sala com ele, mas num baile de muito tempo atrás, vendo o pai dele pela primeira vez. Enfim, quando achava que Violet se esquecera por completo da conversa, ela olhou de novo para ele e disse: – Mas eu soube.

– Desde o primeiro instante que o viu?

– Bem, desde a primeira vez que nos falamos, pelo menos.

Ela pegou o lenço que ele lhe ofereceu e secou os olhos, dando um sorriso tímido, como se estivesse encabulada com as próprias lágrimas.

Benedict sentiu um bolo na garganta e desviou o olhar, sem querer que ela o visse lacrimejar. Será que alguém choraria por ele mais de dez anos depois da sua morte? Testemunhar um amor verdadeiro era algo que dava uma sensação de humildade, e Benedict de repente sentiu muita inveja dos próprios pais.

Os dois encontraram o amor e tiveram o bom senso de reconhecê-lo e aproveitá-lo. Poucas pessoas tinham tanta sorte.

– Havia algo na voz dele que era muito tranquilizador, muito carinhoso – continuou Violet. – Quando ele falava, a gente se sentia a única pessoa da sala.

– Eu lembro – retrucou Benedict com um sorriso afetuoso e nostálgico. – Era um feito e tanto conseguir isso tendo oito filhos.

Violet engoliu em seco várias vezes e depois disse com a voz firme de novo:

– Sim. Bem, ele não chegou a conhecer Hyacinth, então eram apenas sete.

– Ainda assim...

Ela assentiu.

– Ainda assim.

Benedict lhe deu um tapinha na mão. Não sabia por quê. Não planejara o gesto. Mas, de alguma forma, pareceu a coisa certa a fazer.

– Muito bem – falou Violet, apertando de leve a mão dele antes de levá-la ao colo mais uma vez. – Você me perguntou sobre seu pai por algum motivo em especial?

– Não – mentiu ele. – Pelo menos não... Bem...

Ela esperou com toda a paciência, com aquela expressão ligeiramente esperançosa que tornava impossível guardar os sentimentos para si.

– O que acontece quando alguém se apaixona por uma pessoa inadequada? – indagou Benedict, tão surpreso pelas próprias palavras quanto a mãe com certeza estava.

– Uma pessoa inadequada? – repetiu Violet.

Benedict assentiu, já arrependido da pergunta. Jamais deveria ter dito algo à mãe, e, no entanto...

Suspirou. Violet sempre fora uma ótima ouvinte. E, na verdade, apesar de sua mania irritante de bancar a casamenteira, era mais qualificada para dar conselhos sobre questões amorosas do que qualquer outra pessoa que ele conhecesse.

Ao responder, ela pareceu escolher as palavras com todo o cuidado:

– O que quer dizer com "inadequada"?

– Alguém... – Ele parou e fez uma pausa. – Alguém com quem uma pessoa como eu provavelmente não deveria se casar.

– Alguém que talvez não pertença à nossa classe social?

Ele olhou para um quadro na parede.

– Mais ou menos isso.

– Entendo. Bem... – Violet franziu um pouco a testa e depois disse: – Acho que dependeria de quão distante da nossa classe a pessoa estivesse.

– Distante.

– Um pouco distante ou muito distante?

Benedict estava convencido de que nenhum homem da sua idade e reputação jamais tivera uma conversa como aquela com a mãe, mas, mesmo assim, respondeu:

– Muito distante.

– Sei. Bem, eu diria... – Violet mordeu o lábio inferior por um instante antes de continuar: – Eu diria – tentou ela mais uma vez, de forma um pouco mais enfática (ainda que nem um pouco enérgica). – Eu diria – falou pela terceira vez – que eu o amo muito e o apoiarei em qualquer decisão. – Ela pigarreou. – Isso se a pessoa de fato for *você*.

Como pareceu inútil negar, Benedict apenas assentiu.

– Mas – acrescentou Violet – eu o alertaria a pensar bem no que iria fazer. O amor com certeza é o elemento mais importante de qualquer união, mas influências externas podem prejudicar um casamento. E se você se casar com alguém, digamos – ela pigarreou de novo –, da criadagem, será alvo de muita fofoca e discriminação. Isso seria algo difícil de suportar para alguém como você.

– Alguém como eu? – perguntou ele, incomodado com a escolha de palavras.

– Saiba que não falo isso como um insulto. Mas você e seus irmãos levaram uma vida privilegiada. São bonitos, inteligentes, interessantes. Todos gostam de vocês. Nem sei dizer quanto isso me deixa feliz. – Ela sorriu, mas foi um gesto melancólico e um pouco triste. – Não é fácil tomar chá de cadeira.

De repente Benedict compreendeu por que a mãe sempre o forçava a dançar com moças como Penelope Featherington. As que ficavam à margem do salão de baile, fingindo que na verdade não *queriam* dançar.

Ela própria pertencera ao grupo das que tomavam chá de cadeira.

Era difícil imaginar. Sua mãe era muito popular agora, sorridente e cheia de amigos. E se Benedict entendera a história direito, seu pai era considerado o melhor partido da temporada.

– Essa decisão só cabe a você – continuou Violet, trazendo o filho de volta à realidade. – E lamento dizer que não será uma decisão fácil.

Ele olhou pela janela, concordando com o silêncio.

– Mas – acrescentou ela –, caso decida ficar com alguém que não pertença à nossa classe, eu prometo apoiá-lo de todas as maneiras possíveis.

Benedict olhou para ela. Poucas mulheres da sociedade diriam o mesmo aos filhos.

– Você é meu filho – falou ela simplesmente. – Eu daria a vida por você.

Ele abriu a boca, mas ficou surpreso ao descobrir que não conseguiu emitir um som sequer.

– Com certeza eu não o evitaria por se casar com alguém inadequado.

– Obrigado – retrucou ele.

Foi a única palavra que conseguiu pronunciar.

Violet suspirou, alto o suficiente para chamar a atenção dele de novo. Parecia cansada e melancólica.

– Gostaria que seu pai estivesse aqui – falou.

– A senhora não costuma dizer isso – comentou Benedict baixinho.

– Eu sempre gostaria que seu pai estivesse aqui. – Ela fechou os olhos por um breve instante. – Sempre.

E então, de alguma forma, ficou claro. Ao observar o rosto da mãe, enfim percebendo – não, enfim *compreendendo* – a profundidade do amor dos pais um pelo outro, tudo ficou claro.

Amor. Ele amava Sophie. Era tudo o que deveria ter importância.

Ele achava que tinha amado a mulher do baile de máscaras. Acreditara que queria se casar com ela. Mas entendia agora que aquilo não havia passado de um sonho, uma fantasia fugaz de uma mulher que ele mal conhecia.

Mas Sophie era...

Sophie era Sophie. E isso era tudo o que ele precisava.

Sophie não acreditava muito em destino, mas depois de uma hora com Nicholas, Elizabeth, John e Alice Wentworth, os primos pequenos do clã Bridgerton, começava a achar que talvez houvesse um motivo pelo qual nunca conseguira um emprego de tutora.

Estava exausta.

Não, não, pensou, desesperada. Exaustão não era uma definição adequada para seu estado naquele momento. Exaustão não definia a sensação incipiente de insanidade que o quarteto lhe provocara.

– Não, não, não, esta boneca é *minha*! – disse Elizabeth a Alice.

– É minha! – respondeu Alice.

– Não é!

– É, sim!

– Vou resolver isto – disse Nicholas, de 10 anos, com ar de superioridade e as mãos nos quadris.

Sophie gemeu. Tinha a sensação de que não era boa ideia permitir que a disputa fosse decidida por um menino de 10 anos que acreditava ser um pirata.

– Nenhuma de vocês vai querer a boneca se eu *cortar* sua... – disse ele, com um brilho sorrateiro no olhar.

Sophie saltou para intervir:

– Você não vai cortar a cabeça dela, Nicholas Wentworth.

– Mas daí elas vão parar...

– *Não* – interrompeu Sophie com a voz enfática.

Ele olhou para ela, avaliando se Sophie estava falando a sério, então resmungou e se afastou.

– Acho que precisamos de uma nova brincadeira – sussurrou Hyacinth para Sophie.

– Tenho *certeza* de que precisamos de uma nova brincadeira – murmurou Sophie.

– Largue o meu soldado! – berrou John. – Largue, largue, largue!

– Eu nunca vou ter filhos – anunciou Hyacinth. – Na verdade, acho que nunca vou me casar.

Sophie preferiu não comentar que quando Hyacinth se casasse e tivesse filhos, com certeza teria uma esquadra de enfermeiras e babás para ajudá-la a tomar conta deles.

Hyacinth fez uma careta quando John puxou os cabelos de Alice, depois engoliu em seco quando Alice deu um soco na barriga de John.

– A situação está ficando desesperadora – sussurrou ela para Sophie.

– Cabra-cega! – exclamou Sophie de repente. – O que acham? Que tal brincarmos de cabra-cega?

Alice e John assentiram, entusiasmados, e Elizabeth disse um relutante "Está bem" depois de considerar a questão com bastante cuidado.

– O que acha, Nicholas? – perguntou Sophie, se dirigindo ao último resistente.

– Pode ser divertido – assentiu ele lentamente, assustando Sophie com seu brilho diabólico no olhar.

– Ótimo – disse ela, tentando não transparecer a desconfiança na voz.

– Mas *você* precisa ser a cabra-cega – acrescentou ele.

Sophie abriu a boca para protestar, mas, naquele momento, as outras três crianças começaram a pular e gritar de alegria. Então seu destino foi selado quando Hyacinth se virou para ela com um sorriso e falou:

– Ah, precisa mesmo.

Como sabia que não adiantaria protestar, Sophie deu um suspiro longo e sofrido – e exagerado, para encantamento das crianças – e se virou para que Hyacinth a vendasse com um lenço.

– Está conseguindo ver? – perguntou Nicholas.

– Não – mentiu Sophie.

Ele se virou para Hyacinth com uma careta.

– Ela está vendo.

Como ele podia saber?

– Ponha mais um lenço – sugeriu Nicholas. – Este é muito transparente.

– Ah, a indignidade...– murmurou Sophie, mas mesmo assim abaixou-se um pouco para que Hyacinth amarrasse mais um lenço sobre seus olhos.

– Agora sim! – gritou John.

Sophie deu a todos um sorriso meigo.

– Muito bem – disse Nicholas, claramente no comando. – Conte até dez enquanto nos escondemos.

Sophie assentiu, tentando não estremecer ao ouvir os sons de uma correria louca pela sala.

– Tentem não quebrar nada! – gritou, como se isso fosse fazer alguma diferença para uma criança superagitada de 6 anos.

– Estão prontos? – perguntou ela.

Nenhuma resposta. Isso queria dizer que sim.

– Onde estão? – falou ela.

– *Aqui!* – disseram cinco vozes em uníssono.

Sophie franziu a testa e se concentrou. Uma das meninas com certeza estava atrás do sofá. Ela deu alguns passos pequenos para a direita.

– Onde estão?

– Aqui!

A resposta, é claro, foi seguida de alguns gritinhos e risadinhas.

– Onde est... AI!

Mais risadinhas e gritinhos. Sophie resmungou enquanto esfregava a canela machucada.

– Onde estão? – indagou de novo, com bem menos entusiasmo.

– Aqui!

– Aqui!

– Aqui!

– Aqui!

– Aqui!

– Achei você, Alice – sussurrou ela baixinho, decidindo ir atrás da menorzinha e supostamente a mais fraca do bando. – Agora você é toda minha.

Benedict quase conseguiu fugir direto. Depois que a mãe saiu da sala de estar, ele virou um oportuno copo de conhaque e seguiu em direção à porta, mas foi interceptado por Eloise, que lhe disse que ele não podia ir embora ainda, que Violet estava fazendo um esforço muito grande para reunir todos os filhos porque Daphne tinha um importante anúncio a fazer.

– Está grávida de novo? – perguntou Benedict.

– Finja surpresa. Você não deveria saber.

– Não vou fingir nada. Estou indo embora.

Ela deu um salto desesperado para a frente e, de alguma maneira, conseguiu agarrá-lo pela manga.

– Você não pode ir embora.

Benedict deu um longo suspiro e tentou se soltar, mas Eloise segurava sua camisa com muita força.

– Vou levantar um pé – disse ele devagar, em tom monótono – e dar um passo para a frente. Depois, vou levantar o outro pé...

– Você prometeu a Hyacinth que a ajudaria com as lições de aritmética – disparou Eloise. – E ela não o vê há duas semanas.

– E daí? Ela não vai à escola, não pode ser expulsa – resmungou Benedict.

– Benedict, que coisa terrível de se dizer! – exclamou Eloise.

– Eu sei – gemeu ele, esperando escapar de um sermão.

– Só porque as mulheres não têm permissão de estudar em locais como Eton e Cambridge, não quer dizer que nossa educação seja menos importante – discursou Eloise, ignorando por completo o fraco "Eu sei" do irmão. – Além disso... – continuou.

Benedict se jogou contra a parede.

– ... acredito que o motivo pelo qual não temos acesso às escolas é que, se tivéssemos, iríamos superar os homens em todas as matérias!

– Tem razão – retrucou ele com um suspiro.

– Não seja condescendente.

– Acredite, Eloise, a última coisa que eu sonharia em fazer seria ser condescendente com você.

Ela olhou para ele com desconfiança antes de cruzar os braços e dizer:

– Bem, não decepcione Hyacinth.

– Não vou decepcionar – prometeu ele com a voz cansada.

– Acho que ela está na ala infantil.

Benedict assentiu distraidamente e se virou para a escada.

Ao começar a subir os degraus, ele não viu Eloise olhar para a mãe, que estava espiando da sala de música, e lhe dar uma piscadela e um sorriso.

A ala infantil ficava no segundo andar da casa. Benedict não costumava aparecer por lá. A maioria dos quartos dos irmãos ficava no primeiro piso. Só os de Gregory e Hyacinth ainda eram perto da ala infantil, e como o menino passava a maior parte do ano em Eton e a garota estava sempre aterrorizando alguém em alguma outra parte da casa, Benedict não tinha muitos motivos para ir até lá.

Não deixou de lhe ocorrer que, além dos aposentos das crianças, o segundo andar abrigava também os quartos dos criados. Incluindo as camareiras.

Sophie.

Era provável que ela estivesse em algum canto com suas costuras – com certeza não na ala infantil, que era o domínio das enfermeiras e babás. Uma camareira não teria razão para...

– Heeheeheehahaha!

Benedict levantou as sobrancelhas. Não tinha dúvida de que era o som da risada de uma criança, não de Hyacinth, de 14 anos.

Ah, sim. Seus primos estavam fazendo uma visita. A mãe comentara algo a respeito. Bem, isso seria um bônus. Ele não os via fazia alguns meses e eram crianças muito queridas, ainda que um pouco agitadas demais.

Ao se aproximar, a risada aumentou, com alguns gritinhos extras. Os ruídos fizeram Benedict abrir um sorriso e quando ele chegou à porta aberta...

Ele a viu.

Ela.

Não Sophie.

Ela.

E, no entanto, *era* Sophie.

Ela estava vendada, sorrindo com as mãos estendidas para a frente na direção das crianças. Benedict podia ver apenas a parte de baixo do rosto dela, e foi aí que soube.

Havia apenas outra mulher no mundo de quem ele só vira a parte inferior do rosto.

O sorriso era o mesmo. O queixo era o mesmo. Era *tudo* igual.

Ela era a mulher de prateado, a mulher do baile de máscaras.

De repente, fez sentido. Apenas duas vezes na vida Benedict sentira aquela atração inexplicável, quase mística, por uma mulher. Achava incrível ter conhecido duas mulheres, quando no fundo do coração sempre acreditara que havia apenas um par perfeito para ele no mundo.

Seu coração estava certo. Havia apenas uma.

Ele a procurara durante meses. Sonhara com ela por ainda mais tempo. E ali estava, bem debaixo do seu nariz.

E ela não lhe contara.

Será que ela compreendia o que o havia feito passar? Quantas horas ele ficara acordado na cama, sentindo que estava traindo a dama de prateado – a mulher com quem sonhava se casar – por estar se apaixonando por uma camareira?

Por Deus, aquilo beirava o absurdo. Ele enfim decidira esquecer a mulher de prateado. Ia pedir Sophie em casamento, mandando às favas as consequências sociais.

E as duas eram a mesma pessoa.

Um estranho zumbido tomou conta da sua cabeça, como se duas conchas do mar imensas tivessem sido presas a seus ouvidos. O ar de repente ficou com um cheiro pungente, tudo ficou um pouco avermelhado e...

Benedict não conseguia tirar os olhos dela.

– Há algo errado? – perguntou Sophie.

Todas as crianças haviam ficado em silêncio, encarando Benedict boquiabertas e com os olhos muito arregalados.

– Hyacinth, podem sair da sala, por favor? – disparou ele.

– Mas...

– *Agora!* – rugiu ele.

– Nicholas, Elizabeth, John, Alice, venham comigo – disse Hyacinth rapidamente, com a voz trêmula. – Tem biscoitos na cozinha, e eu sei que...

Mas Benedict não escutou o resto. A irmã conseguira esvaziar a sala em tempo recorde, e sua voz foi desaparecendo no corredor enquanto ela levava as crianças para longe.

– Benedict? – chamou Sophie, tentando desfazer o nó atrás da cabeça. – Benedict?

Ele bateu a porta. O barulho foi tão forte que ela deu um salto.

– Qual é o problema? – sussurrou Sophie.

Benedict não disse nada, apenas ficou olhando enquanto ela tentava se livrar do lenço. Gostou de vê-la impotente. Não se sentia muito gentil e generoso naquele momento.

– Tem alguma coisa que você queira me contar? – perguntou.

Estava com a voz controlada, mas suas mãos tremiam.

Sophie ficou imóvel, tão imóvel que ele juraria ter visto o ar saindo de seu corpo. Então ela pigarreou – um som desconfortável e constrangido – e voltou a tentar desfazer o nó. Os movimentos fizeram o vestido se apertar ao redor dos seios dela, mas Benedict não sentiu nem um pouco de desejo.

Foi, pensou ironicamente, a primeira vez que não sentiu desejo por aquela mulher, em qualquer de suas encarnações.

– Pode me ajudar com isto aqui? – pediu ela.

Mas sua voz estava hesitante. Benedict não se mexeu.

– Benedict?

– É interessante vê-la com um lenço amarrado na cabeça, Sophie – disse ele baixinho.

Ela deixou as mãos caírem bem vagarosamente ao lado do corpo.

– É quase como uma meia máscara, não acha?

Sophie entreabriu os lábios e a suave lufada de ar que passou por eles foi o único barulho que se ouviu na sala.

Ele andou na direção dela lenta e implacavelmente, pisando forte o bastante para que Sophie soubesse que ele estava se aproximando.

– Faz anos que não vou a um baile de máscaras – falou.

Ela sabia. Ele viu em seu rosto, na forma como contraiu os lábios. Sophie sabia que ele sabia.

Ele esperava que ela estivesse apavorada.

Deu mais dois passos na direção dela, depois virou de forma abrupta para a direita, roçando o braço na manga do vestido dela.

– Você algum dia ia me contar que já nos conhecíamos?

Ela mexeu a boca, mas não falou.

– Ia? – insistiu ele, com a voz baixa e controlada.

– Não – disse ela, em um tom hesitante.

– É mesmo?

Sophie não produziu som algum.

– Algum motivo em especial?

– Não... não parecia pertinente.

Ele deu meia-volta.

– Não pareceu *pertinente*? – disparou. – Faz dois anos que eu me apaixonei por você e não lhe pareceu pertinente?

– Posso tirar o lenço, por favor? – sussurrou ela.

– Por mim você pode continuar cega.

– Benedict, eu...

– Como *eu* estive cego no último mês – continuou ele, irritado. – Por que não vê se gosta disso?

– Você não se apaixonou por mim há dois anos – disse ela, puxando o lenço, apertado demais.

– Como você poderia saber? Você desapareceu!

240

– Eu *precisei* fazer isso! – gritou ela. – Eu não tinha escolha.

– Nós sempre temos escolhas – retrucou Benedict com condescendência. – Chamamos de livre-arbítrio.

– É fácil para você dizer isso – disparou ela, puxando a venda dos olhos de maneira frenética. – Você, que tem tudo! Eu precisava... Ah!

Com um movimento violento, ela de alguma forma conseguiu puxar os lenços para baixo até os dois ficarem ao redor do seu pescoço.

Sophie piscou com o repentino clarão. Então viu o rosto de Benedict e cambaleou para trás.

Os olhos dele estavam em chamas, ardendo de raiva e, sim, de uma mágoa que ela mal conseguia compreender.

– É bom ver você, Sophie – disse Benedict em uma voz perigosamente baixa. – Se é que este é seu verdadeiro nome.

Ela assentiu.

– Agora me ocorreu – continuou ele, de modo casual – que se você estava no baile de máscaras, não é exatamente uma criada, é?

– Eu não tinha um convite – explicou ela com rapidez. – Eu era uma fraude. Uma mentirosa. Não tinha o direito de estar lá.

– Você mentiu para mim. O tempo todo, até agora, mentiu para mim.

– Eu tive que fazer isso – murmurou ela.

– Ora, por favor. O que pode ser tão terrível que a obrigue a esconder sua identidade de *mim*?

Sophie engoliu em seco. Ali, na ala infantil dos Bridgertons, com Benedict se aproximando cada vez mais, ela não conseguia se lembrar direito por que decidira não lhe contar que era a dama do baile de máscaras.

Talvez temesse que ele fosse querer que ela se tornasse sua amante.

O que acabou acontecendo, de qualquer maneira.

Ou talvez não tivesse dito nada porque quando se deu conta de que aquele não seria um encontro casual, que Benedict não iria deixar Sophie, a arrumadeira, sair de sua vida, já era tarde demais. Ela passara muito tempo sem dizer nada e acabara ficando com medo da sua raiva.

O que foi exatamente o que aconteceu.

Isso mostrava que ela tinha razão. Claro que não serviu de consolo, com ela parada diante dele, vendo seus olhos cada vez mais repletos de raiva e desprezo.

Talvez a verdade – por mais desagradável que pudesse ser – fosse o fato de o orgulho dela ter sido ferido. Sophie ficara decepcionada por Benedict não a ter reconhecido por si mesmo. Se a noite do baile de máscaras houvesse sido tão mágica para ele como fora para ela, então ele não deveria ter sabido de imediato quem ela era?

Passara dois anos sonhando com ele. Durante dois anos, visualizara seu rosto todas as noites em sua mente. E, no entanto, quando ele olhou para ela, viu uma estranha.

Ou talvez, apenas talvez, não tivesse sido nada disso. Talvez fosse mais simples do que isso. Quem sabe ela quisesse apenas proteger o próprio coração. Não entendia por que, mas se sentia um pouco mais segura, um pouco menos exposta, como uma arrumadeira anônima. Se Benedict soubesse quem ela era – ou ao menos percebesse que ela era a mulher do baile de máscaras –, ele a teria perseguido. Sem descanso.

Ah, sim, ele também a tinha perseguido quando pensava que ela era uma criada. Mas teria sido diferente se conhecesse a verdade. Sophie tinha certeza disso. Ele não teria considerado a diferença de classe entre eles tão relevante, e dessa forma uma importante barreira entre os dois teria sido rompida. Sua posição social, ou a falta dela, funcionara como um muro de proteção para seu coração. Ela não *poderia* se aproximar demais, porque... Ora, não poderia se aproximar demais. Um homem como Benedict – filho e irmão de viscondes – jamais se casaria com uma criada.

Mas filha ilegítima de um conde... Essa era uma situação muito mais complicada. Ao contrário de uma criada, uma bastarda aristocrática podia sonhar.

No entanto, assim como os sonhos de uma criada, seria muito difícil que os dela se transformassem em realidade. O que tornava o ato de sonhar ainda mais doloroso. E ela sabia – toda vez que estivera prestes a revelar seu segredo, Sophie tivera essa consciência – que a consequência de contar a verdade a ele seria um coração partido.

Isso quase a fez rir. Seu coração não poderia estar pior do que naquele momento.

– Eu procurei você – disse ele, interrompendo os pensamentos dela com sua voz baixa e intensa.

Sophie arregalou os olhos e eles se encheram de lágrimas.

– Procurou? – sussurrou.

– Durante seis malditos meses – praguejou ele. – Foi como se você tivesse desaparecido da face da terra.

– Eu não tinha para onde ir – retrucou ela, sem saber por quê.

– Você tinha a *mim*.

As palavras pairaram no ar, pesadas e sombrias. Finalmente, impulsionada por algum senso perverso de honestidade tardia, Sophie disse:

– Eu não sabia que você tinha procurado por mim. Mas... mas... – Ela engasgou com a palavra, estreitando os olhos por causa da dor daquele instante.

– Mas o quê?

Ela engoliu várias vezes em seco e, quando abriu os olhos, não fitou o rosto dele.

– Mesmo que eu soubesse que você estava atrás de mim – falou, abraçando o próprio corpo –, eu não o teria deixado me encontrar.

– Eu lhe causava tanta repulsa assim?

– Não! – gritou Sophie, olhando para ele no mesmo instante.

Benedict estava magoado. Ele disfarçava bem, mas ela o conhecia. Havia mágoa nos olhos dele.

– Não – repetiu ela, tentando falar com a voz calma e equilibrada. – Não era isso. Jamais seria isso.

– Então era o quê?

– Nós somos de mundos diferentes, Benedict. Mesmo na época eu sabia que não haveria futuro para nós. E teria sido torturante. Por que sofrer com um sonho que não poderia se realizar? Eu não seria capaz de fazer isso.

– Quem é você? – perguntou ele de repente.

Ela apenas o encarou, inerte.

– Diga-me – exigiu ele. – Diga-me quem você é. Porque não é uma maldita camareira, isso é certo.

– Eu sou exatamente quem falei que era – retrucou ela. Então, diante do olhar furioso dele, acrescentou: – Quase.

Ele avançou na direção dela.

– Quem é você?

Ela recuou mais um passo.

– Sophia Beckett.

– *Quem é você?*

– Sou criada desde os 14 anos.

– E quem você era antes disso?

A voz dela virou um sussurro:

– Uma bastarda.

– Bastarda de quem?

– Isso tem alguma importância?

A postura dele ficou ainda mais beligerante.

– Tem para mim.

Sophie sentiu o desânimo tomar conta dela. Não achava que ele ignoraria os deveres do berço e de fato se *casasse* com alguém como ela, mas esperava que não se importasse tanto assim.

– Quem eram seus pais? – insistiu Benedict.

– Ninguém que você conheça.

– Quem eram seus pais? – rugiu ele.

– O conde de Penwood! – gritou ela.

Benedict ficou absolutamente imóvel, sem mexer um único músculo. Nem sequer piscou.

– Sou a filha bastarda de um nobre – continuou Sophie com a voz áspera, extravasando anos de raiva e ressentimento. – Meu pai era o conde de Penwood e minha mãe, uma criada. Sim – disparou ela quando o viu empalidecer –, minha mãe era uma camareira. Assim como eu.

Um silêncio pesado pairou no ambiente e então Sophie disse em voz baixa:

– Eu não serei como a minha mãe.

– E, no entanto, se ela tivesse feito diferente – retrucou Benedict –, você não estaria aqui para me dizer isso.

– A questão não é essa.

As mãos de Benedict, que estavam cerradas, começaram a se contorcer.

– Você mentiu para mim – disse ele em voz baixa.

– Não havia necessidade de lhe contar a verdade.

– Quem é você para decidir isso? – explodiu ele. – Pobre Benedict, não consegue dar conta da verdade. Não consegue decidir por si mesmo. Ele...

Benedict parou, enojado pelo tom queixoso da própria voz. Ela o estava transformando em alguém que ele não conhecia, alguém de quem não gostava.

Precisava sair dali. Precisava...

– Benedict?

Sophie o encarava de uma forma estranha. Com preocupação.

– Eu preciso ir – murmurou ele. – Não posso olhar para você agora.

– Por quê? – perguntou Sophie, e ele viu pela expressão em seu rosto que ela se arrependeu imediatamente da pergunta.

– Estou com tanta raiva que não me reconheço – retrucou Benedict, com a voz seca. – Eu...

Ele olhou para as próprias mãos. Elas tremiam. Percebeu que queria machucar Sophie. Não, isso não era verdade. Ele jamais iria querer isso. E, no entanto...

E, no entanto...

Foi a primeira vez na vida que se sentiu tão fora de controle. E isso o assustou.

– Preciso ir – repetiu, e passou bruscamente por ela a caminho da porta.

244

CAPÍTULO 20

Enquanto estamos tratando do assunto, a mãe da Srta. Reiling, a condessa de Penwood, também tem agido de forma muito estranha nos últimos tempos. Conforme mexericos de criados (que todos sabemos são sempre dos mais confiáveis), a condessa teve um verdadeiro ataque ontem à noite, atirando nada menos do que 17 sapatos na direção deles.

Um lacaio está com um olho machucado, mas, apesar disso, todos os demais seguem apresentando boa saúde.

CRÔNICAS DA SOCIEDADE DE LADY WHISTLEDOWN,
11 DE JUNHO DE 1817

Em uma hora, Sophie estava com a mala pronta. Não sabia o que mais podia fazer. Foi dominada – dolorosamente dominada – pela ansiedade e não conseguia ficar imóvel. Não parava de mexer os pés, as mãos tremiam e a cada poucos minutos ela respirava fundo, como se o ar extra pudesse de alguma forma tranquilizá-la.

Imaginava que não lhe seria permitido continuar na casa de Lady Bridgerton depois de uma briga terrível com Benedict. Era verdade que Violet gostava de Sophie, mas Benedict era filho dela. O sangue de fato valia mais do que qualquer coisa, sobretudo quando se tratava da família Bridgerton.

Era triste, na verdade, ela pensou ao se sentar na cama, ainda amassando um lenço com as mãos. Porque, apesar de seus sentimentos tumultuosos por Benedict, ela gostava de morar ali. Sophie nunca tivera a honra de viver entre um grupo de pessoas que realmente compreendia o significado da palavra "família".

Ela sentiria saudades deles.

Sentiria saudades de Benedict.

E lamentaria a vida que não podia ter.

Sem conseguir ficar parada, ela se levantou mais uma vez e foi até a janela.

– Maldito seja, papai – falou, olhando para o céu. – Pronto. Chamei-o de papai. O senhor nunca me deixou fazer isso. Nunca quis *ser* isso. – Ela arfou de forma convulsiva e limpou o nariz com as costas da mão. – Eu o chamei de papai. Qual é a sensação?

Mas não houve estrondo de trovão, nenhuma nuvem cinza surgindo do nada para encobrir o sol. O pai dela jamais saberia quanto ela tinha raiva dele por tê-la deixado sem dinheiro, por tê-la deixado com Araminta. Provavelmente ele não se importaria.

Como estava muito cansada, ela se apoiou na janela e esfregou os olhos com a mão.

– O senhor me deixou sentir o sabor de outra vida – sussurrou – e depois me abandonou. Teria sido muito mais fácil se eu tivesse sido criada como uma empregada. Assim eu não teria nutrido tantos desejos. Teria sido mais fácil.

Ela se virou de novo e pousou os olhos em sua única e mísera bolsa. Não queria levar os vestidos que ganhara de Lady Bridgerton e das suas filhas, mas não tinha muita escolha, já que seus trajes antigos haviam sido relegados ao cesto de trapos. Assim, Sophie pegou apenas dois, a mesma quantidade com que chegara: o que usava quando Benedict descobrira sua identidade e um outro, que enfiou na bolsa. Deixou o restante pendurado, muito bem passado, no guarda-roupa.

Ela suspirou e fechou os olhos por um instante. Estava na hora de ir. Aonde, não sabia, mas não podia ficar ali.

Sophie se abaixou e pegou a bolsa. Tinha um pouco de dinheiro guardado. Não era uma grande quantia, mas, se trabalhasse e não gastasse muito, teria recursos suficientes para ir para os Estados Unidos dentro de um ano. Ouvira dizer que as coisas lá eram mais fáceis para os que não tinham berço, que as divisões entre as classes não eram tão rígidas como na Inglaterra.

Espiou o corredor, que graças a Deus se encontrava vazio. Sabia que estava sendo covarde, mas não queria ter que se despedir das meninas. Poderia fazer algo muito estúpido, como chorar, e então se sentiria ainda pior. Nunca tivera a oportunidade de conviver com garotas da sua idade que a tratassem com respeito e afeição. Um dia, desejara que Rosamund e Posy fossem suas irmãs, mas isso nunca veio a acontecer. Posy podia ter tentado, mas Araminta não permitira, e a jovem, apesar de toda sua doçura, nunca fora forte o bastante para enfrentar a mãe.

Mas ela tinha que se despedir de Lady Bridgerton. Não havia como escapar disso. Violet fora bondosa com ela além de quaisquer expectativas, e Sophie não agradeceria ao tratamento que recebera fugindo e desaparecendo como uma criminosa. Se tivesse sorte, ela ainda não teria ficado sabendo de sua discussão com Benedict. Sophie poderia avisá-la, dizer adeus e ir embora.

Era o fim da tarde, bem depois da hora do chá, então Sophie decidiu se arriscar e ver se a matriarca estava no pequeno escritório que mantinha ao lado de seu quarto de dormir. Era um ambiente acolhedor e confortável, com uma escrivaninha e diversas estantes de livros – o local onde Violet escrevia suas correspondências e acertava as contas da casa.

A porta estava entreaberta e Sophie bateu de leve, fazendo com que ela se abrisse mais alguns centímetros quando os nós de seus dedos encostaram na madeira.

– Pode entrar! – gritou Violet.

Sophie empurrou a porta e enfiou a cabeça dentro do escritório.

– Interrompo? – perguntou baixinho.

Violet soltou a pena.

– Sim, mas é uma interrupção bem-vinda. Nunca gostei de fazer as contas da casa.

– Eu não... – começou Sophie, então parou.

Ia falar que não se importaria em assumir a tarefa, que sempre tinha sido boa com números.

– O que estava dizendo? – indagou Violet, com um olhar carinhoso.

Sophie balançou a cabeça levemente.

– Nada.

O ambiente ficou em silêncio até que Violet deu um sorriso divertido para Sophie e perguntou:

– Você veio me ver por algum motivo específico?

Sophie respirou fundo, tentando se acalmar (sem conseguir) e retrucou:

– Vim.

Violet olhou para ela com expectativa, mas não disse nada.

– Infelizmente, terei que ir embora desta casa – afirmou Sophie.

Violet se levantou da cadeira.

– Mas por quê? Não está feliz? Alguma das meninas andou maltratando você?

– Não, não – garantiu Sophie com rapidez. – Isso não poderia estar mais distante da realidade. Suas filhas são encantadoras, tanto por dentro quanto por fora. Eu nunca... quero dizer, ninguém nunca...

– O que houve, Sophie?

Ela se segurou no batente da porta, tentando de qualquer maneira recuperar o equilíbrio. As pernas estavam bambas e o coração, abalado. A qualquer momento, iria desabar em lágrimas, e por quê? Porque o homem que ela amava jamais se casaria com ela? Porque a odiava por mentir para ele? Porque ele partira o coração dela duas vezes – uma ao pedir que fosse sua amante e outra ao fazê-la amar sua família e então forçá-la a ir embora?

247

Benedict podia não tê-la mandado embora, mas não poderia estar mais claro que ela não podia ficar.

– O problema é Benedict, não é?

Sophie levantou a cabeça.

Violet sorriu com tristeza.

– É evidente que há algum sentimento entre vocês – falou com delicadeza, respondendo à pergunta que Sophie sabia que seus olhos deviam estar fazendo.

– Por que a senhora não me demitiu? – sussurrou ela.

Não achava que Violet soubesse que ela e Benedict haviam ficado juntos, mas ninguém da posição de Lady Bridgerton iria querer o filho apaixonado por uma arrumadeira.

– Não sei – respondeu Lady Bridgerton, parecendo mais confusa do que Sophie poderia imaginar. – Talvez eu devesse ter feito isso. – Ela deu de ombros, com o olhar estranhamente impotente. – Mas eu gosto de você.

As lágrimas que Sophie se esforçava tanto para conter começaram a rolar pelo seu rosto, mas, apesar disso, ela de alguma forma conseguiu manter a compostura. Não estremeceu, não produziu um som sequer. Apenas ficou ali parada, chorando.

Quando Violet falou de novo, fitando Sophie nos olhos, as palavras foram pronunciadas com bastante cuidado, como se tivessem sido escolhidas com muito carinho:

– Você é o tipo de mulher que eu gostaria para o meu filho. Não convivemos há muito tempo, mas conheço o seu caráter e o seu coração. E adoraria...

Sophie deixou escapar um soluço engasgado, mas se conteve o mais rápido que pôde.

– Adoraria que você tivesse uma origem diferente – continuou Violet, que ao notar o choro de Sophie inclinou a cabeça para o lado em um gesto de compaixão e piscou com tristeza. – Não que eu vá usar isso contra você ou que faça minha consideração diminuir, mas torna as coisas muito difíceis.

– Impossíveis – sussurrou Sophie.

Violet não disse nada e Sophie soube que, no fundo, ela concordava – se não por completo, então 98 por cento – com sua avaliação.

– É possível que a sua origem não seja exatamente o que parece ser? – quis saber Violet, medindo ainda mais as palavras do que antes.

Sophie não respondeu.

– Há coisas a seu respeito que não fazem sentido, Sophie.

Sophie sabia que Violet esperava que ela perguntasse o quê, mas tinha uma boa ideia do que a mãe de Benedict queria dizer.

– Seu sotaque é impecável – observou Lady Bridgerton. – Sei que me disse que teve aulas com as filhas da dona da casa na qual sua mãe trabalhava, mas isso não me parece explicação suficiente. Essas aulas teriam começado apenas quando você fosse mais velha, com no mínimo 6 anos, e a essa altura seus padrões de fala já estariam estabelecidos.

Sophie arregalou os olhos. Nunca havia se dado conta desse furo em especial em sua história, e ficou bastante surpresa que ninguém o tivesse notado até então. Mas Lady Bridgerton era bem mais inteligente do que a maioria das pessoas a quem ela contara sua história inventada.

– E você sabe latim – prosseguiu Violet. – Não tente negar. Eu a ouvi murmurar outro dia quando Hyacinth a chateou.

Sophie manteve o olhar fixo na janela à esquerda de Lady Bridgerton. Não tinha coragem de encará-la.

– Obrigada por não negar – falou Violet.

Então esperou que Sophie dissesse algo. Aguardou por tanto tempo que enfim Sophie precisou preencher aquele silêncio interminável:

– Eu não sou uma noiva adequada para o seu filho.

– Entendo.

– Eu realmente preciso ir – falou o mais rápido que pôde, antes que mudasse de ideia.

Violet assentiu.

– Se é o que deseja, não há nada que eu possa fazer para impedi-la. Para onde pensa em ir?

– Tenho parentes no norte – mentiu Sophie.

Ficou claro que Violet não acreditou, mas respondeu:

– Irá, é claro, usar uma de nossas carruagens.

– Não, eu jamais poderia aceitar.

– Faço questão. Eu a considero responsabilidade minha, ao menos pelos próximos dias, e é perigoso demais que saia desacompanhada. Este mundo não é seguro para mulheres sozinhas.

Sophie não conseguiu conter um sorriso triste. O tom de Violet podia ser diferente, mas suas palavras foram quase exatamente as mesmas que Benedict pronunciara algumas semanas antes. Aonde isso a levara... Sophie jamais diria que ela e Violet eram boas amigas, mas a conhecia o suficiente para saber que não mudaria de ideia naquela questão.

– Está bem – concordou Sophie. – Obrigada.

Poderia pedir que a carruagem a deixasse em algum lugar não muito longe de um porto onde pudesse reservar uma passagem para os Estados Unidos e depois decidir aonde ir a partir dali.

Lady Bridgerton lhe ofereceu um sorriso triste.

– Imagino que já tenha arrumado as malas.

Sophie assentiu. Não pareceu necessário observar que ela tinha apenas uma mala, no singular.

– Já se despediu de todos?

Sophie balançou a cabeça.

– Prefiro não fazer isso – admitiu.

Lady Bridgerton assentiu.

– Às vezes é melhor. Por que não me espera no saguão? Mandarei que tragam uma carruagem.

Sophie começou a se afastar, mas então parou e se virou de volta para Violet.

– Lady Bridgerton, eu...

Os olhos de Violet se iluminaram, como se ela esperasse uma boa notícia. Ou, se não boa, ao menos algo diferente.

– Sim?

Sophie engoliu em seco.

– Eu só queria lhe agradecer.

O brilho nos olhos de Violet diminuiu um pouco.

– Por quê?

– Por me receber aqui, por me aceitar e por permitir que eu participasse um pouco da sua família.

– Não seja bo...

– A senhora não precisava permitir que eu tomasse chá em sua companhia – interrompeu Sophie. Se não dissesse tudo aquilo naquele instante, perderia a coragem. – A maioria das mulheres não teria feito isso. Foi encantador... e inédito... e... – Ela engoliu em seco. – Vou sentir saudade de todas vocês.

– Você não precisa ir – observou Violet com delicadeza.

Sophie tentou sorrir, mas o gesto saiu hesitante e com gosto de lágrimas.

– Preciso, sim – retrucou, quase engasgando com as palavras.

Violet a encarou por um longo instante, os olhos azul-claros cheios de compaixão e talvez um toque de compreensão.

– Entendo – falou baixinho.

E Sophie temeu que ela realmente entendesse.

– Encontro você lá embaixo – disse Violet.

Sophie assentiu e se afastou para permitir que a viscondessa passasse. Violet parou no corredor e olhou para a bolsa puída de Sophie.

– Isso é tudo o que você tem? – perguntou.

– Tudo no mundo.

Lady Bridgerton engoliu em seco, com desconforto, e seu rosto assumiu um suave tom de rosa, como se ela se sentisse realmente constrangida por sua riqueza – e pela equivalente falta de recursos de Sophie.

– Mas isso não é o que importa – observou Sophie, apontando para a bagagem. – O que a senhora tem... – Ela parou por um instante, lutando com o bolo na garganta. – Não me refiro ao que a senhora possui...

– Eu sei o que quer dizer, Sophie. – Violet secou os olhos com os dedos. – Obrigada.

Sophie deu de ombros.

– É a verdade.

– Deixe-me lhe dar algum dinheiro antes de você ir – falou Violet.

Sophie balançou a cabeça.

– Não posso aceitar. Já peguei dois vestidos que me deu. Eu não queria, mas...

– Está tudo bem – garantiu Violet. – O que mais poderia fazer? Os vestidos com que chegou aqui não existem mais. – Ela pigarreou. – Mas, por favor, aceite um pouco de dinheiro. – Viu Sophie abrir a boca para protestar e disse: – *Por favor*. Isso faria com que eu me sentisse melhor.

Violet tinha um jeito de olhar que fazia com que o interlocutor cedesse a qualquer pedido seu. Além disso, Sophie precisava realmente do dinheiro. Violet era uma pessoa generosa. Poderia até lhe dar o suficiente para comprar uma passagem de terceira classe para atravessar o oceano. Sophie se flagrou agradecendo antes mesmo que sua consciência tivesse uma chance de considerar a oferta.

Lady Bridgerton respondeu com um breve aceno de cabeça e desapareceu pelo corredor.

Sophie deu um suspiro profundo, cheia de insegurança. Pegou a bolsa e desceu a escada bem devagar. Esperou no saguão por um instante e então decidiu que seria melhor aguardar do lado de fora. Era um lindo dia de primavera e ela pensou que um pouco de sol talvez a fizesse se sentir um pouco melhor. Além disso, teria menos probabilidade de cruzar com uma das filhas de Lady Bridgerton – por mais que fosse ter saudade delas, simplesmente não queria se despedir.

Ainda agarrando a bolsa com uma das mãos, ela empurrou a porta da frente e desceu a escada da entrada da casa.

Não demoraria muito para a carruagem aparecer. Cinco minutos, talvez dez, ou então...

– Sophie Beckett!

Sophie sentiu um embrulho no estômago. Araminta. Como podia ter se esquecido?

Paralisada, ela olhou ao redor e escada acima, tentando pensar por onde escapar. Se corresse de volta para a casa, Araminta saberia onde encontrá-la, e se saísse a pé...

– Polícia! – berrou a mulher. – Cadê a polícia?

Sophie soltou a bolsa e saiu em disparada.

– Alguém segure essa garota! – gritou Araminta. – Ladra! Ladra!

Sophie continuou correndo, embora soubesse que isso a faria parecer culpada. Seguiu em frente com todas as fibras dos músculos, com cada golfada de ar que conseguia levar aos pulmões. Correu, correu e correu...

Até que alguém a parou, alcançando-a pelas costas e derrubando-a no chão.

– Peguei! – exclamou o homem. – Eu a peguei para a senhora!

Sophie piscou e arfou com a dor. Tinha batido a cabeça com força na calçada e o homem que a apanhara estava praticamente sentado em cima de sua barriga.

– Aí está você! – vociferou Araminta ao se aproximar com pressa. – Sophie Beckett. Que audácia!

Sophie olhou com ódio para a madrasta. Não havia palavras capazes de expressar o desprezo em seu coração. Sem mencionar que estava sentindo dor demais para falar.

– Estive à sua procura – disse Araminta, com um sorriso maldoso. – Posy me contou que a viu.

Sophie fechou os olhos por um instante. *Ah, Posy*. Duvidava que ela tivesse tido a intenção de entregá-la, mas a língua da menina tinha a tendência de ser mais rápida do que a mente.

Araminta parou bem perto da mão de Sophie – a que estava imobilizada por seu captor, que a apertava ao redor do pulso – e sorriu enquanto levava o pé *para cima* da mão dela.

– Você não devia ter roubado de mim – decretou ela, com os olhos azuis faiscando.

Sophie apenas gemeu. Foi tudo o que conseguiu fazer.

– Sabe, agora eu posso mandá-la para a cadeia – continuou Araminta alegremente. – Acho que poderia ter feito isso antes, mas agora eu tenho a verdade do meu lado.

Nesse instante, um homem se aproximou correndo e parou diante dela.

– As autoridades estão a caminho, milady. Essa ladra será detida o mais rápido possível.

Sophie mordeu o lábio inferior, dividida entre rezar para que as autoridades demorassem o bastante até que Lady Bridgerton saísse da casa e rezar para que chegassem imediatamente, impedindo os Bridgertons de verem sua vergonha.

No fim, conseguiu o que queria. O último desejo. Não levou dois minutos para que as autoridades aparecessem, atirassem-na dentro de uma carroça e a levassem para a cadeia.

Tudo o que Sophie conseguiu pensar no caminho foi que os Bridgertons jamais saberiam o que acontecera com ela, e que talvez isso fosse o melhor.

CAPÍTULO 21

Quanta emoção ontem na frente da residência de Lady Bridgerton na Bruton Street!

Primeiro, Penelope Featherington foi vista na companhia não de um, nem dois, mas de TRÊS irmãos Bridgertons, um feito até então impossível para a pobre moça, famosa por tomar chá de cadeira em todos os bailes. Infelizmente (mas talvez de forma previsível) para a Srta. Featherington, quando ela enfim partiu, foi de braço dado com o visconde, o único homem casado do trio.

Se a Srta. Featherington de alguma forma conseguisse arrastar um irmão Bridgerton para o altar, isso com certeza significaria o fim do mundo como o conhecemos, e esta autora, que admite que não entenderia nada de um mundo assim, seria forçada a abdicar do posto.

Se a reunião da Srta. Featherington já não fosse fofoca suficiente, pouco menos de três horas mais tarde uma mulher foi abordada bem na frente da casa pela condessa de Penwood, que mora três construções depois. Parece que a moça, que esta autora suspeita que estivesse trabalhando para Lady Bridgerton, era criada de Lady Penwood. Esta alegou que a jovem não identificada roubou dela há dois anos e imediatamente despachou a pobrezinha para a cadeia.

Esta autora não sabe ao certo qual é a punição atual para roubo, mas imagina que se alguém tem a audácia de furtar de uma condessa, a punição seja bastante rígida. É provável que a pobre moça em questão seja enforcada ou, no mínimo, extraditada.

A guerra das arrumadeiras (relatada no mês passado nesta coluna) parece bastante banal agora.

CRÔNICAS DA SOCIEDADE DE LADY WHISTLEDOWN,
13 DE JUNHO 1817

A primeira inclinação de Benedict na manhã seguinte foi se servir de um bom drinque bem forte. Ou talvez de três. Podia ser escandalosamente cedo para beber, mas a amnésia alcoólica parecia bastante atraente depois da violência emocional que ele sofrera na noite anterior pelas mãos de Sophie Beckett.

Mas então ele lembrou que marcara um encontro naquela manhã com Colin, para um confronto de esgrima. De repente, espetar o irmão pareceu bastante atraente. Não importava que ele não tivesse nada a ver com o terrível mau humor de Benedict.

Era para isso que serviam os irmãos, Benedict pensou com um sorriso amargo enquanto vestia o equipamento.

– Só tenho uma hora – disse Colin ao prender a ponta de proteção no florete. – Marquei um compromisso para hoje à tarde.

– Sem problema – falou Benedict, alongando os músculos das pernas. Fazia um bom tempo que não praticava esgrima. O florete na mão lhe deu uma sensação boa. Ele recuou um passo e tocou o chão com a ponta da arma, fazendo a lâmina arquear de leve. – Não preciso de mais do que isso para vencer você.

Colin revirou os olhos antes de baixar a máscara para o rosto.

Benedict caminhou até o centro do salão.

– Pronto?

– Ainda não – respondeu Colin, fazendo o mesmo.

Benedict se colocou em posição.

– Eu disse que não estava pronto! – berrou Colin ao saltar para o lado.

– Você é lento demais – disparou Benedict.

Colin praguejou baixinho e acrescentou um "maldição" mais alto, para garantir.

– O que deu em você?

– Nada – retrucou Benedict, quase rosnando. – Por quê?

Colin deu um passo para trás até os dois estarem a uma distância adequada para começar o confronto.

– Ah, não sei – falou, com sarcasmo evidente. – Talvez por você quase ter arrancado minha cabeça fora.

– Estou com uma proteção na lâmina.

– Que usou como se fosse um sabre – devolveu Colin.

Benedict deu um sorriso duro.

– É mais divertido assim.

– Não para o meu pescoço. – Colin passou o florete de uma mão para a outra enquanto flexionava e esticava os dedos. Fez uma pausa e franziu a testa. – Tem certeza de que não é uma lâmina de verdade, essa aí?

Benedict olhou para ele com irritação.

– Pelo amor de Deus, Colin, eu jamais usaria uma arma de verdade.

– Só para me certificar – resmungou Colin, tocando de leve no próprio pescoço. – Está pronto?

Benedict assentiu e se posicionou.

– Regras normais – disse Colin, também se posicionando. – *Nada* de golpes violentos.

Benedict concordou com um rápido aceno de cabeça.

– *En garde!*

Os dois levantaram as armas e giraram os pulsos até ficarem com as palmas das mãos para cima e as lâminas presas nos dedos.

– É nova? – perguntou Colin de repente, olhando para a empunhadura do florete de Benedict com interesse.

Benedict amaldiçoou a perda de concentração.

– Sim, é nova – falou. – Prefiro a empunhadura italiana.

Colin deu um passo para trás, saindo por completo da postura de esgrimista ao olhar para o próprio florete, que tinha uma empunhadura francesa menos elaborada.

– Posso pegar emprestado algum dia? Não me importaria de ver se...

– Pode! – disparou Benedict, mal resistindo à vontade de avançar e estocar naquele mesmo instante. – Pode voltar a se posicionar, por favor?

Colin deu um sorriso de lado e Benedict soube que o irmão lhe perguntara sobre a empunhadura apenas para irritá-lo.

– Como desejar – murmurou Colin, obedecendo.

Os dois ficaram parados por um instante e então Colin disse:

– Ao ataque!

Benedict avançou imediatamente, mas Colin sempre fora muito rápido com os pés e conseguiu recuar, recebendo o ataque do irmão com grande habilidade de defesa.

– Você está com um humor horrível hoje – comentou Colin, estocando e quase acertando Benedict no ombro.

Benedict saiu do caminho do irmão, levantando a lâmina para bloquear o ataque.

– É, bem, eu tive um dia – falou, avançando de novo com a lâmina estendida para a frente – *péssimo*.

Colin desviou do ataque de forma impecável.

– Belo contragolpe – elogiou, tocando na própria testa com o punho do florete numa saudação irônica.

– Cale a boca e ataque – disparou Benedict.

Colin riu e avançou, zunindo a lâmina para lá e para cá, mantendo Benedict recuado.

– Deve ser uma mulher – ele disse.

Benedict bloqueou o ataque do irmão e em seguida começou a avançar com agilidade.

– Não é da sua conta.

– É uma mulher – afirmou Colin, com um sorriso malicioso.

Benedict deu uma estocada e acertou a clavícula de Colin com a ponta da lâmina.

– Ponto – resmungou.

Colin deu um breve aceno de cabeça.

– Toque para você.

Os dois voltaram para o centro do salão.

– Está pronto? – perguntou Colin.

Benedict assentiu.

– *En garde*. Lutar!

Desta vez, Colin foi o primeiro a atacar.

– Se precisar de algum conselho sobre mulheres... – falou, encurralando o irmão no canto.

Benedict levantou a lâmina, bloqueando o ataque de Colin com força suficiente para que ele recuasse cambaleando.

– Se eu precisasse de conselhos sobre mulheres – retrucou –, a última pessoa que procuraria seria *você*.

– Assim você me machuca – comentou Colin, recuperando o equilíbrio.

256

– Não – afirmou Benedict. – É para isso que serve a ponta de proteção.

– Sem dúvida eu tenho um histórico com mulheres melhor do que o seu.

– Ah, é mesmo? – retrucou Benedict com sarcasmo. Empinou o nariz e, numa boa imitação de Colin, disse: – "Não vou me casar tão cedo, e muito menos com Penelope Featherington!"

Colin estremeceu.

– Você não deveria dar conselhos a ninguém – disse Benedict.

– Eu não sabia que ela estava lá.

Benedict deu uma estocada, errando por pouco o ombro do irmão.

– Isso não é desculpa. Você estava em público, em plena luz do dia. Mesmo que ela não tivesse ouvido, alguém teria e a maldita conversa iria parar no *Whistledown*.

Colin recebeu o ataque de Benedict com um movimento de defesa, então deu um contragolpe com extrema velocidade, atingindo o mais velho direto na barriga.

– Toque meu – resmungou.

Benedict assentiu, reconhecendo o ponto.

– Eu fui um tolo – prosseguiu Colin enquanto os dois voltavam para o centro do salão. – Você, por outro lado, é burro.

– O que você quer dizer com isso?

Colin suspirou enquanto levantava a máscara.

– Por que não faz um favor a todos nós e se casa de uma vez com a garota?

Benedict apenas o encarou, afrouxando a mão ao redor do cabo do florete. Havia alguma possibilidade de que Colin não soubesse de quem eles estavam falando?

Tirou a máscara e fitou os olhos verde-escuros do irmão. Quase gemeu. Colin sabia. Não sabia como isso fora acontecer, mas era verdade. Mas não devia estar surpreso, pensou. Colin sempre sabia de tudo. Na verdade, a única pessoa que parecia conhecer mais fofocas do que ele era Eloise, e ela nunca levava mais do que poucas horas para transmitir toda sua sabedoria duvidosa a Colin.

– Como você ficou sabendo? – perguntou Benedict, enfim.

Colin levantou um canto da boca num meio sorriso.

– Sobre Sophie? É bastante evidente.

– Colin, ela é...

– Uma criada? Quem se importa? O que vai acontecer se você se casar com ela? – perguntou Colin dando de ombros. – Pessoas que não têm a menor importância para você irão relegá-lo ao ostracismo? Ora, eu não me importaria em ser ignorado por algumas pessoas com quem sou obrigado a socializar.

Benedict deu de ombros com indiferença.

– Eu já tinha decidido que não me importava com tudo isso – contou.

– Então qual é o maldito problema? – quis saber Colin.

– É complicado.

– Nada é tão complicado quanto parece ser na nossa cabeça.

Benedict refletiu sobre a frase do irmão, apoiando a ponta do florete no chão e deixando a lâmina flexível balançar para a frente e para trás.

– Você se lembra do baile de máscaras da mamãe? – indagou.

Colin piscou diante da pergunta inesperada.

– Há alguns anos? Pouco antes de ela se mudar da Casa Bridgerton?

Benedict assentiu.

– Esse mesmo. Você se lembra de uma mulher vestida de prateado? Você cruzou conosco no saguão.

– É claro. Você estava bastante empolgado com... – Colin de repente arregalou os olhos. – Era *Sophie*?

– Incrível, não? – murmurou Benedict.

– Mas... como...

– Não sei como ela chegou lá, mas não é uma criada.

– Não?

– Bem, ela é uma criada – esclareceu Benedict. – Mas também é a filha bastarda do conde de Penwood.

– Não o atual...

– Não, o que morreu há muitos anos.

– E você sabia de tudo isso?

– Não – disse Benedict, em um tom seco. – Eu não sabia.

– Ah. – Colin mordeu o lábio inferior enquanto pensava no significado da frase curta do irmão. – Sei. O que você vai fazer?

O florete de Benedict, cuja lâmina balançava para a frente e para trás enquanto ele apoiava a ponta no chão, de repente escapou da sua mão. Indiferente, ele o observou deslizar pelo chão e não voltou a encarar o irmão ao dizer:

– Ótima pergunta.

Ainda estava furioso com Sophie por sua mentira, mas também não era inocente. Não deveria ter exigido que ela fosse sua amante. Com certeza tinha o direito de pedir, mas ela também tinha o direito de recusar. E, depois que ela disse não, ele deveria tê-la deixado em paz.

Benedict não fora criado como bastardo, e se a experiência dela havia sido terrível o bastante a ponto de ela recusar o risco de também gerar um filho bastardo... Bem, ele devia ter respeitado isso.

Se ele respeitava *Sophie*, precisava respeitar suas crenças.

Não devia ter sido tão leviano com ela, insistindo que tudo era possível, que ela era livre para tomar qualquer decisão que seu coração desejasse. Violet estava certa. De fato ele tinha uma vida privilegiada, com riqueza, família, felicidade... Nada estava verdadeiramente fora do seu alcance. A única coisa terrível que lhe acontecera tinha sido a morte precoce do pai. E, mesmo assim, ele pudera contar com os entes queridos para ajudá-lo a enfrentar a dor. Para Benedict era difícil imaginar certas dores e mágoas, porque jamais as experimentara.

Ao contrário de Sophie, ele nunca estivera sozinho.

E agora? Ele já decidira que estava preparado para enfrentar o ostracismo social e se casar com ela. A filha bastarda de um conde era uma noiva um pouco mais aceitável do que uma criada, mas não muito. A sociedade londrina poderia aceitá-la, se ele a forçasse a isso, mas ninguém seria gentil com ela. Era provável que os dois fossem obrigados a ter uma vida tranquila no campo, evitando a sociedade que quase com certeza os marginalizaria.

Mas seu coração levou menos de um segundo para perceber que uma vida tranquila com Sophie era, de longe, preferível a uma vida pública sem ela.

O fato de ela ser a mulher do baile de máscaras tinha alguma importância? Ela mentira para ele sobre sua identidade, mas Benedict conhecia a sua alma. Quando os dois se beijavam, quando se divertiam juntos, quando simplesmente sentavam e conversavam... Ela jamais fingira um instante sequer.

A verdadeira Sophie era a mulher capaz de tocar seu coração com um simples sorriso, a mulher que podia enchê-lo de contentamento apenas ficando sentada a seu lado enquanto ele desenhava.

E ele a amava.

– Você parece ter tomado uma decisão – comentou Colin baixinho.

Benedict olhou para o irmão, pensativo. Quando ele se tornara tão perspicaz? Na verdade, quando havia crescido? Benedict sempre pensara em Colin como um jovem patife, charmoso e encantador, não como alguém que algum dia assumiria qualquer tipo de responsabilidade.

Mas, ao fitá-lo agora, ele via outra pessoa. Os ombros estavam um pouco mais largos, a postura, um pouco mais firme e tranquila. E o olhar parecia mais sábio. Essa era a maior mudança. Se os olhos de fato fossem as janelas da alma, então a alma de Colin amadurecera enquanto Benedict não estava prestando atenção.

– Eu devo a ela alguns pedidos de desculpa – comentou Benedict.
– Tenho certeza de que ela irá perdoá-lo.
– Ela também me deve vários pedidos de desculpa. Mais do que vários.

Benedict percebeu que o irmão queria perguntar "Por quê?", mas ele se limitou a dizer:

– Você está disposto a perdoá-la?

Benedict assentiu.

Colin arrancou o florete da mão dele.

– Pode deixar que eu guardo para você.

Benedict ficou olhando para a arma por um longo tempo antes de voltar à realidade.

– Preciso ir – disparou.

Colin mal conteve um sorriso.

– Foi o que imaginei.

Benedict encarou o irmão e então sentiu a vontade incontrolável de lhe dar um abraço rápido.

– Eu não digo isso sempre – falou, a voz começando a ficar embargada –, mas eu amo você.

– Eu também amo você, meu irmão. – O sorriso de Colin se ampliou. – Agora suma daqui.

Benedict atirou a máscara para cima dele e deixou o salão.

– *Como assim, ela foi embora?*

– Simples assim, infelizmente – disse Violet, com os olhos tristes e solidários. – Ela foi embora.

A pressão na cabeça de Benedict começou a aumentar. Era incrível que não tivesse explodido.

– E você a deixou ir?

– Acho que seria até mesmo ilegal forçá-la a ficar.

Benedict quase gemeu. Também devia ter sido ilegal forçá-la a ir para Londres, mas ele fizera isso ainda assim.

– Aonde ela foi? – perguntou.

A mãe pareceu murchar na poltrona.

– Não sei. Insisti que ela usasse uma das nossas carruagens, em parte porque temia pela segurança dela, mas também porque queria saber aonde ela iria.

Benedict bateu com as mãos na mesa.

– Bem, então o que aconteceu?

– Como eu estava dizendo, tentei fazer com que ela usasse uma das nossas carruagens, mas pelo jeito ela não quis e desapareceu antes que o veículo chegasse para pegá-la.

Benedict praguejou baixinho. Sophie ainda devia estar em Londres, mas a cidade era imensa e superpopulosa. Seria quase impossível encontrar uma pessoa que não queria ser encontrada.

– Eu imaginei que vocês dois tinham brigado – comentou Violet com delicadeza.

Benedict passou a mão pelos cabelos e então viu a manga branca.

– Ah, meu Jesus – resmungou. Correra até lá com a roupa de esgrima. Fitou a mãe revirando os olhos. – Sem sermão sobre blasfêmia agora, mãe. Por favor.

Ela contraiu os lábios.

– Eu nem sonharia em fazer isso.

– Onde eu vou encontrá-la?

O olhar de Violet perdeu a leveza.

– Não sei, Benedict. Gostaria de poder responder. Eu gostava de Sophie de verdade.

– Ela é filha de Penwood – contou ele.

Violet franziu a testa.

– Eu suspeitei de algo parecido. Ilegítima, imagino.

Benedict assentiu.

A mãe abriu a boca para dizer alguma coisa, mas ele nunca soube o quê, porque naquele momento a porta do escritório se abriu de repente e bateu na parede com um barulho impressionante. Francesca, que obviamente atravessara a casa correndo, deu um encontrão na mesa da mãe, seguida de Hyacinth, que por sua vez deu um encontrão na irmã.

– Qual é o problema? – perguntou Violet, se levantando.

– Sophie – arfou Francesca.

– Eu sei – disse Violet. – Ela foi embora. Nós...

– Não! – interrompeu Hyacinth, largando um jornal em cima da mesa. – Veja.

Benedict tentou agarrar o periódico, que reconheceu imediatamente como uma edição do *Whistledown*, mas a mãe foi mais rápida.

– O que foi? – quis saber ele, sentindo um embrulho no estômago ao ver a mãe empalidecer.

Ela passou o jornal para o filho, que o leu rápido, passando direto pelas partes sobre o duque de Ashbourne, o conde de Macclesfield e Penelope Featherington antes de chegar ao trecho que devia dizer respeito a Sophie.

– Cadeia? – disse ele, quase em um suspiro.

– Precisamos libertá-la – afirmou Violet, empertigando-se como um general se preparando para uma batalha.

Mas Benedict já passara pela porta.

– Espere! – gritou Violet, correndo atrás dele. – Eu também vou.

Benedict parou pouco antes de chegar à escada.

– A senhora fica – ordenou. – Não vou admitir que seja exposta a...

– Ora, por favor – retrucou ela. – Eu não sou nenhuma velha caquética. E posso atestar a honestidade e a integridade de Sophie.

– Eu também vou – falou Hyacinth, parando ao lado de Francesca, que também os seguira até o corredor.

– Não! – responderam Violet e Benedict ao mesmo tempo.

– Mas...

– Eu disse *não* – disparou Violet, com a voz firme.

Francesca soltou um suspiro mal-humorado.

– Imagino que não vai adiantar eu insistir em...

– Nem termine a frase – alertou Benedict.

– Como se você fosse sequer me deixar tentar.

Benedict a ignorou e se virou para a mãe.

– Se quiser ir, vamos sair agora mesmo.

Ela assentiu.

– Chame a carruagem. Vou esperá-lo na frente da casa.

Dez minutos depois, eles estavam a caminho.

CAPÍTULO 22

Grande correria na Bruton Street. A viscondessa de Bridgerton e seu filho Benedict foram vistos saindo às pressas da casa dela na manhã da sexta-feira. O Sr. Bridgerton quase jogou a mãe dentro de uma carruagem e os dois partiram em alta velocidade. Francesca e Hyacinth Bridgerton foram vistas paradas na porta, e esta autora soube de fonte segura que a primeira foi ouvida pronunciando uma palavra extremamente indigna de uma dama.

Mas a Casa Bridgerton não foi a única a ser tomada por tamanha agitação. A residência das Penwood também foi palco de intensa atividade, culminando em uma briga pública na escada da entrada entre a condessa e sua filha, a Srta. Posy Reiling.

Como esta autora nunca gostou de Lady Penwood, tudo o que pode dizer é "Viva Posy!".

CRÔNICAS DA SOCIEDADE DE LADY WHISTLEDOWN,
16 DE JUNHO DE 1817

Estava frio. Muito frio. E havia um terrível barulho de correria causado por uma pequena criatura de quatro patas. Ou, pior ainda, uma grande criatura de quatro patas. Ou, para ser mais exata, uma versão grande de uma pequena criatura de quatro patas.

Ratos.

– Ah, Meu Deus – gemeu Sophie.

Ela não costumava dizer o nome de Deus em vão, mas agora parecia um bom momento para começar. Talvez Ele a escutasse, e quem sabe matasse todos os ratos. Sim, isso seria ótimo. Um imenso raio. De proporções bíblicas. Poderia atingir a terra, espalhar pequenos tentáculos elétricos ao redor do globo e fritar todos os ratos.

Era um sonho lindo. Assim como aqueles em que ela se via vivendo feliz para sempre como a Sra. Benedict Bridgerton.

Sophie arfou ao sentir uma pontada no coração. Dos dois sonhos, ela temia que o genocídio de ratos fosse o mais passível de se tornar realidade.

Ela estava sozinha agora. Totalmente sozinha. Não sabia por que isso era tão perturbador. Na realidade, essa sempre fora sua condição. Desde que a avó a deixara nos degraus da entrada de Penwood Park, ela nunca tivera um defensor, alguém que pusesse seus interesses acima – ou ao menos no mesmo nível – dos próprios.

O estômago dela roncou, lembrando que podia acrescentar a fome à sua lista de sofrimentos.

E sede. Não haviam lhe levado sequer um gole d'água. Ela estava começando a ter fantasias muito estranhas sobre chá.

Sophie deu um suspiro longo e lento, tentando se lembrar de respirar pela boca. O fedor era insuportável. Ela recebera um urinol simples para fazer as necessidades, mas até então vinha se segurando, tentando se aliviar com o mínimo de frequência possível. O urinol fora esvaziado antes de ser atirado dentro da cela, mas não fora lavado. Na verdade, quando Sophie o pegara, ele estava molhado, e ela o largara imediatamente, com o corpo todo estremecendo de repulsa.

Ela havia, é claro, esvaziado muitos urinóis na vida, mas as pessoas para quem trabalhava em geral conseguiam acertar o alvo, por assim dizer. Sem falar que Sophie sempre podia lavar as mãos depois.

Agora, além do frio e da fome, ela se sentia suja.

Era uma sensação horrível.

– Visita para você.

Sophie deu um salto ao ouvir a voz rouca e pouco amistosa do carcereiro. Será que Benedict tinha descoberto onde ela estava? Será que ao menos sentiria vontade de ajudá-la? Será que ele...

– Ora, ora, ora.

Araminta. Sophie sentiu um peso no peito.

– Sophie Beckett – cacarejou a madrasta, aproximando-se da cela e levando um lenço ao nariz, como se Sophie fosse a única causa do mau cheiro. – Eu jamais imaginaria que você teria a audácia de aparecer em Londres.

Sophie cerrou os lábios. Sabia que Araminta queria provocá-la e se recusou a lhe dar essa satisfação.

– Infelizmente, as coisas parecem não estar indo bem para você – continuou ela, balançando a cabeça e fingindo preocupação. Inclinou-se para a frente e sussurrou: – O magistrado não gosta muito de ladrões.

Sophie cruzou os braços e fitou a parede. Se sequer olhasse para Araminta, talvez não resistisse ao impulso de se atirar contra ela, e era provável que as barras de metal da cela deixassem seu rosto muito machucado.

– Os enfeites para sapatos já haviam sido o bastante – disse Araminta, tamborilando o indicador no próprio queixo –, mas ele ficou furioso quando eu o informei sobre o roubo da minha aliança de casamento.

– Eu não...

Sophie se calou antes de gritar ainda mais. Era exatamente o que Araminta queria.

– Não? – retrucou ela, sorrindo com malícia, então agitou os dedos no ar. – Pelo jeito eu não a estou usando, e é sua palavra contra a minha.

Sophie abriu os lábios, mas não produziu som algum. A madrasta tinha razão. Nenhum juiz iria aceitar a palavra dela em detrimento da de uma condessa.

Araminta abriu um sorrisinho traiçoeiro.

– O homem aí na frente, acho que é o carcereiro, disse que será muito difícil que você seja enforcada, de modo que não precisa se preocupar com isso. É muito mais provável que seja extraditada.

Sophie quase riu. No dia anterior ela estava considerando emigrar para os Estados Unidos. Agora parecia que iria mesmo embora – só que seu destino seria a Austrália. E ela estaria acorrentada.

– Pedirei clemência para você – disse Araminta. – Não a quero morta, apenas... longe.

– Um exemplo de caridade cristã – murmurou Sophie. – Tenho certeza de que o juiz ficará tocado.

Araminta passou os dedos nas têmporas e puxou os cabelos distraidamente para trás.

– Ficará mesmo, não é?

Ela olhou direto para Sophie e sorriu. Tinha uma expressão dura e vazia, e de repente a jovem precisou saber...

– Por que me odeia? – perguntou em um sussurro.

Araminta não fez nada além de encará-la por um instante, e depois murmurou:

– Porque ele a amava.

Sophie ficou perplexa, em silêncio.

Os olhos de Araminta ficaram incrivelmente duros.

– Eu jamais o perdoarei por isso.

Sophie balançou a cabeça, incrédula.

– Ele nunca me amou.

– Ele a vestiu, a alimentou. – Araminta contraiu os lábios. – Obrigou-me a viver com você.

– Aquilo não era amor – retrucou Sophie. – Era culpa. Se ele me amasse, não teria me deixado com você. Não era burro. Devia saber quanto você me odiava. Se me amasse, não teria me ignorado no testamento. Se me amasse... – Ela parou, engasgando com a própria voz.

Araminta cruzou os braços.

– Se ele me amasse – continuou Sophie –, poderia reservar algum tempo para conversar comigo. Poderia me perguntar como havia sido meu dia, ou o que eu estava estudando, ou se eu havia gostado do café da manhã. – Ela engoliu em seco diversas vezes e virou de costas. Era difícil olhar para a madrasta naquele momento. – Ele nunca me amou. Ele não sabia amar.

Um longo instante de silêncio se passou e então Araminta disse:

– Ele estava me punindo.

Sophie se virou devagar de volta para ela.

– Por não lhe dar um herdeiro. – As mãos de Araminta começaram a tremer. – Ele me odiava por isso.

Sophie não soube o que dizer. Não sabia se havia algo a ser dito.

Depois de um longo instante, Araminta continuou:

– No começo, eu a odiava porque você era um insulto para mim. Nenhuma mulher deveria ter que abrigar a filha bastarda do marido.

Sophie ficou calada.

– Mas então... Mas então...

Para grande surpresa de Sophie, Araminta se apoiou na parede, como se as lembranças estivessem sugando suas forças.

– Mas então tudo mudou – falou Araminta, enfim. – Como ele podia ter tido você com uma prostituta qualquer e eu não ser capaz de lhe dar um filho?

Não parecia fazer muito sentido Sophie defender a mãe.

– Eu não a odiava simplesmente, sabe? – sussurrou Araminta. – Eu odiava ver você.

De alguma forma, isso não surpreendeu Sophie.

– Odiava ouvir a sua voz. Odiava o fato de você ter os olhos dele. Odiava saber que estava na minha casa.

– Era minha casa também – respondeu Sophie baixinho.

– Sim – disse Araminta. – Eu sei. Odiava isso também.

Sophie fitou Araminta direto nos olhos.

– Por que está aqui? – perguntou. – Já não fez o bastante? Já garantiu minha extradição para a Austrália.

Araminta deu de ombros.

– Acho que não consigo ficar longe. Tem alguma coisa encantadora em vê-la na cadeia. Precisarei tomar um banho de três horas para me livrar do mau cheiro, mas valeu a pena.

– Então me dê licença para me sentar no canto e fingir que estou lendo um livro – disparou Sophie. – Não há nada de encantador em vê-la.

Ela foi até o banquinho bambo de três pernas que era a única peça de mobília da cela e se acomodou, tentando não parecer tão miserável quanto se sentia. Era verdade que Araminta a vencera, mas seu espírito continuava intacto, e ela se recusava a permitir que a madrasta acreditasse no contrário.

Sophie ficou de braços cruzados, de costas para a porta da cela, esperando ouvir os sinais de que Araminta estava saindo.

Mas ela permaneceu ali.

Finalmente, depois de cerca de dez minutos daquele absurdo, Sophie se levantou e gritou:

– Vá embora daqui!

Araminta inclinou a cabeça um pouco para o lado.

– Estou pensando.

Sophie teria perguntado "em quê?", mas teve medo da resposta.

– Estou imaginando como são as coisas na Austrália – falou Araminta. – Nunca estive lá, é claro. Nenhuma pessoa civilizada das minhas relações pensaria nisso. Mas ouvi dizer que é um forno. E você, com essa pele clara... É provável que sua linda cútis não sobreviva ao sol forte. Na verdade...

Mas o que quer que Araminta estivesse prestes a dizer foi interrompido (*felizmente*, porque Sophie temia ter a acusação modificada para tentativa de homicídio se fosse obrigada a escutar mais uma palavra) por uma comoção vindo pelo corredor.

– Que diabo...? – falou Araminta, dando alguns passos para trás e esticando o pescoço para ver melhor.

Então Sophie ouviu uma voz muito familiar.

– Benedict? – sussurrou.

– O que você falou? – perguntou Araminta.

Mas Sophie já estava colada nas barras da cela.

– Eu disse para *nos deixar passar*! – rugiu Benedict.

– Benedict! – gritou Sophie.

Ela esqueceu que não queria que os Bridgertons a vissem num ambiente tão degradante. Esqueceu que não tinha futuro com ele. Tudo o que conseguia pensar era que ele fora atrás dela e estava *ali*.

Se Sophie pudesse passar por entre as barras, teria feito isso.

Um barulho desagradável ecoou no ar, seguido por um ruído abafado, muito provavelmente de um corpo caindo no chão.

Passos de corrida e então...

– Benedict!

– Sophie! Meu Deus, você está bem?

Ele passou as mãos pelas barras, segurou o rosto dela e a beijou. Não foi um beijo de paixão, mas de terror e alívio.

– Sr. Bridgerton? – guinchou Araminta.

De alguma forma, Sophie conseguiu desviar os olhos de Benedict para o rosto chocado da madrasta. Em meio a toda aquela excitação, esquecera que Araminta ainda desconhecia seus laços com a família Bridgerton.

Foi um dos momentos mais perfeitos de sua vida. Talvez isso significasse que ela era uma pessoa superficial, ou que suas prioridades eram organizadas de forma equivocada. Mas Sophie simplesmente adorou o fato de Araminta, para quem posição e poder eram tudo, ter acabado de vê-la sendo beijada por um dos solteiros mais cobiçados de Londres.

E é claro que Sophie também ficou bastante feliz por ver Benedict.

Ele se afastou, as mãos relutantes ainda tocando o rosto de Sophie de leve enquanto saía de perto da cela. Benedict cruzou os braços e lançou um olhar tão furioso a Araminta que Sophie ficou convencida de que seria capaz de fulminá-la.

– Quais são as suas acusações contra ela? – perguntou ele.

O sentimento de Sophie por Araminta podia ser classificado como "aversão extrema", mas, mesmo assim, jamais a descreveria como burra. Naquele momento, no entanto, se preparou para rever seus conceitos, porque a madrasta, em vez de estremecer e se acovardar como qualquer pessoa sã faria em tal situação, plantou as mãos nos quadris e berrou:

– Roubo!

Naquele exato instante, Lady Bridgerton apareceu.

– Eu não acredito que Sophie tenha sido capaz de fazer algo do tipo – afirmou, indo para o lado do filho. Estreitou os olhos ao encarar Araminta. – E eu nunca gostei da senhora, Lady Penwood – acrescentou com bastante irritação.

Araminta recuou e levou uma mão ao peito, ofendida.

– Nada disto é culpa minha – bufou ela. – É tudo culpa daquela menina – continuou, lançando um olhar furioso para Sophie –, que teve a audácia de roubar minha aliança de casamento!

– Eu nunca roubei sua aliança de casamento, e você sabe disso! – protestou Sophie. – A última coisa que eu iria querer do seu...

– Você roubou meus enfeites para sapatos!

Sophie fechou a boca, com raiva.

– Rá! Estão vendo? – Araminta olhou ao redor, tentando avaliar quantas pessoas tinham testemunhado o gesto. – Uma clara admissão de culpa.

– Ela é sua enteada – resmungou Benedict. – Jamais deveria estar numa posição em que sentisse que precisava...

Araminta contorceu o rosto e ficou vermelha.

– *Jamais* a chame de minha enteada – alertou. – Ela não é nada para mim. Nada!

– Perdão – disse Lady Bridgerton com muita educação –, mas se ela realmente não significava nada para a senhora, não deveria estar aqui nesta cadeia imunda tentando fazer com que ela seja enforcada por roubo.

Araminta foi poupada de ter que responder pela chegada do magistrado, seguido por um carcereiro que parecia muito irritado e que estava com um olho roxo.

Como o carcereiro lhe dera um tapa no traseiro quando a empurrara para dentro da cela, Sophie não conseguiu deixar de sorrir.

– O que está acontecendo aqui? – quis saber o magistrado.

– Essa mulher – retrucou Benedict, em um tom de voz alto o suficiente para impedir qualquer tentativa de interrupção – acusou a minha noiva de roubo.

Noiva?

Sophie conseguiu manter a boca fechada, mas, mesmo assim, precisou se agarrar com força às barras da cela, porque suas pernas ficaram bambas no mesmo instante.

– Noiva? – arfou Araminta.

O magistrado se empertigou.

– E quem é o senhor? – indagou, claramente ciente de que Benedict era alguém importante, ainda que não tivesse certeza de quem.

Benedict cruzou os braços e informou seu nome.

O magistrado empalideceu.

– Hã, alguma relação com o visconde?

– Ele é meu irmão.

– E ela é sua noiva? – perguntou ele, engolindo em seco ao apontar para Sophie.

Sophie esperou que algum tipo de sinal sobrenatural caísse do céu, denunciando Benedict como mentiroso, mas, para sua surpresa, nada aconteceu. Lady Bridgerton inclusive assentia com a cabeça.

– Você não pode se casar com ela – afirmou Araminta.

Benedict se virou para a mãe.

– Existe algum motivo pelo qual eu deva consultar Lady Penwood a respeito disso?

– Nenhum de que eu consiga me lembrar – respondeu Violet.

– Ela não passa de uma prostituta – sibilou Araminta. – A mãe dela foi uma prostituta, e o sangue que corre... *ugh*!

Benedict a agarrou pelo pescoço antes que alguém tivesse ao menos percebido que ele se movera.

– Não me faça bater em você – alertou ele.

O magistrado deu um tapinha em seu ombro.

– O senhor precisa soltá-la.

– Posso amordaçá-la?

O magistrado pareceu dividido, mas acabou balançando a cabeça.

Com clara relutância, Benedict largou Araminta.

– Se você se casar com ela – disse a mulher, esfregando o pescoço –, farei questão de contar a todos *exatamente* o que ela é: a filha bastarda de uma prostituta.

O magistrado se virou para Araminta com uma expressão severa.

– Não creio que precisemos usar esse tipo de linguagem.

– Posso lhe garantir que não tenho o hábito de falar desta maneira – retrucou ela, empinando o nariz com desdém –, mas a ocasião pede palavras fortes.

Sophie mordia os nós dos dedos enquanto olhava fixamente para Benedict, que abria e fechava as mãos de modo bastante ameaçador. Pelo jeito, *ele* acreditava que a ocasião demandava punhos fortes.

O magistrado pigarreou.

– A senhora a está acusando de um crime muito sério. – Ele engoliu em seco. – E ela vai se casar com um Bridgerton.

– Eu sou a condessa de Penwood – vociferou ela. – Condessa!

Uma a uma, o magistrado olhou para todas as pessoas no ambiente. Como condessa, Araminta era superior a todos em termos aristocráticos, mas, ao mesmo tempo, era apenas uma Penwood contra dois Bridgertons, um dos quais era muito grande, estava visivelmente furioso e já enfiara o punho no olho do carcereiro.

– Ela me roubou!

– Não, você roubou dela! – rugiu Benedict.

O lugar ficou em absoluto silêncio.

– Você roubou a infância dela – afirmou ele, com o corpo tremendo de raiva.

Havia lacunas imensas no que ele sabia sobre a vida de Sophie, mas de alguma forma tinha certeza de que aquela mulher causara muito do sofrimento explícito naqueles olhos verdes. E ele podia apostar que o querido e falecido pai dela era responsável pelo resto.

Benedict se virou para o magistrado e disse:

– Minha noiva é a filha bastarda do finado conde de Penwood. E foi por isso que a condessa a acusou falsamente de roubo. Trata-se de vingança e ódio, apenas isso.

O magistrado olhou de Benedict para Araminta e então, enfim, para Sophie.

– Isso é verdade? – perguntou. – A senhorita foi acusada falsamente?

– Ela pegou os enfeites para sapatos! – berrou Araminta. – Juro sobre o túmulo do meu marido que ela roubou meus enfeites para sapatos!

270

– Ora, pelo amor de Deus, mamãe, fui *eu* que peguei os seus enfeites para sapatos.

Sophie ficou boquiaberta.

– Posy?

Benedict olhou para a recém-chegada, uma jovem baixa e meio gorducha que com certeza era uma das filhas da condessa, depois olhou de novo para Sophie, que ficara branca como papel.

– Vá embora – sibilou Araminta. – Você não tem o que fazer aqui.

– É claro que tem – disse o magistrado, virando-se para Araminta –, se ela pegou os enfeites para sapatos. Quer que ela seja acusada?

– Ela é minha filha!

– Prendam-me junto com Sophie! – exclamou Posy com dramaticidade, levando uma das mãos ao peito para maior efeito. – Se ela for extraditada por roubo, então eu também devo ser.

Pela primeira vez em vários dias, Benedict conseguiu sorrir.

O carcereiro pegou as chaves.

– Senhor? – chamou, hesitante, o magistrado.

– Guarde isso – disparou o homem. – Não vamos encarcerar a filha de uma condessa.

– Não guarde, não! – interrompeu Violet. – Quero que minha futura nora seja libertada agora mesmo.

O carcereiro olhou para o magistrado sem saber o que fazer.

– Ora, vamos lá – disse o magistrado, e apontou na direção de Sophie. – Solte aquela ali. Mas ninguém vai a lugar algum até eu resolver tudo isso.

Araminta vociferou em protesto, mas Sophie foi devidamente libertada. Fez o movimento de correr para Benedict, mas o magistrado estendeu um braço para contê-la.

– Alto lá! – exclamou. – Não teremos nenhum encontro romântico até que eu entenda quem deve ser preso.

– Ninguém deve ser preso – rosnou Benedict.

– Ela vai para a Austrália! – gritou Araminta, apontando para a enteada.

– Prendam-me! – clamou Posy com um suspiro, levando as costas da mão à testa. – Fui eu que roubei!

– Posy, fique quieta – sussurrou Sophie. – Confie em mim, você não quer ficar naquela cela. É terrível. E tem ratos.

A menina começou a se afastar das grades.

– Você nunca mais receberá um convite nesta cidade – garantiu Violet a Araminta.

– Eu sou uma condessa! – sibilou a outra.

– E eu sou mais popular – rebateu Violet, usando de forma sarcástica uma palavra tão incomum em seu dicionário que tanto Benedict quanto Sophie ficaram boquiabertos.

– Chega! – exigiu o magistrado. Virou para Posy, apontou para Araminta e perguntou: – Ela é sua mãe?

A jovem assentiu.

– E a senhorita disse que roubou os enfeites para sapatos?

Posy assentiu mais uma vez.

– E ninguém roubou a aliança de casamento dela – completou. – Está em seu porta-joias, em casa.

Ninguém demonstrou espanto, porque de fato ninguém ficou surpreso.

Mas, de qualquer maneira, Araminta disse:

– Não está.

– No seu outro porta-joias – esclareceu Posy. – O que a senhora guarda na terceira gaveta da esquerda.

Araminta empalideceu.

– A senhora não parece ter um caso muito consistente contra a Srta. Beckett, Lady Penwood – observou o magistrado.

Araminta começou a tremer de raiva enquanto estendia o braço e o apontava para Sophie.

– Ela me roubou – afirmou num tom de voz mortalmente baixo antes de encarar Posy com fúria no olhar. – Minha filha está mentindo. Não sei por quê, e não faço ideia do que ela espera ganhar, mas está mentindo.

Sophie começou a sentir um grande desconforto. Posy estaria muito encrencada quando voltasse para casa. Não havia como saber o que Araminta faria como retaliação a tamanha humilhação pública. Sophie não poderia permitir que a menina assumisse a culpa pela mãe. Ela precisava...

– Posy não...

Sophie pronunciou as palavras antes que pudesse pensar, mas não conseguiu terminar a frase porque a jovem lhe deu uma cotovelada na barriga.

Com força.

– A senhorita disse alguma coisa? – perguntou o magistrado.

Sophie balançou a cabeça, sem conseguir falar. Posy a deixara completamente sem ar.

O magistrado deu um suspiro cansado e passou a mão pelos escassos cabelos loiros. Olhou para Posy, depois para Sophie, em seguida para Araminta e por fim para Benedict. Violet pigarreou, obrigando-o a olhar para ela também.

– Está claro – começou ele, parecendo querer estar em qualquer outro lugar que não fosse aquele – que isto tem a ver com muito mais do que apenas um enfeite para sapato roubado.

– *Enfeites* para sapatos – corrigiu Araminta, empinando o nariz. – Foram dois.

– Enfim – resmungou o magistrado –, vocês todos se detestam, e eu gostaria de saber por quê, antes de seguir em frente e acusar alguém.

Por um segundo, ninguém falou nada. Então, todos começaram a se explicar ao mesmo tempo.

– Silêncio! – rugiu o magistrado. – A senhorita começa – disse ele, apontando para Sophie.

– Hã...

Agora que estava com a palavra, Sophie se sentia muito tímida.

O magistrado pigarreou. Alto.

– O que ele disse é verdade – falou Sophie rapidamente, apontando para Benedict. – Eu sou a filha do conde de Penwood, embora nunca tenha sido reconhecida como tal.

Araminta abriu a boca para se pronunciar, mas o magistrado a olhou com uma expressão tão contundente de fúria que ela permaneceu calada.

– Eu morei em Penwood Park por sete anos antes que ela se casasse com o conde – continuou Sophie, apontando para Araminta. – Ele dizia que eu era sua pupila, mas todo mundo sabia a verdade. – Ela fez uma pausa, lembrando--se do rosto do pai e pensando que não deveria ficar tão surpresa por não conseguir visualizá-lo sorrindo. – Eu me pareço muito com ele – concluiu.

– Eu conheci o seu pai – afirmou Violet baixinho. – E a sua tia. O que explica por que sempre achei seu rosto tão familiar.

Sophie deu um pequeno sorriso de gratidão. Algo no tom de Lady Bridgerton foi bastante tranquilizador e fez com que ela se sentisse um pouco mais confortável e segura.

– Por favor, continue – pediu o magistrado.

Sophie assentiu e acrescentou:

– Quando o conde se casou com a condessa, ela não queria que eu continuasse morando lá, mas ele insistiu. Eu quase nunca o via, e não acho que gostasse muito de mim, mas ele achava que eu era responsabilidade sua e não permitiu que ela me expulsasse. No entanto, quando ele morreu...

Sophie parou e engoliu em seco, tentando vencer o bolo na garganta. Ela nunca contara sua história a ninguém antes. As palavras pareciam estranhas saindo de sua boca.

273

– Quando ele morreu – prosseguiu –, seu testamento especificava que a parte de Lady Penwood seria triplicada se ela me mantivesse em sua casa até meus 20 anos. E ela o fez. Mas minha vida mudou de forma drástica. Eu me tornei uma criada. Bem, não exatamente uma criada. – Sophie deu um sorriso irônico. – Uma criada é paga por seu trabalho. De modo que eu era mais como uma escrava.

Ela olhou para a madrasta, que estava parada com os braços cruzados e o nariz empinado. Tinha os lábios cerrados, e de repente ocorreu a Sophie quantas vezes ela vira aquela exata expressão no rosto de Araminta. Mais vezes do que ousaria contar. Vezes suficientes para destruir sua alma.

No entanto, ali estava ela, suja e sem dinheiro, mas com a cabeça e o espírito ainda fortes.

– Sophie? – chamou Benedict, olhando para ela com ar de preocupação. – Está tudo bem?

Ela assentiu devagar, porque apenas começava a se dar conta de que *estava* tudo bem. O homem que ela amava havia (de uma forma bastante tortuosa) acabado de pedi-la em casamento, Araminta enfim estava prestes a receber o castigo que merecia – pelas mãos de ninguém menos que os Bridgertons, que a deixariam em frangalhos quando tivessem terminado, e de Posy... Essa parte deve ter sido a melhor de todas. Posy, que sempre quisera ser uma irmã para ela, que nunca tivera coragem de ser ela mesma, enfrentara a mãe e possivelmente salvara o dia. Sophie tinha certeza de que se Benedict não tivesse aparecido para se declarar como seu noivo, o testemunho de Posy teria sido a única coisa a livrá-la da extradição – ou talvez até mesmo da execução. E Sophie sabia melhor do que ninguém que a menina pagaria muito caro por sua coragem. Era provável que Araminta já estivesse tramando como tornar a vida dela um verdadeiro inferno.

Sim, tudo *estava* bem, e Sophie de repente se empertigou ao dizer:

– Permitam que eu termine a minha história. Depois que o conde morreu, Lady Penwood me manteve como camareira sem salário. Ainda que, na verdade, eu fizesse o trabalho de três criadas.

– Sabe, Lady Whistledown disse exatamente isso no mês passado! – falou Posy, entusiasmada. – Eu disse a mamãe que ela...

– Posy, *cale a boca*! – explodiu Araminta.

– Quando completei 20 anos – continuou Sophie –, ela não me mandou embora. Até hoje não sei por quê.

– Acho que já ouvimos o suficiente – afirmou Araminta.

– Acho que não chegamos nem perto de ouvir o suficiente – disparou Benedict.

Sophie olhou para o magistrado em busca de orientação. Quando ele assentiu com a cabeça, ela prosseguiu:

– Só posso deduzir que ela gostava de ter alguém em quem mandar. Ou talvez apenas apreciasse ter uma criada de graça. Não havia sobrado nada do testamento dele.

– Isso não é verdade – retrucou Posy.

Sophie se virou para ela, em choque.

– Ele deixou dinheiro para você – afirmou a garota.

Sophie ficou de queixo caído.

– Isso não é possível. Eu não tinha nada. Meu pai tratou do meu bem-estar até os 20 anos, mas, depois disso...

– Depois disso – interrompeu Posy com bastante veemência –, você tinha um dote.

– Um dote? – sussurrou Sophie.

– Isso não é verdade! – vociferou Araminta.

– *É* verdade – insistiu Posy. – Você não deveria deixar provas incriminadoras espalhadas por aí, mamãe. Eu li uma cópia do testamento do conde no ano passado. – Ela se virou para os demais e disse: – Estava na mesma caixa em que ela guardou a aliança de casamento.

– Você roubou o meu dote? – indagou Sophie, com a voz pouco mais alta que um sussurro.

Todos aqueles anos, ela acreditara que o pai não lhe deixara nada. Sabia que ele jamais a amara, que só a via como uma responsabilidade, mas fora doloroso o fato de ele ter deixado dotes para Rosamund e Posy, que sequer eram suas filhas de sangue, e não para ela.

Ela nem ao menos pensara que o conde a ignorara de propósito. A bem da verdade, Sophie se sentia principalmente... esquecida.

O que parecia ainda pior do que se tivesse sido desprezada de forma deliberada.

– Ele me deixou um dote – disse ela, perplexa. Então se dirigiu a Benedict: – Eu tenho um dote.

– Eu não me importo se você tem um dote – retrucou ele. – Não preciso dele.

– Eu me importo – falou Sophie. – Eu achava que ele tinha me esquecido. Passei todos estes anos achando que ele tinha redigido o testamento e simplesmente se esquecido de mim. Eu sei que não poderia deixar dinheiro para sua filha bastarda, mas ele havia dito a todos que eu era sua pupila. Não havia nada que o impedisse de deixar algo para sua pupila. – Por algum motivo, ela olhou para Violet. – Ele poderia ter provido a uma pupila. As pessoas fazem isso o tempo todo.

O magistrado pigarreou e se virou para Araminta.

– E o que aconteceu com o dote dela?

Ela ficou em silêncio.

Violet também pigarreou.

– Não acho que usurpar o dote de uma jovem esteja nos conformes da lei – falou, depois deu um sorriso. Um sorriso lento e satisfeito. – Não é, Araminta?

CAPÍTULO 23

Lady Penwood parece ter deixado a cidade. Assim como Lady Bridgerton. Interessante...

CRÔNICAS DA SOCIEDADE DE LADY WHISTLEDOWN,
18 DE JUNHO DE 1817

Benedict decidiu que nunca amara a mãe mais do que naquele instante. Estava tentando não sorrir, mas era muito difícil, com Lady Penwood arfando feito um peixe fora d'água.

O magistrado arregalou os olhos.

– A senhora não está sugerindo que eu prenda a *condessa*.

– Não, é claro que não – objetou Violet. – É provável que ela fique livre. É muito raro que os aristocratas paguem por seus crimes. Mas – acrescentou, virando um pouco a cabeça para o lado e dirigindo um olhar bastante enfático para Lady Penwood – se o senhor a prendesse, seria terrivelmente constrangedor para ela se defender das acusações.

– O que está tentando dizer? – perguntou Lady Penwood com os dentes cerrados.

Violet se voltou para o magistrado.

– Posso ter alguns instantes a sós com ela?

– É claro, milady. – Ele fez um gesto brusco com a cabeça e então rugiu: – Todos para fora!

– Não, não – disse Violet dando um sorriso doce enquanto colocava na mão dele algo que se parecia muito com uma nota de uma libra. – A minha família pode ficar.

O magistrado corou um pouco, depois agarrou o braço do carcereiro e o puxou para fora do local.

– Pronto – murmurou Violet. – Onde estávamos?

Benedict ficou radiante de orgulho ao ver sua mãe se aproximar de Lady Penwood e encará-la. Ele olhou de lado para Sophie, que estava boquiaberta.

– Meu filho vai se casar com Sophie – informou Violet –, e você vai dizer a quem puder ouvir que ela era a pupila do seu falecido marido.

– Eu jamais mentirei por ela – retrucou Lady Penwood.

Violet deu de ombros.

– Está bem. Então pode esperar que meus advogados comecem a ir atrás do dote dela imediatamente. Afinal, Benedict terá direito a ele assim que se casar com ela.

Benedict passou o braço pela cintura de Sophie e lhe deu um leve apertão.

– Se alguém me perguntar – resmungou Lady Penwood –, eu confirmarei qualquer história que você espalhar. Mas não espere que eu faça qualquer esforço para ajudá-la.

Violet fingiu avaliar a questão e em seguida falou:

– Ótimo. Creio que estamos conversadas. – Virou-se para o filho. – Benedict?

Ele assentiu com rapidez.

Violet voltou-se para Lady Penwood de novo.

– O pai de Sophie se chamava Charles Beckett e era um primo distante do conde, não?

Lady Penwood parecia ter engolido um marisco estragado, mas assentiu mesmo assim.

Violet se virou acintosamente de costas para a condessa e disse:

– Com certeza alguns membros da sociedade irão considerá-la um pouco simples, já que ninguém conhecerá a sua família, é claro, mas pelo menos ela será respeitável. Afinal – continuou, virando-se de novo para Araminta e abrindo um grande sorriso –, existe essa ligação com os Penwoods.

Araminta soltou um estranho som gutural. Benedict teve que se esforçar para não rir.

– Senhor magistrado! – chamou Violet, e, quando ele voltou ao local, ela deu-lhe um sorriso alegre e afirmou: – Acredito que meu trabalho aqui esteja terminado.

Ele soltou um suspiro de alívio e retrucou:

– Então eu não preciso prender ninguém?

– Parece que não.

Ele se apoiou na parede, praticamente se jogando contra ela.

– Bem, vou embora! – anunciou Lady Penwood, como se alguém fosse sentir sua falta. Virou-se para a filha com olhos furiosos. – Venha, Posy.

Benedict viu o sangue se esvair do rosto da menina.

No entanto, antes que ele pudesse intervir, Sophie deu um salto e disse de repente:

– Lady Bridgerton!

No mesmo instante, Araminta vociferou:

– Agora!

– Sim, querida? – falou Violet.

Sophie agarrou o braço da futura sogra e a puxou para perto, a fim de sussurrar algo em seu ouvido.

– É verdade – respondeu Violet. Ela se virou para Posy. – Srta. Gunningworth?

– Na verdade, é Srta. Reiling – corrigiu Posy. – O conde nunca me adotou.

– É claro. Srta. Reiling. Qual é a sua idade?

– Tenho 21 anos, milady.

– Bem, com certeza a senhorita já tem idade suficiente para tomar suas próprias decisões. Gostaria de fazer uma visita à minha casa?

– Ah, *claro*!

– Posy, você *não* pode ir morar com os Bridgertons! – rugiu Araminta.

Violet a ignorou por completo e se dirigiu a Posy:

– Acredito que deixarei Londres mais cedo nesta temporada. Gostaria de se juntar a nós para uma estada prolongada em Kent?

Posy assentiu no mesmo instante.

– Eu ficaria honrada.

– Está combinado, então.

– Não está nada combinado – disparou Araminta. – Ela é minha filha e...

– Benedict – chamou Violet com uma voz bastante entediada –, qual é mesmo o nome do meu advogado?

– Vá! – disse Araminta à filha. – E nunca mais apareça na minha frente.

Pela primeira vez naquela tarde, Posy começou a parecer um pouco assustada. Não ajudou muito a mãe se aproximar dela e sibilar direto em seu rosto:

– Se for com eles agora, você estará morta para mim. Entendeu? Morta!

278

A garota olhou em pânico para Violet, que na mesma hora deu um passo para a frente e a segurou pelo braço.

– Tudo bem, Posy – falou com delicadeza. – Pode ficar conosco pelo tempo que desejar.

Sophie se aproximou e pegou a menina pelo outro braço.

– Agora nós seremos irmãs de verdade – observou, inclinando-se para a frente e lhe dando um beijo no rosto.

– Ah, Sophie! – gritou Posy, esvaindo-se em lágrimas. – Eu sinto muito! Eu nunca defendi você. Eu devia ter dito alguma coisa. Devia ter feito alguma coisa, mas...

Sophie balançou a cabeça.

– Você era uma menina. Eu era uma menina. E eu sei melhor do que ninguém como é difícil desafiá-la.

Ela lançou um olhar furioso para Araminta.

– Não se refira a mim dessa forma – explodiu Araminta, levantando a mão como para desferir um tapa.

– Ei, ei ei! – interrompeu Violet. – Os advogados, Lady Penwood. Não se esqueça dos advogados.

Araminta abaixou o braço, mas parecia prestes a explodir a qualquer momento.

– Benedict? – chamou Violet. – Em quanto tempo conseguimos chegar ao escritório dos advogados?

Sorrindo por dentro, ele coçou o queixo, pensativo.

– Não fica muito longe daqui. Vinte minutos? Trinta, se o tráfego estiver intenso.

Araminta tremeu de raiva e falou, dirigindo-se a Violet:

– Levem-na, então. Ela nunca passou de uma decepção para mim. E pode esperar ficar presa a ela até o dia de sua morte, já que é provável que ninguém a queira. Preciso subornar os homens para que ao menos a tirem para dançar.

Nesse momento aconteceu algo muito estranho. Sophie começou a tremer. Ficou com o rosto vermelho, cerrou os dentes e deu um impressionante urro. E antes que alguém conseguisse pensar em intervir, ela havia enfiado o punho direto no olho esquerdo de Araminta e a derrubado no chão.

Benedict pensara que nada poderia surpreendê-lo mais do que o desconhecido traço maquiavélico da mãe.

Estava errado.

– Isto – sibilou Sophie – não é por ter roubado meu dote. Nem por todas as vezes que tentou me tirar da minha casa antes de meu pai morrer. E não é sequer por me transformar em sua escrava pessoal.

– Hã, Sophie – falou Benedict com carinho –, é por que então?

Ela não desviou os olhos do rosto de Araminta ao dizer:

– Por não ter amado as suas filhas da mesma maneira.

Posy começou a chorar convulsivamente.

– Há um lugar especial no inferno para mães como você – afirmou Sophie, com a voz perigosamente baixa.

– Sabem, nós precisamos mesmo liberar essa cela para o próximo ocupante – observou o magistrado.

– Ele tem razão – concordou Violet, colocando-se na frente de Sophie antes que ela resolvesse começar a chutar Araminta. Então se virou para Posy. – Você tem algum pertence que deseje buscar?

A menina balançou a cabeça.

A tristeza perpassou os olhos de Violet quando ela deu um leve apertão na mão de Posy.

– Vamos criar novas memórias para você, minha querida.

Araminta se levantou, lançou um último olhar furioso para a filha e saiu batendo pé.

– Bem, achei que ela jamais fosse ir embora – declarou Violet, pondo as mãos nos quadris.

Benedict soltou o braço da cintura de Sophie, murmurou um "não saia daqui" e então foi rapidamente até o lado da mãe.

– Eu já lhe disse hoje quanto eu amo a senhora? – sussurrou no ouvido dela.

– Não – retrucou Violet com um sorriso animado –, mas eu sei disso.

– E eu já disse que a senhora é a melhor mãe do mundo?

– Não, mas eu sei disso também.

– Que bom. – Ele se abaixou e lhe deu um beijo no rosto. – Obrigado. É um privilégio ser seu filho.

Violet, que havia se segurado durante o dia inteiro e se mostrado a mais prática e obstinada de todos, caiu no choro.

– O que você falou a ela? – perguntou Sophie.

– Está tudo bem – garantiu Violet, fungando muito. – É... – Ela jogou os braços ao redor do filho. – Eu amo você também!

Posy se virou para Sophie e comentou:

– Esta é uma boa família.

– Eu sei – respondeu ela.

Uma hora depois, Sophie estava na sala de estar de Benedict, sentada no mesmo sofá em que perdera a inocência poucas semanas antes. Violet questionara se era sábio (e adequado) Sophie ir à residência de Benedict sozinha, mas ele olhou para ela de tal maneira que a mãe logo recuou, dizendo apenas:

– Só a leve para casa antes das sete.

Isso lhes dava uma hora juntos.

– Eu sinto muito – disse Sophie quando se sentou no sofá.

Por algum motivo, os dois não falaram nada na carruagem. Permaneceram de mãos dadas, e Benedict beijara os nós de seus dedos no caminho, mas ambos ficaram em silêncio.

Sophie sentia um alívio imenso. Ainda não estava pronta para palavras. Fora fácil na cadeia, com toda a comoção, mas agora que eles estavam a sós...

Ela não sabia o que dizer.

A não ser "sinto muito".

– Não, *eu* sinto muito – respondeu Benedict, sentando ao lado dela e segurando suas mãos.

– Não, eu... – Ela sorriu de repente. – Isto é muito bobo.

– Eu amo você – disse ele.

Ela abriu os lábios.

– Quero me casar com você – continuou Benedict.

Ela parou de respirar.

– E não me importo com os seus pais ou com a negociação da minha mãe com Lady Penwood para torná-la respeitável. – Ele a encarou, com os olhos escuros cheios de paixão. – Eu teria me casado com você de qualquer maneira.

Sophie piscou. Seus olhos estavam ficando cada vez mais cheios de lágrimas, e ela foi tomada por uma forte desconfiança de que logo iria fazer papel de boba e abrir o berreiro na frente dele. Conseguiu dizer seu nome, mas então ficou completamente perdida a partir daí.

Benedict apertou as mãos dela.

– Nós não poderíamos morar em Londres, eu sei, mas não temos que viver aqui. Quando eu pensava no que precisava de fato na vida, não no que eu queria, mas no que *precisava*, a única coisa que me vinha à mente era você.

– Eu...

– Não, me deixe terminar – interrompeu ele, com a voz estranhamente rouca. – Eu não devia ter pedido que você fosse minha amante. Não foi certo.

– Benedict – retrucou Sophie baixinho –, o que mais poderia ter feito? Você achava que eu era uma criada. Num mundo perfeito, poderíamos ter nos casado, mas este não é um mundo perfeito. Homens como você não se casam...

– Está bem. Não foi errado pedir, então. – Ele tentou sorrir. O sorriso saiu torto. – Eu teria sido um tolo se não pedisse. Eu a desejava tanto, e acho que já a amava, e...

– Benedict, você não precisa...

– Explicar? Sim, preciso. Eu jamais deveria ter pressionado você depois que recusou minha oferta. Foi injusto pedir, sobretudo considerando que nós dois sabíamos que havia a expectativa de que eu me casasse. Eu morreria antes de dividi-la com alguém. Como pude pedir que fizesse o mesmo?

Ela estendeu a mão e limpou alguma coisa do rosto dele. Por Deus, ele estava chorando? Não se lembrava da última vez que havia chorado. Quando seu pai morrera, talvez? Mesmo assim, suas lágrimas haviam rolado fora da vista das pessoas.

– São tantos os motivos pelos quais eu amo você... – continuou, pronunciando cada palavra com uma cuidadosa precisão.

Ele sabia que a conquistara. Sophie não iria fugir – seria esposa dele. Mas, ainda assim, queria que aquilo fosse perfeito. Um homem só tinha uma chance de se declarar a seu verdadeiro amor, e ele não queria estragar tudo.

– Mas uma das coisas que eu mais amo – falou – é o fato de que você se conhece. Você sabe quem é e quanto vale. Tem princípios, Sophie, e não abre mão deles. – Ele segurou a mão dela e a levou aos lábios. – Isso é tão raro...

Os olhos de Sophie estavam marejados, e tudo o que ele queria fazer era abraçá-la, mas sabia que precisava terminar. Ainda havia muitas coisas que tinha que dizer.

– E você se dedicou a *me* ver – prosseguiu, diminuindo o tom de voz. – A me conhecer. A mim, Benedict. Não o Sr. Bridgerton, não o "número dois". Benedict.

Ela tocou o rosto dele.

– Você é a melhor pessoa que eu conheço. Adoro a sua família, mas amo *você*.

Ele a tomou nos braços. Não conseguiu evitar. Precisava senti-la, garantir a si mesmo que ela estava ali, que sempre estaria ali. Com ele, a seu lado, até que a morte os separasse. Era estranho, mas ele foi tomado por uma forte compulsão de abraçá-la... só abraçá-la.

Benedict a desejava, é claro. Sempre a desejara. No entanto, mais do que isso, queria segurá-la. Sentir seu cheiro, tocar sua pele.

Ele se deu conta de que ficava reconfortado com sua presença. Os dois não precisavam conversar. Não precisavam nem mesmo se tocar (embora ele não estivesse pensando em soltá-la naquele momento). Em poucas palavras, Benedict era um homem mais feliz – e muito possivelmente um homem melhor – quando ela estava por perto.

Ele enterrou o rosto nos cabelos dela e inspirou seu cheiro, cheiro de...

Cheiro de...

Ele recuou.

– Gostaria de tomar um banho?

O rosto dela ficou vermelho no mesmo instante.

– Ah, não – lamentou, com as palavras saindo abafadas pela mão que ela pusera na boca. – A cadeia era tão imunda, e eu obrigada a dormir no chão, e...

– Não me conte mais nada – pediu Benedict.

– Mas...

– *Por favor.*

Se ele ouvisse mais, talvez precisasse matar alguém. Desde que não tivesse havido estragos permanentes, ele não queria saber dos detalhes.

– Eu acho que você devia tomar um banho – falou, começando a sorrir.

– Está bem – retrucou Sophie e se levantou. – Vou direto para a casa da sua mãe...

– Aqui.

– Aqui?

O sorriso dele se ampliou.

– Aqui.

– Mas nós dissemos à sua mãe...

– Que você estaria em casa às nove.

– Acho que ela disse sete.

– Disse? Curioso, eu escutei nove.

– Benedict...

Ele segurou a mão dela e a levou na direção da porta.

– Sete parece *muito* com nove.

– Benedict...

– Na verdade, parece mais ainda com onze.

– Benedict!

Ele a deixou exatamente ao lado da porta.

– Fique aqui.

– O quê?

– Não se mova um milímetro sequer – pediu ele, tocando o nariz dela com a ponta do dedo.

Sophie o viu sair pelo corredor e voltar dois minutos depois.

– Aonde você foi? – perguntou ela.

– Pedir que preparem um banho.

– Mas...

Os olhos dele ficaram muito, muito maliciosos.

– Para dois.

Ela engoliu em seco.

Benedict se inclinou para a frente.

– Por coincidência, já estavam esquentando a água.

– É mesmo?

Ele assentiu.

– Serão apenas poucos minutos para encher a banheira.

Sophie olhou para a porta da entrada.

– São quase sete horas.

– Mas eu tenho permissão de ficar com você até a meia-noite.

– Benedict!

Ele a puxou para mais perto.

– Você quer ficar.

– Eu nunca falei isso.

– Nem precisa. Se realmente discordasse de mim, teria algo mais a dizer além de "Benedict!".

Sophie teve que sorrir. Ele fez uma imitação muito boa da sua voz.

Benedict abriu um sorriso endiabrado.

– Estou errado?

Ela afastou o olhar, mas sabia que seus lábios estavam estremecendo.

– Imaginei que não – murmurou ele. Fez um sinal com a cabeça na direção da escada. – Venha comigo.

Ela foi.

$\sim$

Para grande surpresa de Sophie, Benedict saiu do quarto enquanto ela se despia para o banho. Prendeu a respiração ao passar o vestido pela cabeça. Ele tinha razão: ela estava cheirando muito mal. A criada que preparara a água a perfumara com óleo e acrescentara um sabão espumante que formava bolhas na superfície.

Depois de tirar toda a roupa, Sophie mergulhou o dedo do pé no líquido quente. Em seguida, entrou na banheira por inteiro.

Aquilo era o paraíso. Era difícil imaginar que fazia apenas dois dias que ela não tomava banho. Uma noite apenas na cadeia, mas a impressão era de que tinha sido um ano.

Ela tentou esvaziar a mente e aproveitar o momento, mas foi difícil fazer isso com a expectativa que só aumentava. Quando decidiu ficar, ela sabia que Benedict planejava se juntar a ela. Poderia ter recusado. Mesmo com toda aquela sedução e persuasão, ele já a teria levado de volta à casa da mãe.

Mas ela decidira ficar. Em algum ponto entre a porta da sala de estar e o primeiro degrau da escada, Sophie percebera que *queria* ficar. Havia percorrido uma longa estrada até aquele momento e não estava pronta para se afastar de Benedict, mesmo que fosse apenas até a manhã seguinte, quando ele com certeza iria tomar o café da manhã na casa de Violet.

Ele chegaria logo. E, quando chegasse...

Sophie estremeceu. Mesmo na banheira quente, ela estremeceu. E então, quando estava afundando mais na água, mergulhando os ombros, o pescoço, depois até o nariz, ela ouviu o estalo da porta se abrindo.

Benedict. Ele usava um robe verde-escuro amarrado na cintura com uma faixa. Estava descalço e com as pernas nuas dos joelhos para baixo.

– Espero que não se importe se eu mandar destruir isto aqui – disse ele, olhando para o vestido dela.

Sophie sorriu para ele e balançou a cabeça. Não era o que esperava que ele fosse dizer e sabia que ele falara aquilo para deixá-la mais à vontade.

– Mandarei alguém buscar outro – afirmou Benedict.

– Obrigada.

Ela se mexeu levemente dentro d'água para abrir espaço para ele, mas Benedict a surpreendeu indo até a ponta da banheira.

– Incline-se para a frente – ele murmurou.

Ela obedeceu e suspirou de prazer quando ele começou a lavar suas costas.

– Eu sonho em fazer isso há anos.

– Anos? – perguntou ela, sorrindo.

– Aham. Tive *muitos* sonhos com você depois do baile de máscaras.

Sophie agradeceu por estar inclinada para a frente, com a testa sobre os joelhos, porque corou.

– Molhe a cabeça para que eu possa lavar seus cabelos – ordenou ele.

Ela mergulhou na água e emergiu rapidamente.

Benedict esfregou a barra de sabão nas mãos e começou a aplicar a espuma nos cabelos dela.

– Eram mais longos antes – comentou.

– Eu precisei cortá-los – contou ela. – Vendi para um fabricante de perucas.

Ela não soube ao certo, mas teve a impressão de que o ouviu se lamentar.

– Antes estava muito mais curto – acrescentou Sophie.

– Pronto para enxaguar.

Ela mergulhou de novo na banheira e mexeu a cabeça para um lado e outro antes de emergir.

Benedict colocou as mãos em forma de concha e as encheu com água.

– Ainda tem um pouco de espuma atrás – falou, derramando o líquido sobre os cabelos dela.

Sophie deixou que ele repetisse o processo algumas vezes, depois perguntou:

– Você não vai entrar?

Foi bastante atrevido da parte dela, e Sophie sabia que devia estar vermelha como um tomate, mas precisava saber.

Ele balançou a cabeça.

– Eu havia planejado entrar, mas isto está divertido demais.

– O quê, me lavar? – quis saber ela, desconfiada.

Ele deu um meio sorriso.

– Estou esperando ansiosamente para secá-la também. – Ele se abaixou e pegou uma grande toalha branca. – Vamos lá.

Sophie mordeu o lábio inferior, indecisa. É claro que ela já tivera tanta intimidade com ele quanto era possível entre duas pessoas, mas não era tão sofisticada a ponto de sair nua da banheira sem um alto grau de constrangimento.

Benedict deu um leve sorriso ao se levantar e abrir a toalha. Segurou-a estendida, desviou o olhar e disse:

– Só voltarei a olhar quando estiver toda enrolada.

Sophie respirou fundo e se ergueu, de algum modo sentindo que aquele único gesto poderia marcar o começo do resto de sua vida.

Benedict enrolou a toalha com delicadeza em volta dela e levou as pontas até seu rosto. Secou as bochechas de Sophie, em seguida se abaixou e beijou o nariz dela.

– Estou feliz que esteja aqui – murmurou.

– Eu também.

Ele tocou no queixo de Sophie. Seus olhos não desviaram dos dela, e ela quase sentiu como se ele os tivesse tocado também. Então, do modo mais suave e carinhoso possível, ele a beijou. Sophie não se sentiu apenas amada. Sentiu-se reverenciada.

– Eu deveria esperar até segunda-feira – disse ele –, mas não quero.

– Eu não quero que você espere – sussurrou ela.

Ele a beijou de novo, desta vez com um pouco mais de urgência.

– Você é tão linda... – murmurou. – É tudo com o que sonhei.

Benedict beijou o rosto dela, o queixo, o pescoço, e cada beijo lhe tirava um pouco do equilíbrio e do fôlego. Sophie tinha certeza de que suas pernas não aguentariam, de que perderia todas as forças diante daquele assalto de carícias, e justo quando ela estava convencida de que iria cair no chão, ele a segurou nos braços e a levou no colo até a cama.

– No meu coração, você já é minha esposa – jurou ele, colocando-a entre os travesseiros.

Sophie prendeu a respiração.

– Depois do nosso casamento, será legalizado – continuou Benedict, deitando-se ao lado dela –, abençoado por Deus e pelo país, mas agora... – A voz dele ficou rouca enquanto ele se apoiava num cotovelo para poder fitá-la nos olhos. – Agora é *verdadeiro*.

Sophie tocou em seu rosto.

– Eu amo você – sussurrou. – Sempre amei. Acho que o amava antes mesmo de conhecê-lo.

Ele se abaixou para beijá-la de novo, mas ela o interrompeu, sussurrando:

– Não, espere.

Benedict parou a poucos centímetros dos lábios dela.

– No baile de máscaras – falou Sophie, com voz trêmula –, mesmo antes de vê-lo, eu o senti. Uma expectativa. Uma mágica. Havia algo no ar. E quando eu me virei e você estava lá, foi como se estivesse esperando por mim, e eu soube que você era o motivo pelo qual eu tinha entrado às escondidas no baile.

Algo molhado caiu no rosto dela. Uma única lágrima, derramada por ele.

– Você é o motivo pelo qual eu existo – prosseguiu Sophie, baixinho. – O motivo pelo qual eu nasci.

Benedict abriu a boca e por um instante ela teve certeza de que ele diria algo, mas o único som que emitiu foi um barulho rouco e hesitante, e Sophie se deu conta de que ele estava emocionado, que não conseguia falar.

Ela também se emocionou.

Benedict a beijou novamente, tentando demonstrar em atos o que não conseguia expressar com palavras. Ele não sabia que podia amá-la mais do que amava cinco segundos antes, mas quando ela dissera... quando ela lhe dissera aquilo...

Ele achou que seu coração poderia explodir de felicidade.

Benedict a amava. De repente, o mundo era um lugar muito simples. Ele a amava, e isso era tudo o que importava.

O robe dele e a toalha dela foram parar no chão, e quando os dois estavam nus, encostados um no outro, as mãos e os lábios dele a idolatraram. Queria que Sophie percebesse quanto precisava dela, e queria que ela sentisse o mesmo desejo.

– Ah, Sophie – suspirou ele. O nome dela era a única palavra que conseguia dizer: – Sophie, Sophie, Sophie.

Ela sorriu para ele, e Benedict foi invadido por uma incrível vontade de rir. Ele percebeu que estava feliz. Absolutamente feliz.

E a sensação era boa.

Posicionou-se sobre Sophie, pronto para entrar nela e fazer com que ela fosse sua. Era diferente da última ocasião, quando os dois tinham sido guiados pela emoção. Desta vez, ambos haviam tomado uma decisão. Escolheram algo mais poderoso do que a paixão: escolheram um ao outro.

– Você é minha – disse ele, sem tirar os olhos dos dela ao penetrá-la. – Você é minha.

E bem mais tarde, quando os dois estavam exaustos, deitados nos braços um do outro, ele levou os lábios ao ouvido dela e sussurrou:

– E eu sou seu.

***

Muitas horas depois, Sophie acordou sozinha, imaginando por que estava se sentindo tão bem e aconchegada, e...

– Benedict! – chamou. – Que horas são?

Como ele não respondeu, ela agarrou o ombro dele e o sacudiu com força.

– Benedict! Benedict!

Ele resmungou enquanto rolava na cama.

– Estou dormindo.

– Que horas são?

Ele enfiou a cabeça no travesseiro.

– Não faço a menor ideia.

– Eu deveria estar na sua mãe às sete.

– Às onze – murmurou ele.

– Sete!

Benedict abriu um olho. Deu a impressão de ter feito um esforço tremendo para isso.

– Você sabia que não iria conseguir chegar às sete quando decidiu tomar um banho.

– Eu sei, mas não pensei que fosse passar muito das nove.

Ele piscou algumas vezes e olhou ao redor no quarto.

– Acho que você não vai conseguir...

Mas ela já vira o relógio em cima da lareira e agora arfava de forma frenética.

– Você está bem? – perguntou ele.

– São três da manhã!

Ele sorriu.

– Então você pode muito bem passar a noite aqui.

– Benedict!

– Você não vai querer acordar nenhum dos criados, vai? Tenho certeza de que estão todos dormindo.

– Mas eu...

– Tenha piedade, mulher – declarou ele, afinal. – Nós vamos nos casar na semana que vem.

Isso chamou a atenção de Sophie.

– Na semana que vem? – perguntou ela com a voz estridente.

Benedict tentou fazer um ar sério.

– É melhor cuidar dessas coisas com rapidez.

– Por quê?

– Por quê? – repetiu ele.

– Sim, por quê?

– Hã, por causa de fofocas e coisas do tipo.

Ela abriu a boca e arregalou os olhos.

– Você acha que Lady Whistledown vai escrever a meu respeito?

– Meu Deus, espero que não – murmurou ele.

A expressão dela foi de desânimo.

– Bem, imagino que sim. Por que diabo você gostaria que ela escrevesse a seu respeito?

– Eu leio as colunas dela há anos. Sempre sonhei em ver meu nome lá.

Ele balançou a cabeça.

– Você tem sonhos muito estranhos.

– Benedict!

– Muito bem. Sim, imagino que Lady Whistledown irá escrever sobre o nosso casamento, se não antes da cerimônia, com certeza logo depois. Ela é diabólica nesse nível.

– Eu gostaria de saber quem ela é.

– Você e metade de Londres.

– Eu e *toda* Londres, imagino. – Ela suspirou e então disse, de forma não muito convincente. – Realmente é melhor eu ir. Estou certa de que sua mãe está preocupada comigo.

Benedict deu de ombros.

– Ela sabe onde você está.

– Mas ela vai pensar mal de mim.

– Duvido. Tenho certeza de que será um pouco flexível com você, considerando que estaremos casados em três dias.

– Três dias? – gritou ela. – Achei que você tivesse dito na semana que vem.

– Daqui a três dias já será semana que vem.

Sophie franziu a testa.

– Ah. Tem razão. Segunda, então?

Ele assentiu, parecendo muito satisfeito.

– Imagine só – falou ela. – Vou ser citada no *Whistledown*.

Ele se apoiou num cotovelo e olhou para ela com desconfiança.

– Você está ansiosa para se casar comigo ou essa empolgação toda é só por causa da menção no *Whistledown*? – perguntou ele com uma voz divertida.

Ela deu um soco de brincadeira no ombro dele.

– Na verdade – continuou ele, pensativo –, você já foi citada no *Whistledown*.

– Fui? Quando?

– Depois do baile de máscaras. Lady Whistledown observou que eu tinha ficado bastante empolgado com uma misteriosa mulher de prateado. Por mais que tenha tentado, não conseguiu deduzir sua identidade. – Ele sorriu. – Pode muito bem ser o único segredo de Londres que ela não descobriu.

Sophie ficou imediatamente séria e se afastou um pouco dele na cama.

– Ah, Benedict. Eu preciso... eu quero... quer dizer... – Ela parou, desviou o olhar por alguns segundos e então voltou a olhar para ele. – Eu sinto muito.

Benedict pensou em agarrá-la de novo, mas ela parecia tão sincera que ele não viu alternativa além de levá-la a sério.

– Pelo quê?

– Por não ter lhe dito quem eu era. Foi errado da minha parte. – Ela mordeu o lábio. – Bem, não exatamente *errado*.

Ele recuou um pouco.

– Se não foi errado, foi o quê?

– Não sei. Não consigo explicar nos mínimos detalhes por que fiz o que fiz, mas é só que... – Ela mordeu o lábio inferior mais uma vez. Benedict começou a pensar que ela poderia se machucar.

Sophie suspirou.

– Eu não contei logo porque não me pareceu necessário. Eu tinha certeza de que nos separaríamos assim que saíssemos da casa dos Cavenders. Mas então você ficou doente, e eu tive que cuidar de você, e você não me reconheceu, e...

Ele levou um dedo aos lábios dela.

– Não tem importância.

Ela levantou as sobrancelhas.

– Pareceu ter muita importância naquela outra noite.

Ele não sabia por quê, mas não queria ter uma discussão séria naquele momento.

– Muita coisa mudou desde então.

– Não quer saber por que eu não contei quem eu era?

Ele a tocou no rosto.

– Eu sei quem você é.

Ela mordeu o lábio pela terceira vez.

– E quer ouvir o mais engraçado? – continuou Benedict. – Sabe qual era um dos motivos pelos quais eu estava tão hesitante em entregar meu coração por completo a você? Eu estava guardando um pedaço dele para a dama do baile de máscaras, sempre esperando encontrá-la um dia.

– Ah, Benedict – suspirou ela, emocionada com as palavras dele e ao mesmo tempo muito triste por tê-lo feito sofrer tanto.

– Decidir me casar com você significava ter que abandonar o meu sonho de me casar com *ela* – disse ele baixinho. – Irônico, não?

– Sinto muito por tê-lo feito sofrer ao não revelar a minha identidade – retrucou ela, sem olhar direito para o rosto dele. – Mas não sei se sinto muito por ter feito o que fiz. Isso faz algum sentido?

Ele ficou em silêncio.

– Acho que faria tudo de novo.

Ele continuou sem responder. Sophie começou a se sentir bastante desconfortável.

– É só que pareceu ser a coisa certa na ocasião – insistiu ela. – Contar a você que eu havia ido ao baile de máscaras não serviria de nada.

– Eu saberia a verdade – respondeu ele com delicadeza.

– Sim, e o que faria com isso? – Ela se sentou, puxou a coberta e a prendeu embaixo dos braços. – Você iria querer que a sua mulher misteriosa fosse sua amante, exatamente como quis que a arrumadeira fosse.

Ele não falou nada, apenas a encarou.

– Acho que o que eu estou querendo dizer – prosseguiu Sophie – é que se eu soubesse no começo o que sei agora, teria dito alguma coisa. Mas eu não sabia, e achava que só estaria me expondo à chance de ter o coração partido, e... – Ela engasgou com as últimas palavras e procurou de forma frenética no rosto de Benedict alguma pista do que ele estava sentindo. – Por favor, diga alguma coisa.

– Eu amo você – afirmou ele.

Era tudo de que ela precisava.

EPÍLOGO

A festa de domingo na Casa Bridgerton com certeza será o evento da temporada. Toda a família estará reunida, junto com cerca de uma centena dos amigos mais próximos, para comemorar o aniversário da viscondessa viúva.

É considerado grosseiro mencionar a idade de uma dama, de modo que esta autora não irá revelar quantos anos Lady Bridgerton celebrará. Mas não há o que temer... Esta autora sabe!

CRÔNICAS DA SOCIEDADE DE LADY WHISTLEDOWN,
9 DE ABRIL DE 1824

– Pare! Pare!

Sophie desceu correndo e rindo os degraus de pedra que levavam ao jardim atrás da Casa Bridgerton. Depois de sete anos de casamento e três filhos, Benedict ainda conseguia fazê-la sorrir, ainda a fazia dar risada... e ainda a perseguia pela casa sempre que podia.

– Onde estão as crianças? – arfou ela, quando ele a alcançou no final da escada.

– Francesca está cuidando delas.

– E a sua mãe?

Ele sorriu.

– Ouso dizer que Francesca está cuidando dela também.

– Alguém pode nos ver aqui – disse Sophie, olhando para um lado e para outro.

O sorriso dele ficou malicioso.

– Talvez devêssemos ir para o terraço privativo – retrucou Benedict, segurando a saia de veludo verde dela e a puxando para si.

As palavras eram tão familiares que bastou um segundo para que ela fosse transportada para nove anos antes, no baile de máscaras.

– O terraço privativo, é? – retrucou, com ar divertido. – E posso saber como o senhor teria conhecimento de um terraço *privativo*?

Ele roçou os lábios nos dela.

– Eu tenho meus métodos – murmurou.

– E eu tenho os meus segredos – respondeu Sophie, sorrindo com ar travesso. Ele se afastou.

– Ah, é? E a senhora pode compartilhá-los?

– Nós cinco estamos prestes a nos tornarmos seis – disse ela.

Ele olhou para o rosto da esposa, e então para a barriga.

– Tem certeza?

– Tanta certeza quanto da última vez.

Ele pegou a mão dela e a levou aos lábios.

– Desta vez será uma menina.

– Foi o que você disse da última vez.

– Eu sei, mas...

– E da vez anterior.

– Mais um motivo para as chances estarem a meu favor *agora*.

Ela balançou a cabeça.

– Que bom que você não é um apostador.

Ele sorriu.

– Não vamos contar a ninguém ainda.

– Acho que algumas pessoas já desconfiam – comentou Sophie.

– Quero ver quanto tempo vai levar para aquela Lady Whistledown descobrir – disse Benedict.

– Está falando sério?

– A maldita mulher soube de Charles, de Alexander e de William.

Sophie sorriu enquanto deixava que ele a puxasse para as sombras.

– Sabia que eu já fui mencionada no *Whistledown* 232 vezes?

Isso o fez parar imediatamente.

– Você está contando?

– Duzentas e trinta e três, se incluirmos a ocasião depois do baile de máscaras.

– Eu não acredito que você está contando.

Ela deu de ombros com indiferença.

– É emocionante ser citada.

Benedict achava uma grande chateação ser citado, mas como não pretendia
estragar a diversão dela, disse apenas:

– Pelo menos ela sempre escreve coisas boas a seu respeito. Do contrário,
talvez eu precisasse ir atrás dela e expulsá-la do país.

Sophie não pôde deixar de sorrir.

– Ora, *por favor*. Acho difícil que consiga descobrir a identidade dela quando ninguém da sociedade foi capaz de fazer isso ainda.

Ele levantou uma sobrancelha com ar arrogante.

– Isso não parece algo que uma esposa devotada e confiante diria sobre o
marido.

Ela fingiu estar examinando a própria luva.

– Você não precisa desperdiçar energia com isso. Ela obviamente é muito boa no que faz.

– Bem, ela não irá saber sobre Violet – prometeu Benedict. – Pelo menos não até ficar óbvio para o mundo.

– Violet? – indagou Sophie baixinho.

– Está na hora de a minha mãe ter uma neta batizada em homenagem a ela, não acha?

Sophie se encostou nele e pousou o rosto no tecido macio de sua camisa.

– Acho Violet um lindo nome – murmurou, afundando mais na proteção dos braços do marido. – Só espero que seja uma menina. Porque, se for um menino, ele jamais irá nos perdoar...

Mais tarde naquela noite, num sobrado na parte mais privilegiada de Londres, uma mulher pegou sua pena e escreveu:

Crônicas da sociedade de Lady Whistledown,
12 de abril de 1824
   Ah, gentil leitor, esta autora descobriu que o número de netos da família Bridgerton em breve chegará a onze...

Mas, quando tentou continuar, tudo o que pôde fazer foi fechar os olhos e suspirar. Ela vinha fazendo aquilo havia muito tempo. Era possível que já tivessem se passado onze anos?

Talvez tivesse chegado a hora de seguir em frente. Estava cansada de escrever a respeito de todo mundo. Havia chegado a hora de viver a própria vida.

Assim, Lady Whistledown largou a pena e foi até a janela, abriu as cortinas verdes e olhou para a noite escura.

– Está na hora de algo novo – sussurrou. – Está na hora de finalmente ser eu mesma.

CONHEÇA O PRÓXIMO LIVRO DA SÉRIE

Os segredos de Colin Bridgerton

PRÓLOGO

No dia 6 de abril de 1812 – dois dias antes de seu aniversário de 16 anos –, Penelope Featherington se apaixonou.

Foi, em uma palavra, emocionante. O mundo estremeceu. Seu coração deu saltos. Ela ficou sem fôlego, e foi capaz de dizer a si mesma, com alguma satisfação, que o homem em questão – um tal de Colin Bridgerton – se sentiu da mesma forma.

Ah, não com relação à parte amorosa. Com certeza ele não se apaixonou por ela em 1812 (nem em 1813, 1814, 1815, nem – ora, raios! – nos anos entre 1816 e 1822, e também não em 1823, quando, de qualquer forma, passou o ano todo fora do país). Mas o mundo dele estremeceu, seu coração deu saltos e Penelope soube, sem a menor sombra de dúvida, que ele perdeu o fôlego, assim como ela. Por uns bons dez segundos.

Cair do cavalo costuma fazer isso com um homem.

Aconteceu assim: ela estava dando uma caminhada pelo Hyde Park com a mãe e as duas irmãs mais velhas quando sentiu um trovejante ribombar (ler acima o trecho sobre o mundo estremecer). A mãe não estava prestando muita atenção nela (como sempre), então Penelope se afastou um pouco para ver o que havia mais adiante. As outras Featheringtons estavam concentradas em sua conversa com a viscondessa de Bridgerton e a filha, Daphne, que acabara de começar a segunda temporada em Londres, de forma que fingiam ignorar o ribombar. Os Bridgertons eram, de fato, uma família importante, e conversas com eles *não* eram algo a ser ignorado.

Ao contornar uma árvore especialmente grossa, Penelope viu dois cavaleiros vindo em sua direção, galopando como se não houvesse amanhã, ou seja lá qual fosse a expressão usava em relação a tolos montados a cavalo que não se importavam com a própria segurança ou com o próprio bem-estar. Penelope sentiu o coração bater mais rápido (teria sido difícil manter a pulsação normal diante de tal agitação e, além do mais, isso lhe permitiria dizer que seu coração deu um salto quando ela se apaixonou).

Então, numa dessas inexplicáveis artimanhas do destino, o vento de repente soprou mais forte, arrancando o seu chapéu (que, para grande desgosto da mãe, ela não amarrara direito, já que a fita roçava e irritava o seu queixo) da cabeça e *poft!*, lançando-o bem no rosto de um dos cavaleiros.

Penelope arquejou (perdendo, assim, a respiração) e o homem caiu do cavalo, aterrissando de maneira muito deselegante numa poça de lama próxima.

Ela avançou, quase sem pensar, grunhindo algo que pretendia que fosse uma pergunta sobre como ele se sentia, mas que ela suspeitava ter saído como um guincho abafado. Ele estaria, é claro, furioso com ela, uma vez que Penelope praticamente o derrubara do cavalo e o cobrira de lama – duas coisas que com certeza deixariam qualquer cavalheiro no pior dos humores. No entanto, quando ele enfim ficou de pé e começou, na medida do possível, a limpar a lama da roupa, não a xingou. Não lhe passou uma dolorosa descompostura, não gritou e nem mesmo a fuzilou com o olhar.

Ele riu.

Ele riu.

Penelope não tinha muita experiência com a risada masculina e nas poucas ocasiões em que a presenciara, ela não fora gentil. Mas os olhos daquele homem – de um tom muito intenso de verde – estavam bastante divertidos enquanto ele limpava uma mancha de lama localizada de forma bastante embaraçosa em seu rosto, para depois dizer:

– Bem, aquilo não foi muito habilidoso da minha parte, não é mesmo?

E, naquele momento, Penelope se apaixonou.

Quando encontrou a voz (o que, era-lhe doloroso admitir, ocorreu uns bons três segundos depois que qualquer pessoa com algum grau de inteligência teria respondido), ela falou:

– Ah, não, eu é que deveria me desculpar! Meu chapéu voou da minha cabeça e...

Parou de falar ao se dar conta de que ele não lhe pedira desculpas, de maneira que não fazia muito sentido contradizê-lo.

– Não foi incômodo algum – retrucou ele, dando um sorriso um tanto divertido. – Eu... Ah, bom dia, Daphne! Não sabia que estava no parque.

Penelope deu meia-volta e se viu frente a frente com Daphne Bridgerton, de pé ao lado da Sra. Featherington, que no mesmo instante sibilou:

– O que você aprontou, Penelope Featherington?

Penelope não pôde nem responder seu "Nada" de sempre porque, na realidade, o acidente fora totalmente culpa sua e ela acabava de fazer papel de tola na frente de um homem que era, com toda a certeza – a julgar pela expressão da mãe – um solteiro *muito* cobiçável.

Não que a Sra. Featherington tivesse achado que *ela* teria qualquer chance com ele. Mas a matriarca nutria grandes esperanças matrimoniais em relação às suas filhas mais velhas. Além do mais, Penelope nem mesmo fora apresentada à sociedade ainda.

No entanto, se a Sra. Featherington tinha a intenção de ralhar com ela mais um pouco, não pôde fazê-lo, pois isso teria exigido desviar a atenção dos importantíssimos Bridgertons, cuja família incluía o homem agora coberto de lama, segundo Penelope logo descobriu.

– Espero que seu filho não tenha se machucado – disse a Sra. Featherington a Lady Bridgerton.

– Estou ótimo – interferiu Colin, esquivando-se com bastante habilidade antes que a mãe o cobrisse de mimos.

As devidas apresentações foram feitas, mas o resto da conversa foi desinteressante, em grande parte porque Colin, de forma rápida e precisa, entendeu que a Sra. Featherington era uma matriarca ansiosa por casar as filhas. Penelope não ficou nem um pouco surpresa quando ele logo bateu em retirada.

Mas o estrago já fora feito. Penelope agora tinha um motivo para sonhar.

Mais tarde naquela noite, enquanto repassava o encontro pela milésima vez em sua cabeça, ocorreu-lhe que teria sido mais apropriado poder dizer que se apaixonara por Colin quando ele lhe beijara a mão antes de uma dança, os olhos verdes cintilando cheios de malícia enquanto ele segurava sua mão um pouco mais longamente do que o comum. Ou, talvez, que tivesse acontecido enquanto ele cavalgava, audaz, por campos açoitados pelo vento, o já mencionado vendaval incapaz de contê-lo enquanto ele (ou, melhor, o cavalo) galopava cada vez mais rápido, sendo a sua única intenção (de Colin, não do cavalo) chegar perto dela.

Mas não, ela teve que se apaixonar quando ele caiu do cavalo e aterrissou com o traseiro numa poça de lama. Um fato bastante incomum e nem um pouco romântico, embora houvesse certa justiça poética nisso, uma vez que o acontecido não teria maiores desdobramentos.

Para que perder tempo com um amor que jamais seria correspondido? Melhor deixar os devaneios sobre os campos açoitados pelo vento para pessoas que de fato tivessem um futuro juntas.

E se havia algo que Penelope sabia, mesmo na época, com 16 anos quase completos, era que o seu futuro não incluía Colin Bridgerton no papel de marido.

Ela simplesmente não era o tipo de garota que atraía um homem como ele, e temia jamais ser.

No dia 10 de abril de 1813 – dois dias após o seu aniversário de 17 anos –, Penelope Featherington debutou na sociedade londrina. Ela não o quisera. Implorara à mãe que a deixasse esperar um ano. Estava pelo menos 12 quilos acima do peso e ainda tinha a péssima tendência a desenvolver um monte de espinhas no rosto sempre que ficava nervosa, o que queria dizer que *vivia* com espinhas, já que nada no mundo a deixava mais nervosa do que um baile em Londres.

Tentou lembrar a si mesma que a beleza era algo superficial, embora isso não fosse uma desculpa útil quando ela não sabia o que *dizer* às pessoas. Não havia nada mais deprimente do que uma menina feia sem personalidade. E naquele primeiro ano no mercado casamenteiro, era exatamente isso que Penelope era. Uma garota feia sem nenhuma – ah, está certo, ela tinha que se dar *algum* crédito: com muito pouca – personalidade.

No fundo, ela sabia quem era: uma garota inteligente, generosa e muitas vezes até mesmo engraçada, mas, de alguma forma, sua personalidade sempre se perdia em algum lugar a caminho da boca e ela acabava dizendo a coisa errada ou – o que era mais comum – coisa alguma.

Para tornar tudo ainda menos atraente, a mãe se recusava a permitir que Penelope escolhesse as próprias roupas, e quando ela não estava com o indispensável branco que a maioria das jovens usava (e que, é claro, não valorizava em *nada* a sua pele), era forçada a vestir amarelo, vermelho e laranja, cores que a deixavam com uma aparência deplorável. A única vez que Penelope sugerira verde, a Sra. Featherington colocara as mãos nos largos quadris e declarara que a cor era melancólica demais.

O amarelo, argumentou a Sra. Featherington, era *alegre*, e uma moça *alegre* conseguiria fisgar um marido.

Penelope decidiu naquele instante, naquele local, que era melhor não tentar compreender o funcionamento da mente da mãe.

Assim, ela se via vestida de amarelo e laranja, e às vezes vermelho, embora tais cores a deixassem com uma aparência *nada* alegre e, na realidade, ficassem assustadoras combinadas a seus olhos castanhos e seus cabelos avermelhados. Não havia nada que pudesse fazer a respeito, no entanto, então decidira sorrir e ser tolerante. Se não conseguisse sorrir, ao menos não choraria em público.

Algo que, para seu orgulho, jamais fazia.

E como se isso não bastasse, 1813 foi o ano em que a misteriosa (e fictícia) Lady Whistledown começou a publicar suas *Crônicas da sociedade*, três vezes por semana. O jornal de página única se transformou numa sensação instantânea. Ninguém sabia quem era autora. Durante semanas – não, meses – Londres não conseguia falar de outra coisa. O jornal foi entregue gratuitamente por duas semanas – tempo suficiente para viciar os mais sedentos por novidades – e de repente não chegou mais – para adquiri-lo, era necessário comprá-lo das mãos dos entregadores ao preço exorbitante de cinco *pennies* por exemplar.

No entanto, ninguém conseguia viver sem suas doses semanais de mexericos e quase todos pagavam.

Em algum lugar, uma mulher (ou talvez um homem, especulavam alguns) vinha ficando bastante rica.

O que separava o jornal de Lady Whistledown de qualquer boletim anterior sobre a sociedade era o fato de a autora informar o nome verdadeiro de seus sujeitos. Não havia como se esconder por trás de abreviações como Lorde P. ou Lady B. Caso Lady Whistledown desejasse escrever sobre alguém, ela usava o nome completo da pessoa.

E quando a colunista desejou escrever a respeito de Penelope Featherington, o fez. A primeira menção à garota no periódico foi assim: "O infeliz vestido da Srta. Penelope Featherington deixou a pobre menina parecida com nada menos que uma fruta cítrica madura demais."

Sem dúvida, uma alfinetada para lá de dolorosa, embora nada menos do que a verdade.

A sua segunda menção na coluna não foi melhor: "Nenhuma palavra foi ouvida da Srta. Penelope Featherington, e não é para menos! A pobre menina parece ter se afogado em meio aos babados do próprio vestido."

Nada que, temia Penelope, fosse aumentar a sua popularidade.

Mas a temporada não chegou a ser um desastre completo. Havia algumas pessoas com quem ela parecia capaz de conversar. De todas, Lady Bridgerton se afeiçoou a ela e a garota logo descobriu que muitas vezes podia contar à encantadora viscondessa coisas que jamais sonharia em dizer à própria mãe. Foi por meio de Lady Bridgerton que conheceu Eloise, a irmã mais nova de seu adorado Colin. A jovem também acabava de fazer 17 anos, mas a mãe sabiamente lhe permitira debutar no ano seguinte, embora Eloise possuísse a beleza da família e fosse cheia de encantos.

E, enquanto Penelope passava as tardes na sala de visitas verde e creme da Casa Bridgerton (ou, com mais frequência, no quarto de Eloise, onde as duas meninas se divertiam, davam risadinhas e falavam com bastante convicção sobre tudo o que havia para falar), às vezes travava contato com Colin, que, aos 22 anos, ainda não deixara a casa da família para morar em acomodações de solteiro.

Se Penelope achava que se apaixonara por ele antes, isso não era nada comparado ao que passou a sentir depois de realmente conhecê-lo. Colin era espirituoso, bem-humorado, tinha um jeito brincalhão e despreocupado que fazia as mulheres suspirarem, mas, acima de tudo...

Colin Bridgerton era simpático.

Simpático. Uma palavrinha tão boba... Deveria ser algo banal, mas de alguma forma combinava com ele à perfeição. Colin sempre tinha algo agradável para dizer a Penelope, e quando ela enfim reunia coragem suficiente para falar algo de volta (além dos cumprimentos e despedidas mais básicos), ele a escutava. O que acabava por tornar as coisas mais fáceis para a vez seguinte.

Ao final da temporada, Penelope achava que Colin fora o único homem com o qual conseguira ter uma conversa inteira.

Aquilo era amor. Ah, era amor, amor, amor, amor, amor, amor. Uma tola repetição de palavras, talvez, mas foi exatamente o que Penelope rabiscou numa folha de papel de carta caríssimo, junto com os nomes "Sra. Colin Bridgerton", "Penelope Bridgerton" e "Colin Colin Colin". (O papel seguiu para o fogo no instante em que a menina ouviu passos no corredor.)

Que maravilha era amar – mesmo que o sentimento não fosse correspondido – uma pessoa simpática. Fazia com que ela se sentisse tão sensata...

É claro que não atrapalhava em nada o fato de Colin possuir, assim como todos os homens da família, a mais fabulosa aparência física. Ele tinha aquela famosa cabeleira castanha, a boca grande e sorridente, os ombros largos, o 1,80 metro de altura e, no caso de Colin, os mais devastadores olhos verdes que já adornaram um rosto humano.

Eram olhos que dominavam os sonhos de uma moça.

E Penelope sonhava, sonhava e sonhava.

⁀⊃

Em abril de 1814, Penelope voltou a Londres para uma segunda temporada e, embora ela tenha atraído o mesmo número de pretendentes do ano anterior (zero), sendo honesta a temporada não fora tão ruim assim. Para isso, contribuiu o fato de ela ter perdido quase 13 quilos e agora poder se denominar uma "cheinha agradável" em vez de uma "gorducha horrorosa". Ainda não chegava nem perto do esbelto ideal feminino reinante à época, mas pelo menos mudou o suficiente para exigir a compra de um guarda-roupa todo novo.

Infelizmente, a mãe mais uma vez insistiu em amarelos, laranjas e no ocasional vermelho. E, desta vez, Lady Whistledown escreveu: "A Srta. Penelope Featherington (a menos fútil das irmãs) usou um vestido amarelo-limão que deixou um gosto azedo na boca de quem o viu."

O que, pelo menos, pareceu sugerir que ela fosse o membro mais inteligente de sua família, apesar do elogio ter sido, no mínimo, ambíguo.

Mas Penelope não era a única alvejada pela ácida colunista. A morena Kate Sheffield, com seu vestido amarelo, foi comparada a um narciso em chamas e acabou se casando com Anthony Bridgerton, irmão mais velho de Colin e um visconde, ainda por cima!

Assim, Penelope mantinha as esperanças.

Bem, na verdade, não mantinha. Sabia que Colin não se casaria com ela, mas ao menos lhe convidava para dançar em todos os bailes, fazia-a rir e, de vez em quando, também ria do que ela lhe dizia. Penelope sabia que aquilo teria de bastar.

E, assim, a vida dela foi em frente. Participou de sua terceira temporada, e depois da quarta. As duas irmãs mais velhas, Prudence e Philippa, por fim encontraram seus próprios maridos e saíram de casa. A Sra. Featherington mantinha a esperança de que Penelope ainda conseguisse se casar – as outras filhas haviam levado cinco temporadas para fazê-lo –, embora a jovem soubesse que estava destinada a permanecer solteira. Não seria justo casar-se com alguém quando continuava tão apaixonada por Colin. E talvez, nos recônditos da sua mente, naquele cantinho mais distante, escondido por trás das conjugações de verbos em francês que jamais dominara e da aritmética que nunca usara, ela ainda guardasse um minúsculo frangalho de esperança.

Até *aquele* dia.

Mesmo hoje, sete anos depois, ainda se referia a ele como *aquele* dia.

Tinha ido à casa dos Bridgertons, como fazia com frequência, para tomar chá com Eloise, as irmãs dela e Violet. Isso foi um pouco antes de o irmão da amiga, Benedict, se casar com Sophie, embora não soubesse quem ela era de fato e – bem, isso não queria dizer nada, a não ser pelo fato de que talvez tenha sido o último grande segredo da década anterior que Lady Whistledown não conseguira desvendar.

Pois bem, ela vinha atravessando o saguão de entrada, ouvindo a cadência rítmica dos próprios passos no piso de mármore ao ir embora da casa sozinha. Ajeitava sua capa e se preparava para caminhar a curta distância até sua residência (que ficava logo ao dobrar a esquina) quando ouviu vozes. Vozes masculinas. Vozes de Bridgertons do sexo masculino.

Eram os três irmãos mais velhos: Anthony, Benedict e Colin. Estavam tendo uma daquelas conversas que os homens costumam ter, do tipo em que ficam grunhindo e ridicularizando uns aos outros. Penelope sempre gostara de observá-los interagirem dessa forma: eram tão *família*...

Penelope podia vê-los através da porta da frente, mas não pôde ouvir o que diziam até chegar ao vão. E como prova do péssimo timing que a assolara a vida toda, a primeira voz que escutou foi a de Colin, e as palavras que ouviu não foram nada generosas:

– ... e eu com certeza não vou me casar com Penelope Featherington!

CONHEÇA OS LIVROS DE JULIA QUINN

OS BRIDGERTONS
O duque e eu
O visconde que me amava
Um perfeito cavalheiro
Os segredos de Colin Bridgerton
Para Sir Phillip, com amor
O conde enfeitiçado
Um beijo inesquecível
A caminho do altar
E viveram felizes para sempre

Os Bridgertons, um amor de família

Rainha Charlotte

QUARTETO SMYTHE-SMITH
Simplesmente o paraíso
Uma noite como esta
A soma de todos os beijos
Os mistérios de sir Richard

AGENTES DA COROA
Como agarrar uma herdeira
Como se casar com um marquês

IRMÃS LYNDON
Mais lindo que a lua
Mais forte que o sol

OS ROKESBYS
Uma dama fora dos padrões
Um marido de faz de conta
Um cavalheiro a bordo
Uma noiva rebelde

TRILOGIA BEVELSTOKE
História de um grande amor
O que acontece em Londres
Dez coisas que eu amo em você

DAMAS REBELDES
Esplêndida – A história de Emma
Brilhante – A história de Belle
Indomável – A história de Henry

Os dois duques de Wyndham – O fora da lei / O aristocrata

A Srta. Butterworth e o barão louco

editoraarqueiro.com.br